山田康彦芸術教育論集

芸術教育がひらく可能性

「芸術による教育」思想のパースペクティブ

山田康彦
YAMADA Yasuhiko

晩成書房

芸術教育がひらく可能性　「芸術による教育」思想のパースペクティブ
●山田康彦芸術教育論集●もくじ

まえがき

この国において、芸術教育という名称を付した書はあまり多くはない。美術教育、音楽教育、演劇教育、舞踊教育など、芸術の各分野の教育に関する書は多く出版されている。そのようなそれぞれの芸術分野の教育の理念、内容、そして方法が多彩にそして深く探究されることは、芸術教育の裾野を広げ、その実践と理論の発展に欠かせないことである。

しかし他方で、芸術教育という、各芸術分野の教育などを包括する視点からその種の教育の問題や課題を考えることも求められている。なぜならば、芸術教育という観点に立つことによって、芸術の各分野の教育の視点からではとらえきれないような包括的・総合的さらには原理的な視角から教育全体をとらえることが可能になると思われるからである。さらに加えれば、現代の社会および文化の状況がそうした観点を必要としていると考えられるからである。かつて文化は、たとえば上流文化と民衆文化のように社会階層別の文化に分裂していた。ところが資本主義の発展とともに大衆文化が広がり、良くも悪くもそうした階層別文化は掘り崩されていった。そして現代は政治と経済のグローバル化の急速な展開と併せて、電子メディアに先導された文化のグローバル化が進む一方で、生活の隅々にまで美的なものが浸透し支配する事態が進行している。そうした現代文化が社会や生活の全体を覆う中で、新たな形での文化的格差と分断も生まれている。そのことは学校教育においても同様である。形として芸術教科の比重が軽くされる一方で、「主体的、対話的で深い学び」という目標に示されるような現代社会に能動的に応対できる能力の育成のためには、極めて芸術的な教育機能が必要とされざるをえないからである。このような複雑な現代の文化状況の中で、芸術に関わる教育はどのような理念、内容、方法をもって社会と教育に関与すべきなのだろうか。そうした現代に求められる芸術教育のあり方が模索されなければならないときに、先のような芸術の個別の分野を超えた芸術教育という視角から包括的・総合的さらには原理的にその教育のあり方を検討することが求められている。その作業には、当然ながら、既に芸術や芸術教育という用語が人々にとって親しく使用する言葉としては受け取られなくなってしまった経緯の批判的な問い直しも含まれなければならないだろう。

本書は、このようは課題意識に少しでも応えるような芸術教育論の探究をめざしている。そのための本書全体を貫く視点は、ふたつある。ひとつは、広義の「芸術による教育」思想の視点である。一般に芸術教育の思想としては、「芸術の（への）教育」と「芸術による教育」のふたつに大別される。前者は、固有の芸術的諸能力の獲得をめざした教育である。後者は芸術的諸活動を通して、感覚や感性、創造性、さらには人格を豊かに育てることを目的にする。しかし本書は、そうした狭義と言える芸術教育の立場には与せず、社会、教育、そして生活などに芸術の諸機能を働かせて、それらの人間的な転換を求める広義の芸術教育の考え方に立っている。そのような視点が成立する根拠を示すと同時に、その視点から、従来の芸術教育の考え方のみならず、学校やその教育の諸相に対して論究を試みている。

本書全体のふたつ目の視点は、ポリフォニー[注]としての芸術教育論のそれである。そしてそれは、上記の広義の「芸術による教育」思想を実際に機能させる内実を成している。一般に、芸術活動や芸術教育はある一定の芸術の原理を基礎にしていることが多い。芸術教育観の対立は、表面に表れた考え方の違いというだけでなく、背景にあるそれぞれが依って立つ芸術観の相違に起因していることがしばしば見られる。そうした芸術教育の背景を成している芸術の諸原理は、それぞれが成立した必然性をもち歴史的意義を備えている。したがってそれぞれの芸術原理は、一方で芸術の本質や機能に関する極めて有意な視点を提示している。しかし他方で、その歴史性もあって、それぞれが弱点を持っている。そうした歴史的に形成され、否定しがたい有意性と同時に弱点を併せ持った芸術の諸原理を、一元化してしまうのではなく、それらが多元的に相互に緊張感を持って、つまりポリフォニックに作用する関係を生み出すことによって、芸術教育の力が最も有効に発揮されるのではないかと考える。実際に、有意義な芸術活動や芸術教育実践をよく見れば、どれかひとつが主導しているが、それだけでなく他の原理も実はさまざまに働いていることが多い。

そのような原理として、特に本書の中で注目しているのは、芸術固有の真なるものを探究しようとする「模倣」さらには「表現」の原理、事物に働きかけ加工することによって価値あるものを産み出していく「制作」の原理、そして事物や事象を

[注]　ポリフォニー（polyphony）は、元は「多声音楽」を指す音楽用語である。それが文学や文化研究にも使用されるようになり、特にロシアの言語学者ミハエル・バフチン（Mikhail Mikhailovich Bakhtin）の登場を契機に広く適用されるようになった。バフチンは、自立した相互に異なる多数の声や意識が意味生成を求めて能動的に対話している状態を、ポリフォニーとしている。ミハイル・バフチン（望月哲男・鈴木淳一訳）『ドストエフスキーの詩学』（1963）ちくま学芸文庫・1995年、桑野隆『未完のポリフォニー』未来社・1990年、などを参照。

新たな視点で見直し、個人間の意見の一致と同意を強要しない、独立した個人間の相互交渉で成り立つ「異化」や「対話」の原理である。そうした「異化」や「対話」には、とりわけ人間間の事柄をあらゆる人の視点からとらえる共通感覚の機能を伴う美的判断が働いていることに留意したい。なぜこのような整理になったかは、本書の各所での論考をご検討いただきたい。

本書全体に以上のようなふたつの視点が貫かれていることをふまえた上で、本書の構成を示しておきたい。

第Ⅰ章は、現代に求められる芸術教育の視点を検討し明らかにしている。特に第１節と第２節は、これまでの「芸術の（への）教育」「芸術による教育」そして「芸術としての教育」という理解の仕方を批判的に検討し、広義の「芸術による教育」思想の重要性に注目している。他方で第３節では、そうした芸術教育が、個人の成長・発達と世代更新による社会の存続とを繋ぐ要となる教育という営みの中で、どのような役割を果たすことができるのかについて検討している。その際に「理性の自然化」としての教育の発想に注目して、それを実際に発動させる上での表現の決定的な役割に言及している。

第Ⅱ章は、現代の社会的課題にかかわる芸術教育の視点と役割について考察している。特にそうした問題にかかわる場合に、一方で芸術教育固有の論理を持って関与しなければならないと同時に、他方でそうしたかかわりの中で芸術教育固有の論理自体の見直しが求められる場合がある。そうした複眼的な視点をもって検討が進められている。具体的には、第１節は平和を守り発展させる教育と芸術教育との関係について検討している。芸術教育分野では、1952年に和訳が公刊されたハーバート・リードによる有名な『平和のための教育』がある。その書の意義を確認すると同時に、その限界を超えるためにハンナ・アーレントの共通感覚論に注目して考察している。第２節は、市民一人ひとりによって社会は作られていかなければならないが、そうした市民社会形成と芸術活動や芸術教育について分析している。具体的には、そうした市民社会づくりに芸術文化が欠かせないことを実践しているドイツの社会文化運動とイギリスのコミュニティ・アート運動についての筆者の視察も含めた考察を行い、その中で必須の概念の抽出を試みている。第３節は、今般のコロナ・ウイルスによるパンデミックの中での芸術文化関係者及び芸術教育関係者たちのさまざまな試みや努力を素描するとともに、その中で見えてきている芸術教育としての重要な視点を抽出しようとしている。

第Ⅲ章は、学校教育の改革に焦点を当て、それに関与しうる芸術教育の視点や展開について論じている。それは第Ⅰ章で検討した広義の「芸術による教育」思想の視点からの検討と展開である。第1節は、学力向上の取り組みと芸術教育との関係について、アメリカ合衆国の例をふまえて検討し、改めて芸術教育の役割について言及している。第2節では、芸術も含めて教科に細分化されてしまった学校教育の問題性に触れつつ、総合学習とそれに関与する芸術教育の可能性について検討している。第3節では、教科外教育としての学校文化活動の性格と可能性について、芸術的価値の追求か生活指導かという実際の論争を素材に、そうした対立を超える芸術教育の視点について解明している。さらに第4節では、戦後の学校での芸術教育を理論的に支えてきた「芸術の教育」論の意義を明らかにすると同時に、それに代わる新たな芸術教育論には、芸術的価値にのみ立脚するのではない芸術教育固有の理論構築が必要なことを検討した。

第Ⅳ章は、美術教育に対象を絞ってその教育論を理論的に探究したものである。第1節は、戦後の1950年代初頭の創造美育協会の設立に加わり、その後新しい絵の会で一貫して子ども自身から生まれる美術表現の可能性について探究し続けた池田栄の児童画教育論の特質について検討した。特に線描と色彩の持つ意味に対する池田の深い洞察が注目される。第2節と第3節は、美術教育を進める会を中心とした造形表現能力の発達論を基礎にした美術教育論について検討している。第2節では、認識を中心とした従来の心理学的発達論の限界を芸術教育の視点から明らかにしている。それをふまえて第3節は、造形表現能力の発達論を豊かにしていく視点を具体的に提案している。その際に、たとえば歴史的に蓄積されてきた美術教育を進める会の実践の中に、本書全体に貫く視点として示した多元的な芸術原理が緊張感を持って作用しあうという状況を見出し、それらを明文化することを示唆している。

最後に**第Ⅴ章**では、これまで触れてきた本書全体を貫く芸術教育の視点、とりわけ多元的な芸術の原理がポリフォニックに作用し合うという視点を提示してきたが、その視点の理論的な基礎となるいくつかの概念について検討している。第1節では、「表現」概念と、その淵源に「模倣」概念があることを確認し、両概念が内包する意味と限界について明らかにしようとしている。第2節では、近代の科学と知の限界を感性を含んだ臨床の知によって乗り越えようと展望する哲学者中村雄二郎の理論の鍵概念になっている共通感覚論に焦点を当てて、その共通感覚論が結局は真理を求める認識論の枠組みにとどまっていることを指摘している。それに対してハンナ・アーレントの提示する共通感覚概念に注目し、本書で使用するその概念を明確にすることを試みた。第3節は、本書の最後に当たって、芸術教育学が存立すべき位置と可能性を、教育学の学問的位置と可能性の確認、及び従来の美学・芸術学を基本論理とする芸術教育学の検討を通して明らかにすることを試みている。

本書は、以上のように、基本的な視点はあるものの、具体的には芸術教育のさまざまな事象に対する検討や考察によって構成されている。本書全体を芸術教育の視点から吟味していただいたり、それぞれの部分について検討していただくことも可能である。本書によって、芸術教育に関心を寄せる方や、芸術教育論に対して理論的関心を持ってくださる方が少しでも多くなれば幸いである。

第Ⅰ章

芸術教育の射程

第1節　学校教育におけるアートの可能性

一般に芸術教育とは、小学校での図画工作科と中学校・高等学校での美術科・工芸科、そして音楽科、さらには国語科や保健体育科の一部分に見られるように、学校の教科の教育として理解されがちである。しかしそれは、内容としても性格としても芸術教育の一部にすぎない。学校教育の中での芸術教育とは、どのような視角をもって取り組まれるべきなのかについて、改めて考えてみる必要がある。

また、芸術教科は1998年の学習指導要領改訂によってそれまで週２時間だったものが、２時間以下や１時間に削減され、それ以来芸術教育がますます軽視されてきたと指摘されている。他方で、今日、学校教育現場では「知識・技能の習得」だけでなく、それらを活用する「思考力・判断力・表現力等」、総じて「主体的・対話的で深い学び」が強調されている。それは形式的な学力だけでは、現代社会に必要とされる力を子どもたちに育むことが不可能なことを示している。そのため今日の学校ではアートの活動が軽視されていると単純に指摘することはできない。むしろ、そのような活動的な知性や感性を育成するために、アートの活動や視点がさまざまに学校の中に導入されているととらえた方が的確であろう。したがって今日、学校教育の中にもっとアートの活動を取り入れるように主張するだけでなく、そのアートの取り入れ方が吟味される必要があろう。

このような状況をふまえ、ここでは、歴史的にも蓄積されてきた学校教育の中にアートを取り入れる考え方を確認するとともに、アートの役割の中で、今日特に重視すべきだと思われる点について考えてみたい[1]。

---

[1]　近年、社会活動や社会教育の場で「芸術」という用語に代わって、「アート」の活動や教育という用語がしばしば使用されている。「芸術」という用語は芸術固有の価値を追求しようとする限定された活動や作品だと一般に理解されがちである。それに対して「アート」という用語は、より幅の広い芸術的な活動や機能を意味していると受け止められて使用されている。筆者もそのような意図には賛同したいが、芸術教育論を歴史的に見たときに、「芸術」は必ずしも狭義の「芸術」を意味するわけではなく、逆に広義の意味を込めて使用されてきた面もある。したがって、本書全体でも、そうした歴史的含意を込め、かつ一般のその用語の概念の見直しを図る意図も含んで「芸術」という用語を使用していきたい。

1 芸術が教育の基礎でなければならない

先に指摘したように芸術教育とは、音楽・美術・国語・体育といった芸術にかかわる教科の教育のみを指すわけではない。また芸術的活動は、そうした教科だけで営まれるものでもない。

たとえば、第二次世界大戦後の欧米および日本の芸術教育の振興に大きな影響を与えたハーバート・リードは、「芸術は教育の基礎でなければならない」と主張した[2]。すなわちそれは、芸術が教育全体の基礎として位置づかなければならないという広義の芸術教育論である。しかし残念ながらこの主張は、戦後日本の教育の中であまり肯定的には理解されずに、十分には受け入れられてこなかった。それは、固有の文化的価値を背景とする教科の教育それぞれが、独自に尊重されなければならないという考え方に相反するとして、芸術教育至上主義だと批判された。そして結局は、芸術教科の教育を改善するところに留まった。つまり子どもたちの個性や創造性を育むように芸術教科の教育を改善し、そのことによって教育全体に資するようにするというスタンスである。

しかしながら少数ではあったが、広義の芸術教育の発想をしっかりと受けとめて芸術教育を展開しようとした主張も確かに存在した。代表的なのは、戦後の演劇教育の発展に力を尽くした冨田博之の次のような議論である。

> 「特殊な性格と機能をもつ芸術の一種である演劇の創造活動を体験させ、または鑑賞させるいとなみをとおして、子どもたちの全面的な成長をはかり、さらに、その本質、機能を日常の教育活動全体にいかすことによって、教育の仕事をより豊かで、いきいきとしたものにしていこうとするもの。[3]」

この指摘は、1960年に冨田が示した演劇教育の定義である。そこでの演劇という語を芸術に言い換えても十分に通用する。そのことによって芸術教育一般の定義にもなる。この定義は、ふたつの部分に分かれる。前半は、芸術の創造や鑑賞を通し

---

[2] Herbert Read, *Education Through Art* (New York: Pantheon Books,1945) p.1.(本書は、『芸術による教育』というタイトルで、植村鷹千代・水沢行策訳、美術出版社刊 、1953年、p.1.と、宮脇理・岩崎清・直江俊雄訳、フィルムアート社刊、2001年、p.18.と、2回翻訳されている。本論では、原著をふまえこれらの訳本も参考に訳し直している。同書の訳については、以下同様である。)

[3] 冨田博之「Ⅲ 芸術教育の内容と方法 5 演劇」『岩波講座 現代教育学 8 芸術と教育』、1960年、p.264。

て子どもの成長を図るという狭義の「芸術による教育」を示している。この「芸術による教育」思想は、「芸術への教育」「芸術としての教育」とともに、芸術教育のさまざまな考え方が集中的に論議された20世紀初頭のドイツ芸術教育会議以来連綿と引き継がれてきた芸術教育の考え方のひとつである[4]。それは、芸術的な諸活動を通して子どもたちの感覚や感性、創造性などを育み、学習活動や人間形成の基礎を培うという考え方である。

後半の指摘については、さまざまな教科の教育の中に演劇的な活動を取り入れたり、教師の活動に演劇的な要素を生かすことによって教育活動を活性化させるという具体的な展開が想定されている。しかしその指摘を単に演劇教育固有の機能として限定してしまうのではなく、芸術教育論への問題提起として受け取る必要がある。

すなわちそれは、芸術の本質や機能を教育活動全体に働かせることによって、教育活動そのものを豊かな生き生きとしたものにするという、前半とはたいへん様相の異なる考え方を示している。この指摘は、個人の思想や感情の表現を芸術と理解する近代の芸術観とは、性格を異にしている。それは、個人主義的な近代芸術観とは系譜が異なり、その近代芸術観を批判した民衆芸術の思想に連なっている。たとえば、冨田の指摘と同じ1960年に、鶴見俊輔は「限界芸術」という考え方を提出した。それは、冨田の考え方に通じるとともに、その意味するところをよりよく説明していると思われる。

鶴見は、芸術を、「純粋芸術」(Pure Art)、「大衆芸術」(Popular Art)、そして「限界芸術」(Marginal Art)の3つに分類し、専門的芸術家などによって制作される「純粋芸術」や「大衆芸術」とは異なって、「限界芸術」は芸術と生活が重なり合う広大な領域に存在し、芸術の専門家でない人々によってつくられ、そして享受されるというのである。さらにこの「限界芸術」が果たす役割として、次のような注目すべき指摘をした。

> 「限界芸術のことを考えることは、当然、政治・労働・家族生活・社会生活・教育・宗教との関係において芸術を考えてゆく方法をとることになる。芸術を純粋芸術として考えてゆくことが、芸術を他の活動からきりはなして非社会化・非政治化してしまうのとちがい、また芸術を大衆芸術として考えてゆくことが、芸術を他の活動に従属し奉仕するものとして過度に社会化・政治化して

---

[4] この時期の芸術教育の動向については、とりあえず『阿部重孝著作集』第2巻(日本図書センター、1983年)を参照されたい。

ゆくのともちがって、芸術そのものの観点につきながら他の活動の中に入ってゆき人間の活動全体を新しく見直す方向をここから見出せるのではないかと思う。[5]」（傍点—引用者）

この考え方に従えば、身の回りの生活などさまざまな人間活動とかかわって芸術的な機能を働かせることによって、人間活動全体を問い直し、その新たな方向を発見していくことができるのである。この人間活動には、当然ながら教育活動が含まれる。したがって学校等の教育活動のさまざまな場面で、芸術的活動を展開したり、さらにもっと幅広く芸術的な諸機能を働かせることによって、教育活動を新鮮な目で見直し、教師や子どもの常識化したものの見方を問い直すとともに、教育活動や学習活動を豊かに生き生きしたものにしていくことができるのである。このような芸術教育の発想が、広義の「芸術による教育」思想である。

「学校教育におけるアートの可能性」を考えるということは、芸術関係教科の教育や子どもたち一人ひとりの芸術的な表現や鑑賞の活動が持つ意義に目を向けるだけでなく、教師の活動を含む教育活動全体に芸術的な機能を働かせていくという広い視点に立って、その可能性を展望することが求められるのである。

2 芸術の多様な機能を教育に生かす

教育活動全体に芸術の機能を働かせ、生かしていくということは、学校でのあらゆる場面が対象になる。それは、校舎や屋外の空間の配置、校内の教室や空間のデザイン、教室内の掲示などの物的環境から、教師の表情、発話、身ぶり、さらには教師と子どもや子ども同士の関係などの人的環境のすべてに関わっている。そこでの芸術的な機能が、たとえば子どもたちをあるときには落ち着いた気持ちにさせたり、あるいは活発にしたりするなど、さまざまに教育的に作用するのである。

このように教育の場における芸術の機能が多様であることをふまえながらも、特に重要だと思われる役割について言及しておきたい。それらは次の４点である。

① 世界を新鮮な感覚や目で見直す

② ものや人とのコミュニケーション回路を開く

③ 思いを多様な形で表す

---

[5]　鶴見俊輔「芸術の発展」『講座現代芸術』第一巻、勁草書房 、1960 年、pp.224-5.（その他、『限界芸術』講談社学術文庫、『限界芸術論』ちくま学芸文庫等にも所収）

④ 多相的多重的な対話の場を生み出す

①とかかわって、優れた芸術作品に触れることで、感動を伴って人間や世界の存在を新たに見直すという経験は多くの人々が共有している。しかしそれだけなく、目を閉じて耳を澄ませたり、歩いてみたりすると、日常とはまったく違った感覚を経験する。このように常識化した見方や感じ方を問い直させるのも芸術の働きである。

②とかかわっては、たとえばM.バフチンによれば「言葉はすべて、次の三者すなわち、語り手（作者）、聞き手（読者）、語られる誰か（主人公）の社会的相互作用の表現であり、産物である[6]」。これは単に、言葉だけでなく、芸術的な表現や制作にも共通する。立体の美術作品を作るときにも、作者である自分と対象と、その作品を観る第三者を意識しながら、少なくとも三者の相互交流の中で作品は作られていく。したがってできあがった作品を通してのみではなく、作品の制作を通じても、ものや人とのコミュニケーション回路は開かれるのである。

③とかかわる表現について、現代の子どもや青年は表現力が低下しているとしばしば指摘される。しかし人が生きること自体が表現すること、つまり表現しながら人は生きているとすれば、今日、日常的に子どもたちは「表現」を強制されているといえる。そうした支配的な生の「表現」を強いられている子どもたちに、自らの思いを自らに可能な形で表すことができる多様なアプローチを拓き、その表現を受けとめることができる関係を作っていくことが求められる。

④とかかわっては、まず美的判断力の意義のとらえ直しが求められる。従来、「何を美しいと判断するかは、個々人の好みによる」と、美的判断は個人的・主観的なものだと理解されてきた。しかしそうではなく、逆に美的判断力には、人と人との間をつなぐ共通感覚が働いている。かみ砕いた言い表し方をすれば、たとえば「この花は美しい」という美的判断は、決して個人の主観だけではなく、そこには「誰もがそうした自分の判断に同意してくれるだろう」という他者の立場に立って事柄をとらえる、他者と世界を共有することを可能にする共通感覚が働いている。したがって、美的判断力を働かせていくということは、人と人との間をつなぐ感覚的な土台を形成し、人々の交流を生み出し、さらには個々人が同調するのではなく、そ

---

[6] M.バフチン「生活の言葉と詩の言葉」（1926年）『ミハイル・バフチン著作集① フロイト主義』新時代社、1979年、p.239.

[7] この美的判断力の理解は、E.カントの美的判断力に関するH.アーレントによるとらえ直しに依拠している。たとえば、H.アーレント「文化の危機」『過去と未来の間』みすず書房（1994年）など参照。また本書の第Ⅱ章第1節、第Ⅴ章第2節も参照されたい。

れぞれの差異を尊重しつつ格闘する対話の場を作り上げるうえで大きな役割を果たすのである[7]。

3 他者と深く相互交渉できる身体性を獲得する

このように芸術の諸機能は、学校の中に生きた教育関係を生み出すためには欠かすことができない。そのうえで、今日の子どもたちの現状をふまえたとき、特に強調されるべき取り組みについて2点指摘したい。

ひとつは、ものや人と深く関わることができる身体性を獲得することである。幼児の段階から絵を描くことに非常な抵抗を感じるなど、表現に困難を感じたり、それを拒否する子どもたちが多くなってきているという指摘がされるようになって久しい。

実は、表現するとは、その一挙手一投足が、世界との相互交渉である。先に表現は、作者と対象と享受する者の少なくとも三者の相互作用だと指摘したが、その相互作用が成り立つためには、非常な緊張が伴うのである。たとえば、鉛筆やペンで自分の生活の場面を絵に表そうとした場合、単に自分の中にある生活のイメージを一方的に描くことによって絵になるわけではない。線で描く一つひとつの行為が、自分や友だち、そして事物、さらには生活の場面全体のイメージと、自己と、そしてそれを観るであろう人とのたいへんな緊張を伴う相互交渉なのである。こうした対象等との緊張した相互交渉に耐えることができないと絵を描ききることはできない。表現を拒否する子どもたちが多くなっているのは、そうした対象等との緊張した相互交渉に精神的に耐えられないからである。そのためにはそうした他者との相互作用を刻印した、相互交渉しうる身体性の獲得が求められる。

リードが「芸術が教育の基礎でなければならない」と主張したとき、彼が基礎として最も念頭に置いていたのが、世界の諸対象に対する新鮮な感受性である。リードは、たんに個人の発達を教育の目的としたのではなく、「個人の独自性と、社会的な結合との調和」、すなわち正当にも個人の個性的な成長と社会化との結合を目的とした。そうした教育目的を達成するうえで、美的教育を根本に据えて、あらゆる知覚・感覚の強さと環境との協調を保持すること、感情や無意識にとどまる精神的な経験とさらに思考を伝達可能な形式で表現することという、主にふたつのことを通して教育の基礎を形成する必要があると主張したのである。そうした知覚・感覚の強さと表現が、なぜ教育の基礎になるのだろうか。その答えと考えられるのは、リードの次のような指摘である。

「統合の過程は、すでに見てきたように、教訓主義に密かに含まれているような精神的態度を避けることから主として成り立っている。道徳、芸術、社会におけるパターンは、それぞれ生成的な新鮮な感受性によって新たに知覚されなければならない。[8]」

そこに見られるのは、既成のものの見方を廃し、みずみずしい感受性を通して世界を新たに把握することである。知覚・感覚を働かせ、表現することによって、世界の諸対象を新鮮な形でとらえ直していくような、世界との生き生きしたかかわり方こそ重要なのである。そうした営みを通して、個人化と社会化とを統合した成長を図ることができるというのである。このように表現等を通して常に世界を新鮮な感受性をもってとらえていくためには、諸対象と深く相互交渉できる身体性の獲得が不可欠だろう[9]。

4 多様な自己の中で真性な表現を経験する

このように身の回りの諸対象と深く相互交渉できる身体を獲得し、世界に対する新鮮な感受性を保持していくことが特に求められるとともに、もう一方でさまざまな自分を「表現する」ことが強いられる現代にあって、「真性」と形容すべき表現を経験することが必要になっていると思われる。それは、人間の内部や外部に確固とした自己や真正な価値が存在するととらえる立場とは異なる。人にとって「真実らしい」と感じられるような表現を意味している。

筆者の所属する教育科学研究会の「美的能力と教育」分科会では、特にこの10年間あまり、子どもたちのさまざまな表現活動に学びながら、今を生きる子どもたちにとって本当に求められる表現とは何かを探求してきた。その中である程度共有さ

---

[8]　H.Read, ibid., pp.299-300.（前掲［2］の植村鷹千代・水沢行策訳、p.353、及び宮脇理・岩崎清・直江俊雄訳、p.350.）

[9]　たとえば、多くの幼児教育や芸術教育関係者等が関心を寄せているイタリアのレッジョ・エミリア市の芸術的活動を核とした幼児教育も、このような芸術的な諸活動を通して身の回りの諸対象との能動的で深い関わりを生み出し、世界に対する新鮮な感受性を育んでいると思われる。それが学びの基礎になっていると理解できる。ただし筆者の見るところ、こうした芸術的活動が知的教育の基礎という面から主にとらえられており、子どもの表現という観点からの受けとめももっと重視すべきだと考えられる。佐藤学監修・ワタリウム美術館編『驚くべき学びの世界―レッジョ・エミリアの幼児教育―』（ＡＣＣＥＳＳ、2011年）などを参照。

れてきたのが、子どもたちの「真性な」表現を大切にすることである。

近年、子どもたちの表現することの困難さが指摘される一方で、さまざまな表現活動が学校内外で積極的に取り組まれる中で、表面上「生き生きとした」「能動的な」表現が生まれ、評価される傾向にある。しかしこれらは、結局は支配的な他者に強いられた「表現」と変わらないことになる。そうではなく、子ども自身がそれぞれに抱いている思い、感覚、リズムを率直に表現することを大切にすること、そしてそうした表現に内在する輝きを関与する大人がていねいに受けとめることを媒介にしながら、それぞれの表現を受けとめあう子ども同士の関係を生み出していくことが重要だと考えられるようになった[10]。

今日の子どもたちは、家庭、学校、その他の社会的諸関係の中で、さまざまな自分を表現しながら生きざるをえない。すなわち人は、自身の内部に確固として形成された自己を保有しているわけではなく、語り・表現しながら自己を構成していく。そうしてさまざまに自分を演じ表していくわけだが、その中でも自分なりに「真実らしい」と納得できるかたちで率直に自己を表現するという経験を重ねることは、生き方を模索するうえで貴重で不可欠な作業だと考えられる。それは、いわば「生きられた経験」を組み込んだ自己のストーリーの再構成化作業とも言えよう[11]。

---

[10] たとえば、第50回及び第51回の『教育科学研究会大会報告集』(2011年、2012年)参照。

[11] 物語論はさまざまな学問分野から多くの探求がされているが、教育学分野では、さしあたり日本臨床教育学会編集『臨床教育学研究』第0巻、2011年などを参照されたい。

第2節 芸術教育の視点を見直す
—創造美育運動の胚胎していた思想的射程—

1 創造美育運動の評価の視点

(1)「創美」論争の対立構図

本節の目的は、戦後日本の創造美育協会を中心とする創造美育運動（以下「創美」と略す…筆者注）が本来指向していたはずの思想的射程を明らかにすることにある。

「創美」の理論と実践をめぐる美術教育論争は、1950年代半ばから60年代初頭にかけて集中的に展開された[1]。そこに現われた論争点は、主に次の諸点だった。①美術教育において抑圧された精神の解放を重視するか、あるいは外界の現実の認識を重視するか、②生まれつきの創造力があるか否か、③指導を原則として行わないのか、あるいは積極的に行うか。④絵画表現において、感情を重視するか、あるいは具体的な事物に対する正確な知覚や認識を重視するか。

しかし1971年の時点で、小野二郎はこうした「創美」の議論に関して、「創造美術教育運動（いわゆる『創美』）がそれぞれ行きづまったとするなら、細かい事情を知らずに一しょくたにする無理を承知でいえば、この人たちは自分の持つ思想の射程を充分自覚するところがなかったからではないかと思う[2]」（傍点—引用者）と指摘した。この指摘には、「創美」を擁護する議論のみならず、それを批判する議論の両者が含まれていた。その含意を探るのが、本節のねらいである。

まず1954年に行われた 教育学者小川太郎と北川民次との間の議論に着目してみ

---

[1] たとえば以下の諸論争を参照。①『教育』1960年10月号誌上シンポジウム、②1961年9月に行なわれた民間教育団体連絡会（現日本民間教育研究団体連絡会）での討論（『教育評論』1961年10月臨時増刊号及び『創造美育』1961年12月号～62年5月号に掲載）、③『美育文化』1962年2，4，6，8月号誌上討論。

[2] 「『芸術教育』から『芸術による教育』運動へ」『新日本文学』1971年1月（『ユートピアの構想』晶文社、1986年所収、p.366.）

たい。そこには上記諸論争の中核的な論点が提出されている。それは小川が質問し、北川が応えるというかたちだった。小川は次のような問いを発した。

> 「創造美育の主張のなかには、形象的な表現によって子どもの精神を自由にするということが含まれており、わたしもそれを重要なことを考えますが、形象的な表現が言語的な表現と結びつけられないと、獲得せられる自由も気分的なものにとどまって、現実の生活のなかで障害を克服して、現実の自由を実現してゆく力は養われないのではないでしょうか。(…引用者中略…) 生活についての話し合いと、社会科などでの法則的な認識とに発展させられたときに、本当に自由を実現する力がつくられると思います。
> 創造美育は、人間を深層で自由にするが、これを意識化し、法則の認識によって現実の自由を実現する道を考えるところまで発展させたいのです。」

北川はこれに対して、日本の児童にとって何がもっとも必要であり、教育で緊急に採用されねばならぬかという問いを立て、「日本の児童画は (…引用者中略…) 何か非常に堅固なものの前に来て立往生してしまうような気がしてなりません」と指摘した。そして「何かの方法でもって、この固い壁を突き破る精神を育成する必要を感じさせられます」と語り、「私は、だからもっと集中的に絵を描いて、そこから精神的な突破口を見つけてゆくということに今までも賛成し、またただ今もそれを信じております」と主張した[3]。

つまり小川は、現実の自由の実現のためには、絵を描くなどによって得られる精神の自由や解放だけでは不十分であると指摘した。そしてそのような精神の解放や芸術的形象と科学的な認識とを二元的に並置したうえで、後者の優位性のもとに両者の結合が必要であると主張したのである。それに対して北川は、精神の解放をなによりも強調したのである。このとき小川において、形象的表現によって得られる精神の自由とは、情緒・感情の解放という意味でとらえられており、それ以上のものではないことをまず確認しておきたい。「創美」論争において、同様な対立が多く見られる。たとえば、国分一太郎は「美術教育における個人主義的自由主義の批判」という論文を著わしている。そこでは、「創美」を「心理学主義」と規定し、第一に「子どもの自由の意識を、常に内部からだけ出てくるものと考えている (…引用者中略

---

[3] 北川民次「生活つづり方と創美」『愛知創美』1954年10月号（『美術教育とユートピア』創元社、1969年11月所収、pp.141-144.）

…）そのため、自然や社会の事物を反映して人間の考え方や感じ方をつくりあげていく現実の生きた人間をみおとしてしまうきらいがある」と批判した。そして第二に「全教育のあらゆる分野でみがかれた、みがかれつつある（みがかれるはずの）科学的な、芸術的な物の見方・考え方・感じ方を大切にしていない」と指摘した[4]。人間意識の形成における外界とのかかわり、とりわけ現実に対する認識と、全体的な科学と芸術の価値の尊重とその摂取を強調しているのである。

これに反論して滝本正男は、「創造美育では、心の内の法則を、外からきりはなすというのでなく、“交互作用”と考えている。そして、外の法則に気をとられて、内の法則とのつながりをわすれるな、と警告しているのである」と主張した。そして「わが国の進歩的陣営の先生方さえ“自分の精神を解放すること”の意義を全く理解せず」、「現在の日本の実状では、“外見・題材・テーマ”の重要性については、文部省から進歩的な先生方まで、申し分なく心得ているのに、“それが欠ければ芸術的な意義はほとんどゼロに近い”子どもの創造の精神の重要性には、おしなべて、切実な関心があるとはいえないのが実状である。創造美育が、創造性の意義を、声に大にして叫ぶゆえんである」と指摘した[5]。やはり滝本においても、なによりも抑圧された精神あるいはコンプレックスの解放を強調していた。

このように「創美」批判の議論は、抑圧された精神の解放だけでは不十分であるとして、その精神の解放と科学的な認識の獲得との両者の結合を主張する。あるいは現実認識や科学的で知的な認識の重要性をなによりも強調する。他方で「創美」の側は精神の自由と解放あるいは感情の陶冶を一義的に主張する。これが「創美」論争において、表面的に現れた対立構図である。このかぎりにおいては、前者の議論の方がより整合的である。なぜならばたしかに現実社会における自由の実現が精神とりわけ情緒の解放だけで達成されることはありえない。また人間意識が内発的な自己運動によってだけで生成されることはなく、それはつねに他者との相互作用を通じて形成されるあるいは他者との関係性のうちに存在するからである。

また「創美」の妥当性を、その批判の側の議論が持っていた人間の感情や意欲に対する自覚の弱さに警鐘を鳴らし、それを補完するものであると理解することもできない。先の滝本の議論はそうした主張としても読みとることができる。この種の議論では、両者の部分的な長所の一方的な強調や折衷によって、対立を皮相なかた

---

[4]　『児童心理』1955年1月号（滝本正男『人間解放の美術教育』黎明書房 1976年3月所収、p.128.）

[5]　「創造美育の教育的役割」『教師の友』1955年3月号（滝本、同上書所収、pp.107-109.）

[6]　この点と関わって、1970年代以降の様々な「創美」再評価の動向や美術教育における感情や意欲に着目する実践や理論が再検討されなければならないと考えられる。

ちで理解して終わらざるをえない。それは、両者の対立に内在していた、その対立をダイナミックに克服する理論枠組みの探求を不可能にしてしまうのである[6]。

(2) 新たな精神の意識化作業としての芸術的表現

ここで再度、先の小川太郎に対する北川民次の応答に着目したい。実は北川は、上記の議論の間に、次のような指摘をしている。

> 「小川氏がいわれる『美術教育は情緒に作用する』だけでは、私には不満足のように考えられます。絵を描くことは、もっとたくさんの精神的な行動を含んでおります。」(傍点―引用者)

絵を描くことが情緒や感情の解放にとどまらない、多くの精神的行動を含んでいるという、この指摘に注目しておきたい。そこでは少なくとも、芸術的表現による精神の解放を情緒・感情面の解放として限定して理解したうえで、「形象的な表現を言語的な表現と結びつける」、あるいは「人間を深層で自由にするが、これを意識化し、法則の認識によって現実の自由を実現する道を考える」といった、小川の芸術的形象や情緒の解放と科学的な認識とを分離してとらえる二元的で二次的な思考を越えてしまっているからである。そして両者を含みこんだ総合的な精神過程が想定されているのである。

さらに北川の「整理」という概念に着目したい。これが北川の理論の「鍵」概念であることは、これまでも指摘されたことがあるが、その内容については十分な論及がされているとはいえない[7]。北川のこの「整理」についてのいくつかの発言を提示しておきたい。

「日本の教師は児童に整理の技術を教えないで、ただコンプレックスをうち破

---

[7] たとえば中尾正二「北川民次『美術教育とユートピア』」堀内守編『芸術と教育』講談社 1981年6月、p. 242. 参照。また近年、西郷南海子は、北川が学んだアート・スチューデンツ・リーグの教師であり、都市の労働者階級の生活に目を向けて作品を制作した「アッシュキャン・スクール」に属したジョン・スローンと北川との関わりに焦点を当てた論文の中で、北川の「整理」の概念はスローンのrealization概念から学んだものであり、「心の中のレアリズム」を成熟させながら「視覚的レアリズム」による新たな発見を取り込んでいく双方の発展・統合の営みであると分析している。美術制作の過程としての「整理」についての基本的な理解は、西郷の指摘する通りだが、北川はその概念を精神の全過程に適応させて論じている意義を受け止める必要がある(「北川民次とジョン・スローン:絵を描くことを通じた物自体のとらえなおし」『美術教育』302号、2018年、pp.20-21.)。

れ、希求するものを獲得しろと、むちを与えて、ただ『やれ！』といっている。その後になんにもない。せっかく取ったものを、どう持って行っていいかわからず、自分の富にはしえなくなっているんですよ。（…引用者中略…）彼らは、コンプレックスを取りゃ健康になるんだと思っているんですよ。[8]」

「人間は生きている。（…引用者中略…）知識そのものも生きているのだ。生きた知識は動的（ダイナミック）に整理されなければならない。（…引用者中略…）本棚では地理、歴史、数学というように秩序づけることもできようが、生きた精神の中で起こる動的な秩序は、これとは意味が違うからである。（…引用者中略…）それ（フォルム…引用者注）は、われわれの精神が実感を持って把握できる形態のことである。（…引用者中略…）われわれの経験の大部分は、精神の中でフォルムという形で、生き生きと真実感を失わないで存在することができる。[9]」

これらの発言において北川は、美術あるいは美術教育において、「整理」という精神的な作業が不可欠なことを強調している。この「整理」という作業はフォルムと類似的に使われている。それによって生きた知識や経験といった精神行動は、はじめて形を与えられ秩序づけられるという。逆に言えばそうした知識や経験は既成の概念では秩序づけられ意識化されないのである。

ここで北川も、小川や国分と同様に、芸術的表現がコンプレックスの解放あるいは感情の陶冶にとどまってはならないと語っている。しかし北川は、「創美」論争における両者の側がともに陥りがちだった、情緒・感情の解放と科学的認識の獲得とを二元的に理解する立場をとってはいない。また小川など「創美」批判の議論に見られた、感情の解放や芸術的形象的表現と科学的認識とを結びつける、あるいは前者から後者へと発展させるといった二次的なプロセスも想定していない。そうした二元的思考枠組みや二次的な思考のプロセスをも含みこんでしまった、既成の概念や知識ではとらえきれない生きた知識や経験を秩序づけ意識化する、精神の総過程について言及しているのである。ここに北川の議論の集約点がある。

こうした北川の議論のうちに、「創美」の論者も十分自覚しえていなかった創造美育運動の思想的射程の一端を読みとることができる。それは、情緒・感情や芸術的形象と科学的な認識とを対立ないしは並置する二元的で二次的な思考枠組みを含め

---

[8] 久保貞次郎「子どもの闘争心―北川民次との対談―」(1967年)『児童画と教師』文化書房博文社、1972年2月、pp.111～112.

[9] 北川民次『十歳以後の児童美術教育』創造美育協会、1952年12月（北川、前掲書所収、pp.303-306）

た既成の概念や意識を越えた、新たに生起する精神の意識化作業として芸術的表現を位置づけるということである。これは、新たな知の形式を形成する営み、と言うことができる。

北川は芸術的表現の意味については言及したが、その教育全体における意義については十分には語っていない。ハーバート・リードを中心とする「芸術による教育」思想は芸術の教育全体における位置について論及している。それは北川の議論と通底するとともに、それを実現していく契機を提示しているという点で、北川の思惟以上に鋭利な視点を提出している。リードの思想の眼目は、日本におけるリードの思想の受け入れ方に対する批判的検討を通すことによってより明確に示すことができる。

2 「芸術による教育」思想の射程

(1)「教育の根本的基礎としての芸術」の意図

リードの「芸術による教育」の思想は、日本の教育に十分受け入れられ生かされたとは言えない。それは結局は芸術教科とりわけ美術教育の改善という枠内にとどまったと言わざるをえない。あるいは先に見たような推進者の側の弱点も含んで、それは「芸術教育万能論」として批判の対象になった。

リードから引き出される芸術教育思想を、単に一教科の改善という視点から受けとめるのではなく、それが「教育全体の根本的建て直しを要求している」と理解する発言は当然多く見られる[10]。以下の議論の対象にする周郷博も、その代表である。そうした理解のかぎりでは誤っているわけではない。しかしそこで想定されている「根本的建て直し」の内容自体が批判的に吟味されなければならないのである。日本におけるリードの受けとめかたについては、周郷博の議論に焦点を当てたい。周郷はその先駆的研究者であり「よい理解者」であったと言われるが、なによりもリードをふまえた芸術教育論を主張した教育研究者としては、戦後日本の教育運動にもっとも影響力のある活動を展開したからである。本項のねらいは、上記に指摘したような周郷のリード理解の正当性を評価しつつも、それを批判的に吟味することによって、周郷の示しえなかったリードの読みとり方を提示することにある。

---

[10] たとえば、周郷博「芸術教育をどうすすめるか」(『岩波講座 現代教育学 8』1960年12月)や、小島新平「リード『芸術による教育』」(堀内守編 前掲書)などを参照。

周郷はリードと関連して次のように語っている。

「いっぱんに芸術教育が（…引用者中略…）これまでになかったほどの重い役割を負って登場してきていることを知らなくてはならないと思う。学校のしごとに限ってみても、イギリスのハーバート・リードが、いくらかの誇張をこめて、芸術は学校の教育のしごとのなかでのひとつの孤立した『教科』といったものにとどまるべきではなく『あらゆる教科が芸術の一種だとみなされなくてはならぬ』といったのは、けっして偶然とは思われない。これは（…引用者中略…）創造的という人間の基本的な能力を刺激し開発することとむすばれてそれと同義語のように使われはじめたこととも関連している。[11]」

ここでふたつの論点を提出しておきたい。ひとつは、「あらゆる教科が芸術の一種だとみなされなくてはならぬ」というリードの議論を、「いくらかの誇張」がこめられていると紹介していることである。もうひとつは、芸術教育の役割を創造力の開発と結びつけて理解していることである。このふたつの論点に、周郷の芸術教育論やそのリード理解の特徴と同時に限界が現れている。

まずひとつ目の点について論及したい。「あらゆる教科が芸術の一種だとみなされなくてはならぬ」という主張に類するものに、「広義の芸術は教育の根本的基礎になるべきである[12]」、あるいは「芸術とは、言葉をかえて言えば、ひとつの教育方法である。それは、教えられるべき教科ではなく、むしろすべての教科の教育方法である[13]」という発言がある。リードにとって、これらはけっして誇張ではなかったはずである。それを誇張が込められていると理解したところに、下記のような芸術と科学を二元的に分離する教育枠組みを乗り越えきれなかった周郷の限界があった。

戦後日本の芸術教育の理論や位置づけをめぐって、ふたつの基本的な枠組みがあったと言える。ひとつは、芸術教育を他の諸価値に従属した手段とするのではなく、それは芸術固有の価値に基づき、芸術的価値の実現自体を目的とするという考え方である。もうひとつは、教育全体においては芸術と科学のふたつの文化をとも

[**11**] 周郷、前掲論文[**10**]、p.106.

[**12**] Herbert Read, *Education Through Art* (New York: Pantheon Books,1945) p.71.（植村鷹千代・水沢行策訳『芸術による教育』美術出版社、1975年、p.88.及び宮脇理・岩崎清・直江俊雄訳、フィルムアート社刊、2001年、p.94.参照。本論では、原著をふまえこれらの訳本も参考に訳し直している。リードの訳については、以下同様である。）

[**13**] Herbert Read, *Education For Peace* (London: Routledge & Kegan paul,1950) pp.91-92.（周郷博訳『平和のための教育』岩波書店、1952年、p.135. 参照）

に共通教養として重視し、そのふたつの分野の教科を並列させともに充実させるという枠組みである。たとえば1960年の時点で山住正己は、芸術教育の基本的なあり方を確認するために、明治以降から1950年代までの近代日本の芸術教育に関する歴史的分析を行なった。その結論として、「芸術教育を進歩させてきた団体あるいは個人にとって共通の課題であったことは、第一には、子どもの成長の法則をとらえることであり、第二は、芸術そのものの本質に接近することであった[14]」と指摘した。それと関連して、「音楽は本来芸術であるから目的であって手段となりえるものではない」（音楽編）と記した1947年の文部省『学習指導要領（試案）』について、次のように評価した。「そこでは、戦前の芸術教育への反省から純粋に『芸術』そのものに立ちもどり、芸術教育を特定の目的の手段と考えず、芸術自体が目的であるという方向が明示された。その基礎におかれた芸術論については多くの批判もあったが、しかしその方向は、日本の芸術教育史において画期的なことであった。[15]」このように山住は、歴史の検討を通して、子どもの成長の法則性を無視した教授ではなくその法則性をふまえた芸術教育を行なうという課題を提出するとともに、修身といった道徳教育の手段などではなく、芸術自体を目的とし芸術そのものの本質に接近することを、「芸術教育固有の価値」として提出したのである。

同時に山住は、芸術教育と科学教育の両者の尊重を強調している。

> 「他教科や学校行事などさまざまな教育活動の中で芸術的方法を活用する実践もあらわれてきたが、これは一応別の問題として考える必要があろう。芸術教育軽視という一般的風潮の中で芸術教育の役割を積極的に主張しようとしたとき、ともするとおちいりがちであったのは、芸術教育万能論であった。しかし、芸術教育も科学教育など他の分野と協力してはじめて、教育目標の達成にたいして一定の役割を果たすことができるという考えは、すでに一般的である。ただし芸術教育万能論はまた、科学教育など他の学習領域が不完全な形で行なわれているときにあらわれる。[16]」

ここで他の教育活動の中で芸術的方法を活用する場合は、芸術教育とは「一応別の問題として考える」と言われている。そこには、芸術や諸科学にはそれぞれ独自

[14] 山住正己「近代日本の芸術教育」『岩波講座 現代教育学８』1960年、p.61.
[15] 同上 p.55.
[16] 同上 p.62.

の文化的価値があり、各教科はそのような独自な価値をもつ文化の獲得を目的とするという考え方が基礎にある。したがって他の教科で芸術的方法が活用されていても、それはその教科の目的のための手段であって、固有に芸術を目的とするのとは性格が異なるとして、本来の芸術教育の範疇からは除外されてしまっているのである。

このように芸術教育と科学教育の両者を尊重し、それぞれ独自な価値をもつ文化の獲得を目的とする教科教育を創造していくというのは、日本のとりわけ1960年代を中心とする教育内容の科学化あるいは体系化の基本にあった考え方である。それが政治的道徳的価値に支配された戦前日本の教育に対する反省の上に立って、科学・芸術・道徳といった分野をそれぞれ自立した価値領域として設定する西洋近代の思惟枠組みに積極的に立脚しようとするものだったことは確認しておきたい[17]。

しかしながらリードの「芸術による教育」の思想の眼目は、芸術教育万能論として否定的に規定され、そしてそれが存在するのは、科学教育などにおいて真の意味での合理的精神や論理的思考力を育成できていないなど、日本の支配的な教育が不完全なかたちになっている反映にすぎない、ととらえるところにとどまるものではなかった。またその主張が教育課程全体のなかで芸術教科のみを重視することを単純に意味しているわけではなかった。

そこで着目したいのは「主観的真理」の主張である。リードは客観的な知識や真理をすべての人間に普及しようとする「科学的ヒューマニスト」の議論を批判して、「客観的真理は主観的真理から決して分離されてはならない。実際、客観的真理の範囲は、主観的真理がもつ限界を凌駕すべきではない」と語った[18]。さらに想像力と創造的な活動のもつ働き、つまり現実への主観的で感覚的な追求によって、科学を含みこんだ総合の機能をもった知恵（wisdom)を生み出すことを強調したのである[19]。これは、芸術の作用を通して、「客観的」な真理なるものを批評しつつ、感覚的で主観的な領域から真実を生み出そうとする試みである。それは、個人の生きた知識や経験を芸術によって動的に秩序づけることによって、新たに生起する知の形式を生み出そうとする北川の議論とまさに通底している。

---

[17]　すでに1933年の時点で、谷川徹三が今世紀初頭のドイツ芸術教育運動に批判的に言及しつつ、「芸術教育を基づけるものは、芸術の本質的価値にほかならぬ」と主張していることは、日本の芸術教育理論を検討するうえで、注目しておかねばならない。（「芸術と教育」『岩波講座 教育科学』第20冊 1933年8月）

[18]　H.Read, *Education For Peace*, p.47　（前掲訳書[13]、p.84.参照）

[19]　ibid., p.90.（同上、p.33.参照）

したがって「広義の芸術は教育の根本的基礎になるべきである」あるいは「芸術は、教えられるべき教科ではなく、むしろすべての教科の教育方法である」という主張に示されるリードの「芸術による教育」思想の眼目は、芸術の作用を教育全体に組み入れることによって、教えられる文化の価値や質および教育そのものの質を全体的に問い続ける不断のメカニズムを創り出そうとしたところにあった。それによって主観性の領域から新たな知の形成を生みだそうとしたのである。ゆえに、この主張を、周郷の言うような誇張として理解してはならない。

(2) 基点としての人間感覚の根底的転換

次にふたつ目の論点について言及したい。周郷が芸術教育の役割を創造力の開発と結びつけて論じた点についてである。周郷の芸術教育論およびリードの受容の仕方の重要な特徴は、芸術教科とりわけ美術教育の改善のみにとどめなかったことである。そして常に近代文明批判の文脈で論じている。

その「芸術教育に関する代表的論文」と言われる『教育学事典・2』(平凡社) 所収「芸術教育」は、「われわれの社会的疾病の根源は、個人がもっている自発的創造力の抑圧にある」と述べた、リードの『芸術による教育』の日本語版への序文に対するコメントから始めている。そこで周郷は次のように語った。

> 「それは現代芸術教育の有力な根拠と主張のひとつを、集約して言いあらわしている。このような芸術教育の主張が生れてきた根拠は、十九世紀から二十世紀の後半の戸口にたっている現在までの文明史のなかにある。この文明の衰弱と頽廃とのなかで、教育がすべてかつてもっていた光彩を急速に失いつつあるという事実のなかからでてきている。[20]」

芸術教育を「自発的創造力の抑圧」などの弊害を生んだ現代文明に対置し、それを「切り換える」ものととらえたのである。先にとりあげた論文「芸術教育をどうすすめるか」は、前述のリードに直接言及した議論の後、C.スノーやシュタイナーに着目して論を進めている。そこで主張したひとつは、文化の発展と芸術との関係である。スノーの議論を、「科学的教養と文学的教養 (これは、これまでの政治や行政の支配層の拠りどころになった) の中間に、万人の能動性を生かしうる芸術、技術、工作、応用といったものを幅ひろく位置づけてその分離を埋め、総合と創造の

---

[20] 「芸術教育」『教育学事典・2』平凡社、1955年 (『周郷博著作集 第3巻』白樹社、1981年所収、p.13.)

流れに乗せよう、という着想のうえに立っているのである」と引き取っている[21]。芸術を諸々の文化の総合と創造の契機と位置づけたのである。これは、「人類の文明がまず芸術の創造から始まったとみるリードの見解は、注目すべきものである[22]」という、リードへの着目の仕方と通底している。つまり人間が新たに認識や知識を獲得し、文明をつくりあげていく起点として芸術の創造をとらえるのである。

上記論文で強調したもうひとつの点は、感情の意義とその教育だった。

> 「全面発達に立つ教育は、シュタイナーが考えたような、手や肢体をつつみ、理性的な思考の『源』であり『根』でもある感情の段階を、とび越えたり無視したりせずに、その発達を全面的に『生きさせる』ことだと考えてよいのではなかろうか。[23]」

感情を理性や知性と対立させ非合理なものととらえるのではなく、それを理性の根源と理解したうえで、その十全な発達を求めるのである。

このように、リードなどに触発されつつ展開される周郷博の芸術教育論は、芸術創造を文明の生成の起点ととらえ、その根源に感情を据え、感情を表現する芸術の展開の中で、抑圧されている人間の創造力の回復をめざすものである。ここで確認しておかねばならないのは、周郷にとって創造力の回復をめざす芸術教育は、近代の文明や教育に対するアンチテーゼとして提出されていることである。なぜならばそれは、芸術を通して疎外されない創造力を育み、近代文明に対置しようとしているからである。

たしかにリードも自発的創造力の回復を強調している。しかしその教育思想が近代文明や教育にアンチテーゼとなるユートピアを対置したと理解してはなるまい。先に準拠した小野は、「リードの独創は、その書物の中にアナキストの夢想する『自由社会』像を描きこんだことにあるのではなくて、その社会を準備し、部分的に実現される具体的手段方法を提示していることにある[24]」(傍点—引用者) と指摘した。既成社会に対置される理想像を描いたのではなく、社会と人間および両者の関係が更新されていく手段や方法を示したと言うのである。近代文明や社会および教育に

---

[21] 周郷、前掲論文[10]、pp.117-118.

[22] 周郷「芸術教育」前掲書[20]、p.24.

[23] 周郷「芸術教育をどうすすめるか」前掲書[10]、p.122.

[24] 小野二郎「芸術を通しての教育」宮脇理他編『美術教育論ノート』開隆堂、1982年 (前掲書所収、p.392.)

対するアンチテーゼとなるユートピアを提出したと読みとるのか、それともそれらを批判し更新していく契機や方法を提示したと理解するかでは、リード解釈はまったく異なってくるのである。

『芸術による教育』の終盤の次の記述に着目しておきたい。

> 「私は教師も生徒も、ここに記述された個人的ならびに社会的統合の過程による以外に、いかにして、このような洞察（知的、道徳的、美的な本質的価値の認識を可能にする洞察…引用者注）を獲得することができるか考えられない。そしてその統合の過程は、前に検証したように、教訓主義に秘かに含まれているような精神的態度を避けることから主として成り立っている。道徳、芸術、社会におけるパターンは、それぞれ生成的な新鮮な感受性（nascent sensibility）によって新たに知覚されなければならない。もしそうでなかったならば、パターンは、それが包含すべき生命を殺すだけだろう。[25]」（傍点―引用者）

ここで、文化と社会の諸様式を新たに知覚していくうえで不可欠なものとして、生成的な新鮮な感受性というものに言及していることに着眼したい。

リードが全体にめざしたのは、「個人的ならびに社会的統合」である。別の言葉で言えば、「個人の個性と社会的統一との調和」である[26]。つまり人間の個性と自由を十全に実現できる社会の調和を達成しようとしたといえる。その中核に芸術を位置づける。そこで「教育の目的は、芸術の目的と同様、人間およびその精神諸機能の有機的全体性を保存することにあらねばならない」と述べ、「想像的教育の目的は個人に、すべての生命ある身体と植物の組織に入り込んでおり、かつすべての芸術作品のフォームの基礎になる、調和とリズムの具体的感覚的認識を与えることにある」と語った[27]。これらの指摘は、芸術を通して、単に感覚的なものと知的なものを統合していく力を形成することを意味しているだけではない。その芸術を通して有機的自然のもつ自然の秩序やリズムに対する自然の感覚や感受性を身につけさせようとするものである。この感受性が「生成的な新鮮な感受性」(nascent sensibility)である。人間の個性と自由を十全に実現できる社会の調和をめざしつつ、

---

[25] H.Read, *Education Through Art*, pp.299-300.（前掲[**12**]の植村鷹千代・水沢行策訳、p.353、及び宮脇理・岩崎清・直江俊雄訳、p.350. 参照）

[26] ibid., p.5.（同上植村鷹千代・水沢行策訳、p.7、及び宮脇理・岩崎清・直江俊雄訳、p.22. 参照）

[27] ibid., pp.69-70.（同上植村鷹千代・水沢行策訳、pp.86-87、及び宮脇理・岩崎清・直江俊雄訳、pp.92-93. 参照）

文化と社会の様式を新たに知覚していくための基点に、この自然の感覚や感受性を位置づけたのである。それはいわば、芸術のなかに存在する、物を操作し支配するのとは異なる質をもつ人と物との関係の感覚を、人と人との関係をはじめとした社会のあらゆる側面に働かせていこうとするものである[28]。

前述した「主観的真理」の主張に見られるように、芸術を通して、近代文明や教育を批評し更新する新たな知の形式を、感覚的な主観性の領域から形成していくことを確かにめざしていた。しかしなによりも、上記のような人間感覚の根底的転換をこそ、そのための基点となる契機や手段として据えたのである。すなわち、新たな知の形式を直接獲得しようとするのではなく、その契機や手段となる人間感覚の根底的な転換を通して、既成の社会や文化ならびに教育を、不断に批評し更新していくメカニズムを生みだそうとしたのである。これが、リードを基礎にした「芸術による教育」思想ならびに創造美育運動の思想の最大の眼目だったと言えよう。

---

[28]　この点と関わって、リードは「事物によって教育する」と「人々を分裂させるのでなしに、結びつけるように教育する」という、教育のふたつの原則を提出している(*Education For Peace*, p.23. 前掲訳書[**13**]、p.44. 参照)。

第3節 人間の文化的主体性の形成と芸術・芸術教育の役割
―障害児者の芸術文化活動に寄せて―

1 文化的主体性の形成に対する基本的理解

人は外界との相互交渉の中でさまざまに文化を獲得しながら人間として成長していく。したがってその成長にとって文化は不可欠である。したがって本節で焦点を当てようとしている文化的主体性の形成とは、特段に新しい人間的能力を想定しているわけではない。むしろその成長の基本の機制を問おうとするものである。一方で現代日本社会の文化と教育の条件の中で、この人間の成長に不可欠なはずの文化的主体性の獲得が、はなはだ困難な状態に置かれていると言わざるを得ない。こうした今日の文化的主体性の形成をめぐる困難を見据えながら、そこにおける芸術と芸術教育の位置や役割について考察するのが本論の目的である。その作業は、同時に戦後日本の文化と教育の理論に改めて目を向ける試みにもなる。

ではまず人間の成長・発達と文化や教育との関係の基本機制について確認しておきたい。一般に文化が人間の成長にとって不可欠であるからといって、文化的価値がそのまま教育的価値となるとは言えない。文化的価値は、人間の発達を促し、その人格の形成に寄与する限りにおいて教育的価値をもつととらえられるからである。さらにこうした文化的価値と教育的価値の関係は、たんに個人の成長・発達の相において成り立つだけにとどまらない。次の堀尾輝久の指摘は、個人の発達と社会の発展の相互的な関係について端的に示している。

> 「教育のもつ社会統制的機能も、それを、既存の社会秩序を維持し、価値体系を内在化させるためというよりは、現在の社会がもっている、あるいはそのなかで育ちつつある新しい価値や未来に対する理想を、子どもたちの内発的努力と結びつけることによって、子どもの成長の可能性を同時に社会を更新する力としてとらえなおし、個人の発達と社会の更新を統一する視点でとらえなおすことが必要である。[1]」

教育という営みは、単に個人の成長・発達を促すだけでなく、広くとらえれば親から子へそして孫へと世代を連ねながら社会を更新していく無限の連鎖を支える行いである。上記の指摘は、これら教育の二重の作用を別々に理解するのではなく、個人の成長・発達が社会の更新を促していく一連の営みであることを示そうとしたのである。したがって人間に求められる文化的主体性も、個人のレベルでとどまるのではなく、個人の成長・発達と社会の更新をつなぐ結節点として、文化と教育と人間の三者の相互関係のダイナミズムの中で把握される必要がある。

ここで考えなければならないのは、これら三者の相互関係のあり方である。1960年という日本の教育全体で「教育の科学化」または「現代化」として、教育を通して子どもたちの科学的価値や文化的価値の獲得を重視しはじめた時に、勝田守一はそれを単純に肯定するのではなく、「子どもの自然的成長の中に社会を更新する力がひそんでいる」と指摘したうえで、以下のように語っていた。

> 「文化の内面化はつねに子どもにとって、再創造の過程であり、子どもは、社会的歴史的に形成されたカテゴリーや概念や概念の組織を、自己の思考過程で操作可能なものとしつつこれを内面化する。このような学習によって子どもは社会的な自己として成長する。[2]」

実はここでは、子どもたちが文化を獲得していくうえで、二種類の方法があることが含意されている。ひとつは、外在する文化を一方的に内在化させるような方法である。勝田はそうした方法は、文化の価値自体が外的抑圧となり、教化と同種のものとなってしまうと批判する。そうではなく、この指摘にあるように、歴史的社会的に形成されてきた既存の文化を再創造するように獲得していくこと、すなわちそれらを自ら操作可能になるような質を持って内面化していくことが必要なのである。そうした文化の獲得の仕方によってはじめて、社会的性格をもった自己、すなわち先に指摘していた「社会を更新していく力」を秘めた自己が形成されていくというのである。そのなかで形成され、かつ発揮されていくのが文化的主体性であろう。

それでは文化的主体性の形成に必要とされる「既存の文化を再創造するように獲

---

[1] 堀尾輝久「教育の本質と教育作用」勝田守一編『現代教育学入門』有斐閣、1966年、p.57.
[2] 勝田守一「学校の機能と役割」『岩波講座　現代教育学２　教育学概論Ⅰ』1960年、p.133.

得していくこと」、ないしは「それらを自ら操作可能になるような質を持って内面化していくこと」とは、どのようなことなのだろうか。この問いに対する答えは、現代でもいまだ理論的にも実践的にも十分には示されていないと言えるだろう。ただし、その後の発達理論の展開、とりわけ1990年代以降のヴィゴツキー再評価に見られるような発達理論や新たな学習論の進展などに学ぶべきものは多い。とくに子どもの自発性や自己運動性をふまえた発達可能性への着眼や、学習における共同と参加への視角などは示唆的である。

しかし今日の文化と教育が、人間性の豊かな開花を促し、人と人との相互交流と協同を進めるのではなく、逆に人を差別化し分断する質を深くしていることを考慮するならば、その中で文化的主体性の形成の契機を生み出すために、芸術文化や芸術教育の領域が果たすべき役割は大きいと考えられる。

2 文化的主体形成における芸術と芸術教育の役割

文化的主体形成における芸術文化や芸術教育の役割は、主にふたつの側面から考えることができる。

ひとつは、現代文化を異化する役割である。対象と距離を置いて慣習化した意味を問いただし続けようとするこの異化という作用は20世紀初頭から自覚されてきた芸術の働きである[3]。それはたとえば、鶴見俊輔の次のような「限界芸術」の考え方にも生かされている。鶴見は、芸術を、「純粋芸術」(Pure Art)、「大衆芸術」(Popular Art)、そして「限界芸術」(Marginal Art)の３つに分類したうえで語っている。

「限界芸術のことを考えることは、当然、政治・労働・家族生活・社会生活・教育・宗教との関係において芸術を考えてゆく方法をとることになる。芸術を純粋芸術として考えてゆくことが、芸術を他の活動からきりはなして非社会化・非政治化してしまうのとちがい、また芸術を大衆芸術として考えてゆくことが、芸術を他の活動に従属し奉仕するものとして過度に社会化・政治化してゆくのともちがって、芸術そのものの観点につきながら他の活動の中に入ってゆき、人

---

[3] たとえば、Peter Bürger (1974) *Teorie der Avantgarde*,(edition suhrkamp 727)Frankfurt a.M. (ペーター・ビュルガー、浅井健二郎訳『アヴァンギャルドの理論』ありな書房、1987年、p.28.) 参照。

間の活動全体を新しく見直す方向をここから見出せるのではないかと思う。[4]」

鶴見のこの考え方は、芸術を美的ないしは芸術的価値をもち社会の他の諸価値から独立した存在として規定する理解の仕方や、人間の思想や感情を表すものととらえる芸術観と距離を置いている。これら一般に見られる芸術のとらえ方では、芸術が真に果たすべき社会的役割を明確に示すことができないからである。鶴見が見据えているのは、社会から遊離し権威化された「純粋芸術」や、逆に社会の政治的・経済的メカニズムに支配される「大衆芸術」とは異なって、芸術的観点をもちながら社会の諸活動と結びつき、そうした諸活動に対する既成のあるいは常識化した見方を疑い、新たな意味を見い出していくような芸術の働きである。こうした「限界芸術」とは、明確に芸術という形をとらずに生活の延長上にあるような文化活動であり、芸術の専門家ではない人々によってつくられ享受される性格を持つ。それはつまり、子どもを含む一般市民の芸術文化活動と言ってよい。鶴見はこうした一般市民の芸術文化活動に、日常の社会や生活を当たり前のように受け止めてしまう慣習的で常識的な見方を崩し、それらを新鮮な視点でとらえ直していく異化の作用が働くことを期待したのである。

電子メディアを中心とした現代文化の侵襲と支配はすさまじいが、それでも学校内外での子どもたちの美術、音楽、演劇、舞踊の活動や、大人たちの伝統芸能や日常の文化活動の中に、既成の文化や生活を問う質をさまざまに見出すことができる。たとえば、近年、演劇活動を大切にしている幼稚園や小学校で、メディアから流される「笑い」のものまねではなく、自ら面白いと納得できる笑いをつくって楽しむ活動が生まれているのは興味深い。

なお、この異化作用は、現代の支配的文化が備えている常に表面的な新奇性や異質性を求める差異化のメカニズムと見分けにくい。しかし、本論で詳述することはできないが、差異化のメカニズムが人間の孤立と分断を結果させるのに反して、異化は逆に個の自立と協同を促していくということは指摘しておきたい。

文化的主体性の形成に芸術文化や芸術教育が果たす役割として挙げられるふたつ目の点は、今を生きる人々にとって「真実らしい」と感じられるような表現を保障していくことである。「真実らしい」という曖昧な言葉を使用したのは、現代にあっては世界の内に確固たる真正な価値や自己を見出すことができると措定することは

---

[4] 鶴見俊輔『限界芸術』講談社学術文庫、p.13.（初出は、「芸術の発展」『講座現代芸術』第一巻、勁草書房、1960年）。

困難だからである。しかしそれでも、人それぞれの感覚やリズム、抱いている思いを率直に表し、自分なりに「真実らしい」と納得できるような自己を表現することは、生き方を模索したり、生きることを支える不可欠な営みだと考えられる。この種の表現を「真性な」表現と形容しておきたい[5]。

こうした「真性な」表現は、前述した異化作用と重なるところがあると指摘されるかもしれない。確かにそうした表現は生活を改めて見直す契機になるという面があるが、異化を生み出す契機は多様に存在するため、この種の表現はそのひとつにすぎない。しかも異化にとって確固たる価値を追求しようとするのは、その本来のメカニズムとは相容れない作業なのである。したがって、「真性な」表現については独自に注目する必要がある。

実はこの種の表現は、本論で特に注目してみたい障害児者の芸術文化活動と密接につながっている。しかも先に文化の内面化が社会更新の力につながっていく機制に目を向けた際に、勝田が「子どもの自然的成長の中に社会を更新する力がひそんでいる」と指摘していたが、この「子どもの自然的成長」という言葉とも深く関係してくると考えられるのである。

3 「真性な」表現への着目とその展開

芸術文化活動や芸術教育において、人々の「真性な」表現に着目して教育研究活動を進めているひとつとして挙げられるのは、筆者も参加している教育科学研究会の「美的能力と教育」部会である。その部会は、1984年に発足して以来、芸術教育のひとつの分野に限定せず、美術・音楽・演劇・舞踊などさまざまな領域の教育実践を持ち寄り、共同で芸術教育のあり方を探求することを目的としている。そして特に今を生きる子ども・青年の姿をリアルにとらえながら、現代に求められる芸術教育の実践や理論を広く探ることを、基本的な課題としている。その中で、1990年代に「真性な」表現に関する提案が行われるようになり、2000年代にそのテーマの重要性が確認されるようになり、2010年代には自覚的にそうした実践と研究を探求するようになっている。

そうした教育実践を開拓していった落合利行は、担当したひとりの小学生の絵を読み取りながら、次のように指摘している。

---

[5] 本章第1節も参照されたい。

「大人が同じ様にやってもぜったいにできない世界、その子の今があり、その子の感情があり、感性があり、そして世界があるから、自分のここちよいリズムで、ほんとうに気持ちが集中して、それが画の世界となってあらわれてくるのだろう。（…引用者中略…）気持ちの動きが筆の動きになり、筆のあとになり、そして色になっていく。そうして表現された一枚の子どもの作品の画面世界にひきつけられながら、作品と対話することはほんとうにたのしいことだ[6]」

この子どもの絵には、日常の生活や学校の中で感じ取ってきた思いや表現するプロセスの中で生まれてきた思いなどを、外部からの不必要なおしつけは削ぎ落としながら、率直にていねいに表現していることが見られるのである。落合は、このような表現のプロセスを読み取りながら、その価値を受けとめることによって、そうした子どもたちの表現に共感し支えようとしているのである。

こうした子どもの「真性な」表現への着目は特殊なことではなく、日本の教育の中で連綿と引き継がれてきた問題意識だと言える。たとえば古くは1930年代に佐々木昂は、綴方表現は「ぴったり個人の感覚と現象の世界に肌が触れていないといけない[7]」と指摘して、「個のリアリティ」を実践と理論の両面から追究していた。そして現在でも、たとえば美術教育の分野では、迫り方は違っても、新しい絵の会や美術教育を進める会などの民間教育研究団体は、広く言えば皆「真性な」表現をもとめる教育実践を追求していると言うことができる[8]。

何が真実で何が虚偽かがわからないほど両者がないまぜになりながらすべてを虚構化し、それを「真実」と思わせようとする現代文化の中で、人々自身から生まれる「真性な」表現を追求することは、その転換に向けた貴重な意味をもっている。

芸術教育分野でこの「真性な」表現に最も注目して実践と研究を進めている先の教育科学研究会「美的能力と教育」部会が、そうした表現の意義を強く自覚し、かつその方法の多様性と共通性に気づいていくうえで、障害のある子どもや大人たちによる数々の表現活動と出会い、そこから学んだことが大きな契機になっている。それらのいくつかの例を、エピソード的に紹介しておきたい。

---

[6] 落合利行「ふたりの子どもの絵から学ぶ」『美術の教室』No.62、1997年4月、pp.25-27.

[7] 佐々木昂「綴方に於けるリアリズムの問題『北方教育』1932年10月（『佐々木昂著作集』全1巻所収、無明舎出版、1982年、p.26.）。

[8] たとえば、美術教育を進める会の美術教育の考え方については、本書第Ⅳ章第3節を参照されたい。

(1) 知的障害を持つ子と親の劇団「はなまる」

劇団「はなまる」は、東京の公立小学校の当時の「身障学級」の卒業生と親が卒業後に居場所となり成長の場ともなる生涯学習の場がほしいと考え、1997年に発足した。その後新しい参加者も迎えながら、隔週土曜日に練習を続け、毎年1回公演を行ってきている。発足後20年以上経っているので、劇団員は大人の青年になっている。

教育科学研究会の研究会で私たちが「はなまる」に出会ったのは2011年だった。そのとき実践報告したのが、学生時代から「はなまる」にかかわり、その後特別支援学校の教員になり、長年脚本と演出(監督)を担当している佐藤ようすけだった。佐藤は、参加している知的障害者は「気持ちがまっすぐで、思いが強い」と指摘し、その劇団の魅力として「熱い」と「想像を超える」のふたつを挙げた。近年の実践報告でも、佐藤は「団員たちは、ただただ自分の役を精一杯に表現し、観客に自分なりの表現でストーリーを届けることにひたすら集中する。『上手く演じる』ではなく、『熱く演じる』のである」と語っている[9]。

脚本は毎回佐藤の創作である。したがって最終的には佐藤が責を負って自分がよいと思うテーマと内容で脚本を作成する。しかし劇団員の日常の会話に耳を傾け、20歳を過ぎると恋愛に関心が高くなるなど、彼らの興味や関心に注意を払いながら脚本を作っているという。なぜならば、興味・関心がわかない内容だと、彼らは乗ってこないからである。

このような配慮もある中で、劇団員たちは演劇の取り組みに熱心で、日常生活に仕事と余暇と演劇が同居しているという。したがって寝る前に台本を読むのを習慣にしていたり、仕事の休み時間に台本を読み込んだりなど、それぞれに合ったスタイルで演劇を生活に取り込んでいるのである。

ただ実際の演劇は、一般に想定される演劇とは趣を異にしている。すなわち、声の出し方や体の動かし方を含めて役になりきって優れた演技をしようとするわけではなく、また演劇表現を通して感覚や感性、総じて身体を解放して新しい自己を発見しようとしているわけでもない。もっと自然体なのである。

この点と関わって劇団内で共有されていることが、佐藤の劇づくりの考え方に見て取ることができる。ひとつは、「人が役に合わせる」から「役を人に合わせる」という考え方である。これは、役に合わせて人を変えていくのではなく、逆に演じる

---

[9] 佐藤ようすけ「『わたしのお日さま体操クラブ』上演までの記録」『演劇と教育』2018年2月、No.701、p.47.

人に合わせて役を変えていくという発想である。具体的には、「いいですよ」という言葉が言いづらい場合には「いいよ」に変更することによって、スムーズに演技が進行したり、「大丈夫です」の台詞が好きな人には、台詞の最後にそれを挿入することによって自信を持って取り組めるようにするという例が挙げられていた。ふたつ目は、ひとつ目の発展であろうが、「本人の体の動きや特性や、得意とする動きを活かす」という考え方である。

このように考慮された脚本や演出を背景にして、先の「『上手く演じる』ではなく、『熱く演じる』」という指摘のように、演じる役を自分なりに精一杯演じようと取り組むのだが、そのときに日常の自分を否定して異なる人間になりきろうと演技するのではなく、自らの備わっている資質を生かし、さらにはそれを豊かに発揮するように表現しようとしていると理解することができる。実際に、自らに今備わっている声の出し方や身体の動きを生かして率直に演じることによって、伝えようとする思いが観る者に直接伝わってくるのである。そうした観客の反応に応じてアドリブを入れるなど、演じる側も充実感や喜びを感じるのである。このように自らが備えている資質を生かして、率直に表現する自然体の表現が注目されるのである。

(2) 奈良県立ろう学校演劇部

全国の県立ろう学校の中で唯一の演劇部である。校内の「自立活動」の授業で身体表現に取り組み始めたのをきっかけに、2004年に発足した。日本手話の言語としての独自性を基礎にして「ろう者にはろう者の文化がある」とその文化を尊重するとともに、「ろう者と健常者で表現という面では変わりがない」と指摘し、毎年高校演劇の大会に出場している。演劇の発表では、言語は手話を用い、舞台の両サイドに字幕を設けて台詞が読めるように工夫している。

このろう学校の高校生たちの演劇の特徴は、踊りを含む全身のきびきびしたキレのある動きと、手話による伝達である。それらは日頃からの練習が結実したものである。特に注目されるのが手話による演劇である。それは単に手話によって意味を伝えるものではなく、手話とともに顔の表情を含め全身で表現しメッセージを伝えようとしている。顧問であり脚本と演出も担当する綿井朋子は、「手話という言語は、音声言語とは異なり、表情や動きなど視覚的に分かりやすく演劇的要素を含んだ言語であると思う」「手話という言語が、心を響かせ『伝える』『伝わる』ために最も有効な手段であり魅力を感じる」と指摘する[10]。

---

[10] 綿井朋子「表現はコトバを越える」『演劇と教育』2018年2月、No.701、p.36.

2013年に教育科学研究会の研究会で出会って以来、筆者は毎年のように公演を参観しているが、彼らの演劇を観るたびに、心と体をひとつにして相手にメッセージを伝えようとする表現の特質は、聴覚障害者が幼い頃から成長の過程で身につけてきた力を基礎にしていると感じられる。つまりこのろう学校の演劇部では、聴覚障害者が生育の過程で獲得してきた特質を、抑圧したり矯正するのではなく、逆に尊重し生かすことによって特徴のある豊かな演劇表現を生み出しているのである。

演劇大会に同席した他校の健常の生徒たちの多くが、「役者の熱意が本当に伝わってくる」と感想を寄せる。その理由はこうした表現の特徴に由来すると考えられる。同演劇部は、2014年から始まった全国高校生手話パフォーマンス甲子園に出場するようになり、2020年までの過去7回の大会のうち3回優勝している。この手話パフォーマンスには、障害の有無にかかわらず出場することができる。そこでのパフォーマンスは、健常者のそれに特に見られるのだが、手話のみによって伝達し表現することに重点が置かれている。そのために、意味は伝わるが表現としては伝わってこないことが多い。その中にあって奈良県立ろう学校演劇部のパフォーマンスが注目されるのは、先のような特質をもっているからだろう。つまり表現としての強さと豊かさである。これが高評価の理由だと推察される。

(3) 新座クリエイティヴワークショップ

このワークショップは、埼玉県の新座市障害者を守る会成人部会の障害のある青年たちとボランティアの大人たちが実行委員会をつくり、その企画・運営のもとに、ダンスを中心に1996年から月1回のペースで実施され、年1回「雫のパフォーマンス」という発表会を開催している。今日まで20年以上続いている。日本にコミュニティ・アートを広げることを目的に活動を進めているミューズカンパニーが、毎年のようにイギリスから招聘してきたヴォルフガング・シュタンゲのダンスワークショップが大きな契機になっており、音楽や布などの道具もワークショップに取り入れる堀のぞみや現代舞踏家の岩下徹などがファシリテーターとなっている。

筆者たちは2016年に堀のぞみがファシリテートする「雫のパフォーマンス」を観せてもらった。参加する青年たちは、身体障害、知的障害、情緒障害など多様な障害をもっている。音楽が鳴り始めると、電動車いすを自在に動かす人、楽しそうに声を出しながら飛び跳ねる女性、立ったままリボンを上下に振っている男性、周囲を歩く男性など、それぞれが異なった動きをしている。その間に、ボランティアの女性たちが、手を取って寄り添っている人もいるが、多くが流れるように青年に近づいて行ってはまた離れたりしている。観ているうちに、それぞれの参加者たちが音や空間に応じてそれぞれの動きによって自らを表現しながら、同時に相互に呼応しながら動いていることが感知されてくる。確かに演者一人ひとりが全身をダイナミックに動かして空間と意味を生み出していく一般に見るダンスとはまったく異なっている。そのダンスは、無理な動きも装飾的な動きもなく、単純でたどたどしかったり、素朴であったりするのだが、その一人ひとりの異なる動きとそれらが重なり響き合った空間に魅入ってしまうのである。

実際にこのワークショップでは、指ひとつの微妙な動きもダンスになるなど、何らかの身体の動きがすべてダンスとなるという考え方を基本にしている。興味深いのがボランティアの女性たちの発言である。「青年の手助けをする」「正しい動きをしなければいけない」「まわりの動きを気にして合わせる」という義務的な意識を持っていると、ダンスに入っていけず、青年もサポートできないというのである。そのような制限された意識から脱して、「私は私のままに」と動くようになると楽になり、表現が楽しくなり、青年たちや他の人とも「つながった」と思える動きが生まれるようになったと言う。

青年たちも、ワークショップをはじめた当初は、じっと動かなかったり、ただ動き回っているだけだったが、何年も続ける中で、身体を動かすようになり、言葉を出すようになったり、他者が近づくのを許容し呼応するように変化していった。このように、ワークショップの参加者同士の関わりの中で表現が徐々に育っていき、長い時間をかけて青年たち一人ひとりが自分なりの動き＝踊りをつくりだしていったことがわかる。

これら３つの事例に見られるように、一人ひとりの感覚やリズムなどの心身の現状とその特性を尊重し、その状態を敢えて変容させるように働きかけるのではなく、その現状や特性を生かした率直な表現を促すことによって、各自がもっている資質や特性が豊かに育まれたり、他者と相互に応答する関係が開かれていくのである。そうした一人ひとりの心身の自然に極力即した表現に着目したいのである。

4 アール・ブリュットとアウトサイダー・アートをめぐって

障害者の芸術活動やその芸術教育を念頭に置きながら文化的主体形成について考察する本論において、既にその芸術に対して一定のとらえ方が提出されていることについては、本論の視点から言及しておく必要があろう。取り上げるのは、美術分野になるがアール・ブリュットとアウトサイダー・アートというとらえ方である[11]。ともに障害者による美術だけを指した名称ではないが、それが主な対象になっている。

これら両者を対象とした書籍は、作品集を中心にしているが、関連する取組が進む中で2000年代以来多く出版されるようになってきている。しかしある程度まとまって検討や考察がされている文献は少ない。その中でしばしば服部正著『アウトサイダー・アート』がその草分け的な文献として指摘されている。関連する訳書も少なく、その点からも、まず服部に依拠しつつ、両者について検討してみたい[12]。

アール・ブリュット（art brut）という語は、自身がいわばポスト・モダンアートの作家であり同時に精神障害者などの美術作品の収集を進めたフランスのジャン・デュビュッフェ（Jean Dubuffet）がつくりだしたものである。彼は、1945年に収集を始め、47年にパリの画廊の地下に「アール・ブリュット館」を設置し、展覧会を企画・開催する活動を行い、そのコレクションをスイスのローザンヌ市に寄贈し、それを受けて1976年に「アール・ブリュット・コレクション」が開館された。

アール・ブリュットは、一般的には「生（き）の芸術」と訳されるが、「加工されていない芸術」あるいは「生のままの芸術」ということになる。デュビュッフェの定義によれば、「芸術的教養に毒されていない人々が制作した作品」、つまり美術のトレーニングや教育を受けたことがない人の作品のことを指す。既成の美術を否定するデュビュッフェは、そうした人々は「すべてを自分自身の心の奥から引き出し」「自分自身の衝動のみから始め、あらゆる段階においてすべて自分自身で再発見し」ているがゆえに、「完全に純粋で生の芸術だ」と指摘している。このようにデュビュッフェは、美術のトレーニングによって加工されてしまっていない精神障害者などによる心の深部から引き出されてくる直接的な表現を「生の芸術」としたのである。

アウトサイダー・アート（outsider art）は、1972年にイギリスの美術評論家であるロジャー・カーディナル（Roger Cardinal）が、デュビュッフェの著作を要約するとともに、精神障害者の美術作品に注目し紹介する活動などを展開した精神科医たちの発言を掲載したその著書に『アウトサイダー・アート』とタイトルを付けたことを大きな起点としている。今日振り返って、このようなタイトルにしたことについてカーディナルは、「彼の考えを英語にして、本のタイトルにふさわしいフレーズを探した」と語る一方で、「彼にはなかった柔軟性も持たせるようにしました」

---

[11]　そのほかにある程度の規模で展開されている例として、エイブル・アートも挙げることができる。それは障害者によるアートを社会的、経済的に展開していくという点は認められるが、筆者が見る限り、その語によって障害者の芸術の位置、あるいは性格や意味を掘り下げていくことができる概念を有する性格のものではないと判断されるので、本論の趣旨をふまえて取り上げていない。

[12]　服部正『アウトサイダー・アート』光文社、2003年。

とも発言している[13]。つまりデュビュッフェの「生の芸術」の考え方に適したタイトルを考えると同時、精神障害者の美術というイメージが色濃い「生の芸術」という語に幅の広さを持たせる意図も含めたらアウトサイダー・アートという語になったという説明である。

実際に服部も、一方でアール・ブリュットと「呼び方の相違はあっても、その指し示す内容はアウトサイダー・アートとほぼ同じであると考えて差し支えないだろう」と指摘しつつ、他方で「ロジャー・カーディナルは、障害のある人の作品に注意が集中してしまうのを避けるために、アウトサイダー・アートという語を用いたのである」と矛盾することを述べ、アウトサイダー・アートという語の含意の二重性を示している。

ただ私たちにとって最も重要なのは、そうした用語が、障害者などによる美術の位置づけ、あるいは意味や性格をより深く探求することに通じていくかどうかである。たとえば服部は、アウトサイダー・アートを社会の部外者による美術と理解して、障害者をその部外者として扱って差別するのはおかしいと批判するのは、その用語の理解を誤っていると指摘する。そして「既成の枠内をはみ出してしまう自由奔放さ、それがアウトサイダー・アートという言葉が意味するものである」と述べるとともに、「アートのシステムから逸脱する部外者であるということは、むしろアートが本来持つべき自由さと奔放さを意味しているのではないだろうか」と語っている。

つまり服部によれば、アウトサイダーとは社会の部外者を指すのではなく、既成の美術に対する部外者という意味であり、むしろ「積極的」で「肯定的な意味」をもっているというのである。この論理についてはある程度理解できるが、しかし部外者であることはアートが本来持つべきものという指摘に至っては、美術が成立する要件が部外者性となり、敢えてアウトサイダーという語を使う必要がないことになり、その用語が存在する必要性が失われることになる。このような理解が正しいとすれば、アウトサイダー・アートの理解として残るのは、やはり社会の部外者による美術というとらえ方か、それともデュビュッフェが指摘していた「芸術的教養に毒されていない人々」すなわちアカデミックな美術教育を受けていない、その意味で美術教育の部外者である人々が制作した作品ということになる。

このような理解に対して、近年美術という制度に対して精力的な批評作業を進め

[13] ロジャー・カーディナル「“アウトサイダー・アート”の生みの親、ロジャー・カーディナルに訊く（2）」https://www.diversity-in-the-arts.jp/stories/1983 （2018年8月24日確認）.

ている椹木野依のアウトサイダー・アートの位置づけは明確である。

「行政のさじ加減で内実をいかようにも采配することが可能なアール・ブリュットよりも、容易には消せない負の痕跡を語の内に残した『アウトサイダー・アート』を進んで使うことから得られる効果のほうが、この領域でなされる創作について理解するうえで、当面はずっと重要なのではないかと考えている。[14]」

椹木がアウトサイダー・アートの「負の痕跡」と指摘するのは、「悪」「外道」「異端」というニュアンスである。椹木の議論は、既成の美術の枠から逸脱したものという先の服部のとらえ方をさらに徹底した理解の仕方である。優れていると公認された美術作品、それを制作する専門作家、それらを政治的・経済的に利用するシステム、それのみならず日常生活の隅々まで「美的」にデザインされた環境など、社会全体が制度化された美術に包摂されている中で、それに抗して美術のもつ根源的な前衛性や批判性を担保するもののひとつとしてアウトサイダー・アートを位置づけようとするのが椹木の考え方である。

このようにアウトサイダー・アートという語の意味することを見てきたが、それを特に美術的な意味でのアウトサイダーだと理解すれば、その存在を否定する必要はあるまい。しかしながらはっきりと指摘しなければならないのは、その用語のもつ論理は、そうした美術作品を評価したり社会的に利用する立場からのものだということである。それを制作する人々の論理ではない。すなわち作品を制作する本人たちは、自らの作品を「アウトサイダー・アート」として自覚的に制作したり、それとして評価されることを求めているわけではないからである

他方のアール・ブリュットについても確認しておきたい。たとえば、長年障害者とそのアートの支援を行ってきている田端一恵は、次のように両者のアートの違いについて述べている。

「『アウトサイダー・アート』がその作り手自身の属性によって判断される（属人的）イメージであるのに対し、『アール・ブリュット』はその作者たちの共通点として正規の美術教育を受けずに独自に制作しているとか、外部の評価に無関心であるということはあっても、作者の属性そのものよりは、作品にその判断視点が持たれている（属物的）イメージであるのも、アール・ブリュットが

---

[14]　椹木野依『アウトサイダー・アート入門』幻冬舎、2015年、p.28.

広がりを見せた理由だと思っている。[15]」

アウトサイダー・アートは属人的であるという指摘は、先の服部が批判する理解の仕方であるが、「アウトサイダー」という人を指す用語を使用する限り、そのような理解は避けられない面があることを表している。では田端が指摘するような、アール・ブリュットは作品に対する判断によるという場合、その視点とはどのようなものだろうか。椹木も作品のアウトサイダー性に着目するので、作品に対する判断という点では変わらない。

やはりアール・ブリュットである限り、基本的には「生(き)の芸術」という視点から作品を判断していくのであろう。その視点は、人間である限り単なる自然的存在ではなく根本的に社会存在であるという理解には与しないだろうが、作者の存在そのものを率直に直接的に表現していくという点で、本論で指摘してきた「真性の」表現の視点と重なり合う部分がある。作者の心身の現状と特性を尊重しながら、その感覚やリズムそして思いを、それぞれに即した表現の方法を駆使して制作していくからである。

しかしアール・ブリュットも決して美術的価値評価という点から自由であるわけではない。いやむしろ、そもそもアカデミズムの枠外の人々の作品に注目し、収集し、コレクションとして収蔵し公開していく運動から始まったことをふまえれば、芸術的評価と不可分な関係にある。そのことが、障害者等による美術の価値を広め、そのことがそうした人々の社会的権利や生活上のあるいは経済的な条件の向上に寄与するということがあったとしても、それらは作者本人にとっては、関心外であったり、２次的な事柄である。

ともすると、障害者等の美術作品は、その衝撃性や奇抜性が注目され、その理由によって美術作品として高く評価されがちである。しかしそうした芸術的価値評価は、やはり多くの作者本人たちにとって外在的で無縁なものに過ぎない。美術的に衝撃性や奇抜性がある作品であろうと、そのような新奇性は特に認められない作品であろうと、それぞれの作者にとって価値は変わらないはずである。

何よりも重要なのは、障害の有無にかかわらず作者にとって充足感のある表現ができているかどうかである。また作者にとってその表現がどのように感じられのか、あるいはどのような意味があるのかを感受できるような人々が周囲におり、そうし

---

[15] 田端一恵「アール・ブリュットが生まれる現場に立ち会い続けて」保坂健二朗監修『アール・ブリュット　アート　日本』平凡社、2013年、p.205.

た人々と作者との相互関係が生まれているかどうかである。

5 文化的主体性の形成における表現の決定的役割
—理性の自然化と関わって

ここまで本論では、文化的主体性形成の基本的理解をふまえ、そこにおける芸術の役割を示し、特に「真性な」表現に目を向け、芸術教育実践研究の動向、とりわけ障害者のさまざまな芸術活動を取り上げ、そのような表現が芸術活動の中でも注目すべき状況に至っていることを見てきた。

それをふまえて最後に、教育の根本的原理に立ち返りながら、文化的主体性の形成には、単に芸術というだけでなく、その中でも「真性な」表現が極めて重要な役割を果たすのではないかという点について論じていきたい。

まず1920年代の「自然の理性化」か「理性の自然化」かという教育の本質をめぐる論争点に着目してみたい。篠原助市と城戸幡太郎は、ともに自由教育論を擁護する教育学者であったが、発想がまったく逆となるような教育の本質に関する理解を示していた。篠原は、教育を「自然の理性化」ととらえ、他方で城戸は「文化の個性化」いわば「理性の自然化」としたからである。

「教育は自然の理性化を導く働きである」と主張する篠原は、「いい換えれば歴史的文化を手本として、またはこれと並行して、自然を理性化し、歴史的文化を介して被教育者の自然を理性化するものが教育である」と語った[16]。このように「自然の理性化」としての教育は、自然としての子どもを文化の獲得を通して理性化する、すなわち文化的価値にまで高めることを求めることになる。

それに対して城戸は、「教育とは文化の人格的個性化である。教育の理想は生れながら有してゐる個性を尊重し之を導いて文化の理想に達せしむる者(ママ)ではなく、文化の理想を人格的統一によって個性化する者(ママ)である」と指摘し、それゆえに「教育は過去の歴史を未来の生命に発展せしむる自覚的活動である」と語った[17]。

つまり教育とは自然としての子どもを理性にまで高めていくことなのではなく、理性としての文化を人格化ないしは個性化する営みだとするのである。城戸にとって個性とはある種の普遍性をもった価値的統一体である。そうであれば文化の個性化とは、文化を単に受容すればよいのではなく、文化的価値を人格の内に統合する

---

[16] 篠原助市『批判的教育学の問題』明治図書、1922年（1970年再刊）、p.129.
[17] 城戸幡太郎『文化と個性と教育』文教書院、1924年、p.87. pp.111-2

かたちで我がものとしていくことだろう。このような文化の個性化を介してこそ、過去を未来へとつなぎ発展させていくという教育の本質を実現していくことができると言うのである。

「自然の理性化」の教育発想は、自ずと人間の自然性を消極的にとらえ、理性を理想化する傾向にある。この考え方は、その後の支配的な教育や発達の思想の基本発想になっていったと言えよう。他方で城戸が他所で「自然と文化とは個性に統一されて茲に始めて歴史として発展する[18]」と語っているように、「文化の個性化」とは実は文化と人間的自然とを統合したものなのである。それは文化と自然を統合して新たな質をもった自然を形成することと理解してよい。そうした意味で城戸の教育発想は、文化の一方的な受容を是としない「理性の自然化」と言うことができる。

現代の科学と文化の発展が人類に幸福をもたらすのみならず、逆にそれを滅亡させる可能性すらはらんできており、その中で育つ子どもたちの成長と発達が多くの困難を抱えて来ていることを、今日否定する者はいないだろう。そうした現代という歴史的段階に立てば、たとえ今日でも支配的な教育発想であったとしても、理性や文化に対する疑念を内在させていない「自然の理想化」論に与することはできない。

「理性の自然化」としての教育は、城戸の議論などを敷衍すれば、組織的にあるいは非組織的に受容が求められてくる科学や文化を、人自らの自然性に合致する否かを吟味し篩にかけながら、その人間的自然に合う形で自己に統合していく営みを促していく作用と理解することができる。本論の最初に確認したように、教育とは個人の成長・発達と社会の持続・更新とをつなぐ営みであるが、そのような機能を果たす保障が「理性の自然化」という質を持った教育であり、そうした質を備えた文化的主体性であろう[19]。

さらにここで考えておかなければならないのは、「理性の自然化」を作動させ保障する契機についてである。つまり科学や文化を人間的自然に合致するように選択したり形を変えて成長につなげていく契機である。先に勝田が、子どもたちが社会的自己の形成に求められる文化の内面化には、科学等を自ら操作可能のものにするような再創造の過程が必要なことを指摘し、それらの営みを含んで「子どもの自然的成長の中に社会を更新する力がひそんでいる」と語ったことを紹介した。確かに科

---

[18]　城戸同[17]、pp.111-2.

[19]　こうした「自然の理性化」と「理性の自然化」としての教育のとらえ方と意義については、拙稿「芸術教育における表現の意味について考える」(『季刊　人間と教育』No.97、2018年3月）も参照していただきたい。

学的・文化的価値を我がものとして獲得していくうえで再創造というプロセスは不可欠だろう。しかしそのような質の文化の内面化では「理性の自然化」を保障するものとは言えない。この「理性の自然化」のメカニズムが確実に働いてこそ、勝田のいう「子どもの自然的成長の中に社会を更新する」という展望が開けるのではないかと考えられる。

この「理性の自然化」の営みを保障するひとつの重要な契機こそが、表現ではないだろうか。とくに本論で取り上げてきた「真性な」表現、人の心身の状態や特性に合わせて、その感覚やリズムそして思いを、率直に表していくような表現である。そうした「真性な」表現は、文化の獲得や内面化に当たって、その表現を通すプロセスの中で、自らの心身の自然性に即して文化をチェックし、その自然性に合致したもののみをそれにふさわしく形を変えて表していくのである。そうした「真性な」表現を実際に経験する中で、そうした表現のメカニズムが身体に刻印されることによって、不適切な文化の侵襲を許さない感覚を働かせて「自然の理性化」を拒否するとともに、「理性の自然化」としての成長を生み出す機制が探られていくのではないだろうか。本論で取り上げた、特に障害のある青年たちがその心身の状態に応じた率直な表現活動を楽しむ中で、長い年月をかけて成長していく姿は、そうした表現の役割を見事に示してくれているのではないだろうか。

第Ⅱ章

芸術教育の社会的展開

第1節　平和のための教育としての芸術教育の性格

1「美術教育を進める会」における平和を求める美術教育の特徴

第二次世界大戦後に設立された多くの日本の民間教育研究団体は、戦争と軍国主義教育に対する反省の上に立って、基本として平和と民主主義の教育の実現を理念としてきたと言える。たとえば1952年に発足した創造美育協会も、その綱領の中で「私たちは古い教育を打破り、正しい考え方と新しい方法とを探求し、進歩した美術教育を確立する」と記していた。その中で、美術教育を進める会（以下、「進める会」と略す）は、美術教育に携わる人々が幅広く交流できる広場をつくることを目的に、1959年という日本の平和と民主主義のあり方が全国的に根本において問われた時期に設立された。そのことをふまえれば、とりわけ「進める会」にとって「平和と美術教育」はその存在の基底となってきたテーマではないだろうか。

本節は、まずこの「進める会」を主な対象にして芸術教育分野の民間教育研究団体において人類的課題と言える平和の問題と芸術教育との関係がどのようにとらえていたのかを明らかにして、それをふまえて後半では、さらに芸術教育と平和のための教育との原理的関係について考察する。

「進める会」が編集・発行する雑誌『子どもと美術』が、会内の機関誌という性格から、教師をはじめとした幅広い読者を対象とした美術教育雑誌として出版社から発売されるようになったのは1984年である。その後98年からは出版事情によって自主発行になっているが、2020年までに85号を数えている。創刊号以来36年間の同誌を通して、「進める会」に見られる「平和と美術教育」に関する取り組みの特徴をとらえてみたい。

実は平和と民主主義を重視する「進める会」にあって、36年間の『子どもと美術』で平和の問題を直接取り上げた例は少ない。雑誌の特集を組んだのは、筆者が見たところ2回に過ぎない。その他、実践報告のひとつとして掲載されたのが数例見られる。

平和に関する最初の特集は、創刊に次ぐ第2号で特別企画として、早々に組まれている。創刊号と同年に特集が組まれたということが、「進める会」にとっての平和問題の位置づけの重さを示している。もうひとつの特集は、2015年の第76号である。それは、日本が直接攻撃を受けなくとも政府が判断すれば海外で武力行使ができるという内容を含んだ安保法制が、近来ないほど多くの国民の反対がある中で強行成立されるという、平和を守るうえでの非常な危機を前に特集された。

(1) 美術の授業での平和の課題の扱い方

これらの平和に関する議論や実践報告から読み取ることができる特徴のひとつは、平和教育を大変重視しているにもかかわらず、平和の課題を美術教育としては敢えて一律のあるいは直接の題材にしないことが多いことである。学校全体としては平和教育を大切にし、一教師としてもそれを積極的に推進している。しかし、美術の授業では題材として提示するが、何をテーマにし、どのような思いを込めるかは個々の子どもの判断に委ねるような取り組みや、さらに敢えて平和を直接には題材としては取り上げないという実践が多いことである。平和の課題は高度な社会的性格をもつために、それを直接題材にするのはやはり中学校以上が多い。

たとえば、石井緑のとりくみは、こうした姿勢をよく示している。石井は、一方では、1991年に「今いちばん訴えたいこと」というテーマでポスター制作の実践を行っている。そのとき生徒たちが選んだテーマの多くが地球環境問題であり、戦争をテーマにしたものも少なくはなかったという。実は、この時期は、学校内で生徒間の暴力問題が生じ、同時に湾岸戦争が起こった年だった。このように学校内でも社会的にも緊張が広がったときに、直接に平和の問題をテーマにした取り組みを行っている。しかしそのときでも、美術科の題材としては、戦争や平和の問題のみを対象にするのではなく、何を訴えるかは生徒自身の判断に委ねているのである。

ところが「“平和への思い”は、私の美術教育を貫くもの」と語る石井だが、上記は例外で一般的には美術の授業では平和の問題を直接に題材にすることはない。彼女が長年勤めた八丈島の中学校では、平和教育と地域学習を大切にしているという。平和教育では、広島への修学旅行を中心に、海岸での清掃活動を含む環境問題、戦争と紛争、震災と核等について学ぶ。地域学習では、地域の文化や歴史（戦跡や遺跡めぐりを含む）、動植物、そして産業とそこで生きる人々との出会いを通して自らが生活する地域の価値を見直し、地域に誇りをもつことを目的にしている。ところが美術の授業では、友だち、島の花、発掘された縄文式土器、島の野草、自画像などを題材に描いている。それについて石井は次のように語っている。

「美術の時間には3年間をかけて自分の成長がきちんと確認できる教材を見つけていく努力をした。それは、見ることであると考えている。友達を見る、そして自分を見る。見ることは考えることだから。対象をしっかり見て表現することで、自分の考えを推敲し友達の表現や考えの違いを感じとることができる。時には自分を無にして対象から学ぶことができる。[1]」

このように美術の授業では、平和を特段にテーマにするのではなく、見ることを中心に描く活動を重視する。そして「身近な人を大事に思う気持ちや、故郷を温かく思う気持ちは、平和への思いにきっとつながる」ととらえ[2]、そうした中学校での3年間の学びと成長を込めて自画像に取り組むのである。

(2) 平和の課題でも生徒自身の判断と芸術性を尊重

石井による前者の実践のように、平和に関する題材を授業等で取り上げても、具体的な内容については生徒の判断に委ねていくという姿勢は、その他の実践でも見られる。たとえば池内正之は、東日本大震災を題材に「震災の人に寄り添い、自らの思いを表現する」絵画制作に取り組んだ[3]。このとき池内も、震災を題材にすることと抽象で表現することは教師から指定するが、テーマ、込める思い、内容は生徒の判断に任せている。結果として、津波や原発にかかわる大震災の怖さ、あるいは「被災者の苦悩」「孤独」「強さ」「人のあたたかさ」などの人々の姿をテーマにした、抽象ならではのシンプルな色と形に心を込めた作品が生まれている。

また中谷碧都梨は、平和をテーマにした全校での文化祭のとりくみを報告している[4]。その中学校では、そもそも文化祭のテーマ自体を全校生徒アンケートによって決めるなど生徒主体が貫かれている。生徒アンケートで多数を占めたことによって平和をテーマにすることが決まり、文化祭実行委員会を中心に企画や運営が進められていく。内容は合唱や学年ステージ発表だけでなく、テーマを象徴する全校展

---

[1] 石井緑「八丈島での平和教育と美術教育」『子どもと美術』第76号、2015年7月、p.30.

[2] 石井緑「“平和”への思いは、私の美術の授業を貫くもの」『子どもと美術』第73号、2013年12月、p.45.

[3] 池内正之「東日本大震災の復興を願って—思春期の心に寄り添い、抽象表現で描く—」『子どもと美術』第70号、2012年7月。

[4] 中谷碧都梨「Peace and Wishをテーマに文化祭をつくる」『子どもと美術』第76号。

示、一人ひとりがオリーブの葉の形にメッセージを書いて展示する全校メッセージ、さらに学年展示と、美術的要素をふんだんに取り入れている。この取り組みでも、生徒たち自身の判断が尊重されている。

このように「進める会」の実践では、平和に関係する題材に取り組んでも、具体的なテーマや内容では生徒たち自らの判断を尊重していることが多い。さらに見れば、石井の例年の美術の授業のように、題材としても平和を直接取り上げることがないことが多い。それはたとえば、杉村智子の実践にも見られる。杉村は、生徒たちの様子から自分を見つめるために自画像の取り組みが求められるが、その前に平和について考えさせる必要があると判断し、広島市民が描いた「原爆の絵」を生徒たちと鑑賞している。この実践も、鑑賞はしているが、制作の題材としては平和の問題を直接には取り上げていない[5]。

このように平和の課題を美術の直接の題材にしなかったり、題材にしたとしても具体的なテーマや内容は生徒自身の判断に委ねるのは、平和を求める取り組みがテーマ主義になってはいけないという自覚であろう。つまり、戦争反対や平和の実現という社会的テーマが、子どもたち自身による真の思い、考え、判断から離れて、単に表面的な標語で終わってはならないという考え方である。しかしそこには、社会的な課題が生徒主体と遊離してはならないという一般的な意味での主体性の問題に収まるのではなく、芸術性に対する判断が働いていたと考えられる。たとえば大勝恵一郎は、次のように指摘していた。

> 「正義や平和は人類の永遠の願いであるだけに、それを予定概念にはめ込む誘惑にさからいきれないとき、生徒は芸術とは異質の問題に直面させられることになり、芸術によって育てられるべき力量は衰微し、結局は平和を維持する内的座標軸の力量は育たないことになります。[6]」

大勝は、美術の授業での作品制作には、社会の論理ではなく芸術の論理が何よりも貫かれなければならないと言いたかったのだろう。つまりいかに社会的に正しい観念や概念であっても、芸術がそれらに従ってしまうのであれば、芸術としての固有性や意義を失ってしまう。芸術は、人間存在の真実性に照らし合わせながら、常に既成の観念や概念を問いただしてこそ、その芸術性を保持できるのである。その

---

[5] 杉村智子「自己をみつめて描く」『子どもと美術』第15号、1988年4月。
[6] 大勝恵一郎「思春期の美術教育」同上、p.51.

芸術の論理が正当に働いてこそ、芸術性は維持され、同時にそうした社会的観念や概念も改めて定位され強化されるのである。したがって長い目で見れば、芸術性の働きが衰えてしまえば、結局は正しいはずの社会的観念や概念も崩落していくことになってしまう。このような考え方から大勝は、教育の場においてもあくまで芸術の観点を保持することの重要性を指摘したのである。

(3) 真の平和教育は豊かな人格の形成にある

「進める会」の平和に関する取り組みのもうひとつの大きな特徴は、平和教育に欠かすことのできない美術教育の意義を自覚して進めていることである。すなわち真の平和教育とは豊かな人間性を育てることであり、そうした豊かな人格の形成にとって欠かすことができないはずの美術教育は平和のための基盤を培っていることになるということを深く自覚して実践を進めてきたことである。

一方で、美術の授業で平和の課題をどのように扱うかという事柄は、美術教育にとって狭義の平和教育であり、他方で美術教育を通して豊かな人格を形成するというのは、美術教育にとって広義の平和教育と言うことができる。

『子どもと美術』創刊後、最初に特集を組んだ第２号において、「平和の創造は子どもの希い」と題する主張のなかで佐藤恒は、すでに次のように指摘していた。すなわち「何ぴとたりとも侵すことのできない人間の生命の尊厳と、その発達する権利の保障とを統一的にとらえた取り組みが大切で、真の平和教育の目標はそこにある」と指摘し、したがって「平和教育は特殊な分野に見えがちだが、じつは“豊かな人間性を育てる”という丸ごとの課題そのものの中にあると言ってもよいくらいに思えるのである」と語っている。そのうえで「美術教育は、平和教育の最も大切な土壌を育てる責任を負っているのだと思う」と記している[7]。

この佐藤の主張の中に、平和教育に対する「進める会」の基本の考え方が集約されていると思われる。そこには、テーマ主義に陥らないようにするにとどまらない根本的な平和教育の思想が語られている。戦争の悲惨さや非人間性を深く知ることにとどまるのではなく、人間と自然の生命に共感しそれらを尊重する感覚を含めて豊かな人間を育てること、すなわち豊かな人間性すなわち人格を形成していくのが真の平和教育なのだという考え方である。しかも美術教育は、その豊かな人格の形成に深く関与し寄与するがゆえに、平和教育の土台を培う役割を果たすというのである。

---

[7] 佐藤恒「平和の創造は子どもの希い」『子どもと美術』第２号、1984年夏季号、p.36.

(4) 平和教育と美術教育の根源的な関係

このような平和教育と美術教育の根源的な関係の理解は、「進める会」において一貫している。先の2015年の特集でも、鼎談のなかで宮川義弘は、次のように語っていた。

> 「美術は、(…引用者中略…) 表現にかかわっているからこそ、本質的に人間の"全体性"にかかわっている教科である、ということではないかなあ。だからこそ、『人格の発達と結びついた美術教育を』というスローガンが重要。そうしないと結局"指導技術の研究会"になってしまって、"人間疎外や平和の危機という現実を直視し、人間と美術教育の意味を根本から考える"ということが、自主的研究の課題ではなくなってしまう。[8]」

この鼎談の中で、菅沼嘉弘も「美術教育は人間を人間たらしめる根本のことを意識的に扱っている教科なんだということをアピールしたい」と指摘している。このように美術という活動は、ヒトを人間に育て、全体的で豊かな人格を形成することができる働きを持っていることを確認している。

その際に、その議論の根拠として想定されているのは、何よりも人間にとっての労働の役割である。たとえば菅沼は先の発言と合わせて、次のようにも発言している。

> 「歴史的には、描画は派生的で、初めに手仕事ありきなんだ。手仕事から描画も出てきたわけで、"まず手仕事、そして絵"という順番で整理していくこと。そして手仕事(と描画活動)が人間の共同体の中で非常に大事であったということをふまえて、教育全体と美術教育の中に位置づけること。そこが、これからの『進める会』ではすごく重要だと思う。[9]」

この指摘のように、人間及びその共同体の成立にとって手仕事すなわち手の労働が決定的に重要であり、そうした労働と美術教育は直結しているという認識のもと

---

[8] 浜本昌宏・菅沼嘉弘・中村将裕・宮川義弘「鼎談　平和と人間の危機に直面した今、目の前の子どもたちのために、美術教育は何を大事にし、どう実践し、何をこそ研究すべきなのか」『子どもと美術』第76号、p.10.

[9] 同上、p.12.

に、美術教育の重要性を強調していることがわかる。このときに念頭にあるのは、事物等の対象に働きかけ価値を生み出す労働が、ただそれにとどまるのではなく、合わせて身体の働きを発達させ、人々の協同を生み出し、言語を発生させるとともに知的能力を発展させてきたという、労働がヒトを人間に進化させ、人間としての諸能力の全体を育んできたという理解である。そして美術とは、手を中心に自らの身体と精神を駆使して、さまざまな素材と交渉し格闘しながら価値ある形を生み出していく活動であるため、労働の性格をもつ典型的な活動のひとつである。したがって美術活動は、その労働という性格を通して、人間としての全体的能力を育み、豊かな人格の形成に決定的に寄与するのである。

教育とは、Developmentという語が発達と発展のふたつの意味をもっているように、個人の発達を促すと同時にそれと社会の発展とをつなぐ営みである。教育学者の堀尾輝久は、この営みを、「現在の社会がもっている、あるいはそのなかで育ちつつある新しい価値や未来に対する理想を、子どもたちの内発的努力と結びつけることによって、子どもの成長の可能性を同時に社会を更新する力としてとらえなおし、個人の発達と社会の更新を統一する視点でとらえなおすことが必要である[10]」とていねいに説明している。

こうした子どもの成長・発達と社会の更新・発展の関係は、日本国憲法や教育基本法の中にも込められている。たとえば教育基本法では改訂後も一貫して、第一条に「人格の完成」をめざし、「平和で民主的な国家及び社会の形成者」を育成することを掲げている。つまり子どもたちの人格の完成と平和で民主的な社会の形成者の育成をつなげているのである。すなわち平和で民主的な社会の実現を子どもたちの豊かな人格の形成を通して達成していこうという展望を示しているのである。

(5) 根本的な平和教育

子どもたちが全体的に発達し豊かな人格を育むことができるのであれば、そのような人間は必ずや平和で人権が保障された民主的な社会を選択して実現していくであろうという見識が込められているのである。それゆえ、労働の性格を備えた美術教育は、子どもたちの全体的な諸能力の発達と豊かな人格の形成に深く関与するがゆえに、それを通して根本的な平和教育を行っているということになるのである。

このような根本的な平和教育の例として、『子どもと美術』76号の平和特集に掲載された西尾妙子の乳幼児保育の実践報告は、直接的な美術教育とは言えないが、

---

[10] 堀尾輝久「教育の本質と教育作用」勝田守一編『現代教育学入門』有斐閣、1966年、p.57.

平和教育の視点から日常の保育を見直した珠玉の内容になっている[11]。それを要約すると以下のようになる。

・１歳過ぎてから大人を困らせる「いやいや」が始まるが、それを「自分で生きる第一歩」ととらえ、人に寄せる基本的信頼感と大人を困らせる自我の表れをともに育てることを大切にする。
・１歳児・２歳児クラスで「ごめんなさい」を教えるようになるが、「ごめんなさい」は自分が悪いことを認める言葉なので、それを認めた後も変わらず愛してくれると信じられないと怖くて認められないのではないか。そこで「ありがとう」とたくさん言うようにし、子どもたちが安心感に包まれるようになったら、だんだん「ごめんなさい」と言えるようになった気がする。
・集団生活の調整方法として「順番」を子どもたちに教えるが、ついルールだけが先行しがちになる。調整する前に「いやだったら、『いや』って言っていいよ」と提案するようにして、自分の気持ちを表現することも尊重している。

このように、安心して人と関係を結べることと、自分を主張して人と関係を結ぶことをともに懇ろに培っていくことの大切さを提示していた。それが、平和な社会を生み出していく力を乳幼児の段階からどのように育んでいくのかという観点から保育を見直すことによって確認されていったことに注目したい。根本的な平和教育の思想とは、このような保育や教育の営みの中に宿っているのではないだろうか。

以上のような平和の維持や実現と美術教育の関係についての把握を基本的な視点として確認しておきたい。その上で、平和を守る問題がより身近な課題となっている今日にあって、さらに掘り下げて検討する必要がある論点について取り上げて考えてみたい。

2 平和を守り発展させる芸術教育の積極的役割
—内在する暴力性の創造性への展開

これまで、発足以来の「進める会」の実践と議論を事例に検討することによって、美術教育等を通して子どもたちの全体的で豊かな人格を形成することができるのであれば、おのずから平和で民主的な社会の実現に向かってくれるという基本的な関係を理解することができた。しかし平和を守り発展させるうえでのさらに積極的な芸術教育の役割を明らかにすることはできないだろうか。

---

[11] 西尾妙子「笑顔を明日につなぐ—保育園での平和と美術教育—」『子どもと美術』第76号

(1) 欲望のコントロール

そのヒントになることを、実は先の『子どもと美術』の平和特集号で菅沼嘉弘は発言していた。それは次のようなくだりである。

「希望は美術教育なんだ。"手でものを作る"ということは根源にかかわる。外界に働きかけ作り替えていく中で、欲望をコントロールするイマジネーションの力をつけていく。ハーバート・リードも、マンフォードも、フレネもレッジョ・エミリアもそうだ。

人間存在とは何かという視点。みんな矛盾の中にいて、今は欲望に突き動かされているけれど、最後に希望を提案できるのは美術教育と美的活動しかない。[12]」

これは、現代社会の根本的な矛盾に芸術教育は立ち向かうことができるという、実に含蓄のある発言である。現代の資本主義社会は、人間の欲望を開発し拡大し、それを利用し支配することによってその社会システムを維持している。このことを私たちは日常生活を顧みればよく理解できる。そうした他律的に支配される欲望を人間自らがコントロールすることができるようになれば、真に人間的な社会になり得る。手で事物に働きかけ、ものをつくる活動、すなわち美術教育等の活動は、その過程を通して欲望を人間自身がコントロールする想像力を培っているのだと指摘しているのである。事物を対象とする制作の活動としての美術教育を、社会を人間化する根本的な仕掛けとして位置づけることができるというのが菅沼の卓見である。

(2) 平和主義の主張

この欲望の中で、本論で何よりも焦点を当てたいのが、人間のもつ攻撃性と破壊性である。戦争や暴力は複雑な社会的及び政治的諸関係に起因している。しかしその根源に人間の攻撃性と破壊性を見てとることは誤りでなく、これらの攻撃性と破壊性のコントロールに、もし芸術教育が積極的に関与することができるのであれば、この教育は平和を求める教育として非常に意義深い営みだと認めることができるだろう。

実は菅沼が名を挙げたハーバート・リードこそ、戦後まもない1949年に『平和の

[12] 前掲鼎談 [8]、p.14.

ための教育』を著し、事物の教育による欲望のコントロールこそ平和を守り維持する教育になるのだと主張した人物だった。リードはイギリスの詩人であり美術史家であるが、同時に芸術教育にも深くかかわり、「芸術は教育の基礎でなければならない」と主張した主著の『芸術による教育』は戦後日本の芸術教育の理論と運動に大きな影響を与えた。この『芸術による教育』の原著が1943年に刊行され、日本語訳は1953年に出版されているのに対して、『平和のための教育』は1949年刊行にもかかわらず、日本語訳は『芸術による教育』よりも早く1952年に出版されている。芸術教育分野をはじめとした民間教育運動の発展にも尽力した周郷博による翻訳であるが、本書の出版に対する熱意が伝わってくる。

9条地球憲章の会代表でもある堀尾輝久は「戦争は必要悪ではなく、人道に対する絶対悪です」と指摘し、非戦・非核・非武装・非暴力を訴えている[13]。この『平和のための教育』も、1949年の時点で戦争を絶対悪と指摘し、そして平和を生み出し維持していくためには教育の根本的な転換が必要だと主張した。

リードは、戦略的な平和主義に対して、次のようにたいへん手厳しい批判をしている。

> 「他のさらにひどい悪を避けるために、一つの悪には眼をつぶろう――これが、こんにちの最も熱烈な軍国主義者が戦争について云い得るぎりぎりの言葉である。(…引用者中略…) 多くの平和主義者は――1939年において――この考えを受け入れた。そのことは、彼らの平和主義が便宜的なものであったことをよく証明している。(…引用者中略…) 平和主義者が、ある特定の国を対象として軍事的な行動にでたときには、彼はもう、平和主義者ではない。彼は、彼の思想や行動の指導原理であったはずの、人間の生命についての絶対的尊重という立場を捨ててしまっている。[14]」

1939年の「ひどい悪」とはナチス・ドイツのそれである。戦争を開始する建前は、歴史的に見ても常に「悪から人々を守るため」「平和を守るため」などの理由がつけられてきた。それでもナチスに対する軍事行動に対しても、他国に対して戦争を開

[13] たとえば、堀尾輝久「軍国少年からの転生―安保法制違憲訴訟における陳述書」『季論21』第42号、2018年10月、p.170.

[14] Herbert Read, *Education for Peace* ,London:Routledge & Kegan paul,1950,pp.18-19.(ハーバート・リード、周郷博訳『平和のための教育』岩波書店、1952年、pp.36-37.なお適宜訳し直しを行っている。以下同様である。)

始することとして否定したリードは、徹底した非戦を貫こうとする平和主義者である。一つの戦争が地球自体を滅ぼしかねない質をもつようになった現代にあっては、しかも昨今の日本政府の政治的姿勢や諸外国の政治的、経済的、軍事的緊張状態を前にすれば、平和を守るための思想と方法を本格的に深化させることが切実に求められている[15]。

(3) 人間の攻撃性と破壊性の直視

ただここで私たちが注目しなければならないのは、リードが平和を守り維持する仕掛けをどのように構想したかである。たとえばリードは次のように指摘している。

> 「平和主義は、戦争に対する盲目的情緒的な反抗であってはならない。それは、われわれの攻撃的なあるいは破壊的な本能を無害にする計画でなければならない。[16]」

この記述でわかるのが、平和を覆す根源は人間のもつ攻撃性や破壊性だとリードがとらえていることである。そこでいくつかの確認を私たちに求めている。それは、人間には攻撃欲動や破壊欲動などの非合理的な側面が備わっていることを認め、それを直視すること、そしてこれらの本能が戦争や暴力として発現しないような社会的な仕掛けを作り出すことである。それでこそ真の平和主義であるというのである。

この指摘に表れているように、リードは当時の精神分析学の議論を参照している。すなわち、精神分析学を創始したフロイトは、当初その欲動理論を性本能と自己保存本能によって構成していたが、ヨーロッパが壊滅するという第一次大戦の戦禍を前にして死の本能と生の本能という二元的な概念を導入するようになった。死の本能とは、最初は自己破壊に傾くが、二次的には外部に向かい、攻撃欲動や破壊欲動として現れ、生命の結合を解消し、事物を破壊し、最終的には生物を無生物状態に還元しようとするものと想定されている。生の本能は、逆に生命の統一体を形成し、それを維持・継続しようとするものであり、これらふたつの本能が相互に対立したり結合しながら機能していると説明されている[17]。

---

[15] このような状況の中で9条地球憲章の会で「非戦・非核・非武装・非暴力」が提案され検討されていることは注目される。その議論でも、レジスタンスをどのように位置づけるか、国家権力をどのように理解するかなど、まだ多くの論点が検討されなければならない段階にあると報告されている（川村肇「武力で平和はつくれない—9条地球憲章の会活動報告に代えて」『季論21』前掲号［**13**］)。

[16] H. Read, op. cit., p.15.（H．リード、前掲書［**14**］、p.30.）

ここでこれらの本能の是非や詳細について検討しようとするわけではない。しかも死の本能と生の本能の二元的概念を設定することには、精神分析学の中でも賛否が分かれている。だが悲惨な戦争の事実に直面してフロイトが死の本能という概念を提示し、当時リードがそうした大きな暴力の発現の起源を理論的に模索したときに、依拠できるものとしてこれらの概念を採用した意味は大きい。

こうしたフロイトの概念は基本的に生物学的性格をもっているが、リードは「この本能は、幼少の時代に周囲の現実に適応しようとして必然的にできてきた本能だ」と説明し、「われわれはこれを、まず承認しよう」と呼びかけている。ここで想定されているのは、乳幼児期の親子関係の中で経験される受容や愛着と分離の相互的な関係の中に、生と死の本能、言い換えれば愛と攻撃の本能が現れてくるということであろう。

(4) 人間存在と攻撃性・破壊性との関係

精神分析学の知見を現代社会理論に組み込んで理論構築を進めたエーリッヒ・フロムなどの議論を見るならば、これらの二元的な本能論の人間にとっての重要性がさらに理解できてくる。たとえばフロムは『正気の社会』において、まったく無防備な状態でこの世界に投げ出される形で生まれてくる被造物としての人間が、そうした偶然性や受動性を乗り越えて、目的を持った存在となるためには、創造か破壊、あるいは愛か憎しみ、すなわち生か死の本能を契機にせざるをえないと指摘している。したがって彼によれば、人が目的を自覚した人間として成長し存在するためには、これらの本能は必然的に必要になり、「人間の本質に根ざしている」ということになる。このふたつの本能の相互関係を次のように描写している。

> 「創造と破壊、愛情と憎悪とは、べつべつに存在している二つの本能ではない。どちらも、同じく克服を求める欲求への解答なのであって、創造しようとする意志が満たされないと、破壊しようとする意志が起こってこないわけにはいかない。しかし、創造しようとする欲求が満たされれば幸福になるし、破壊は苦しみをもたらす。ことに破壊者じしんに苦しみをもたらす。[18]」

この「克服を求める欲求」とは、先に指摘したようにこの世界に投げ出された無

---

[17] S．フロイド「精神分析学概説」『改訂版フロイド選集・第15巻』（日本教文社、1969年）及び『精神分析用語辞典』（みすず書房、1977年）参照。

[18] エーリッヒ・フロム『正気の社会』（1955年）社会思想社、1958年、p.56.

防備な状態を克服し成長しようとする衝動である。フロムの言う「創造」とは、作物を育て、物をつくり、芸術を生み、思想を考え出し、互いに愛し合うことによって生命をつくり出すことを包括する幅広い活動を指している。

このようにフロムにおいても、生の本能と死の本能は人間の存在に必然的に伴なわざるを得ないと理解されている。ただしフロムにあっては、破壊欲動について一貫して究明し続けた結果、1973年刊行の『破壊』では最終的に攻撃性の根源を本能ではなく現代の物質文明に求めることになる。それを予兆するように先の指摘でも、生の本能の発揮によって死の本能の発現を抑えることができるかたちになっている。しかしフロイトやリードにとっては、死の本能における攻撃欲動や破壊欲動は、簡単には解消されずに、常に人間に存在し続けるがゆえに対応が非常に困難な性格を持っている。

このように人間の攻撃性や破壊性に着目する何名かの論者の議論を見てきたが、微妙にとらえ方に違いがあることがわかる。しかしここで確認しておかねばならないのは、それらを究極的に人間が先天的に持っていると結論づけるかどうかは当面不問にしても、ヒトが人間になるうえで、そして幼い子どもがじょじょに大人へと成長していくうえで、攻撃性や破壊性というある種の暴力性が不可欠に付随してくるということである。いみじくもフロムが「人間の本質に根ざしている」と言及したように、それらに見られる暴力性をなくして人間は人間にはなれないという、いわば原罪のような存在であるということを自覚しなければならないということである。

(5)「生産・制作」の領域に内在する暴力性

このことは、後に改めて取り上げるが、古代ギリシャで想定されていた人間活動の基本を構成する３領域とも深く関係している（図１参照）。その３領域とは、真理を探究する「理論」の領域、労働などによって、人間が生きていく上で不可欠な食料や製品などを生み出す「生産・制作」の領域、そして人と人のかかわりの中から公共的な世界いわば社会[19]を形成していく狭義の「実践」の領域である[20]。ここで着目

---

[19]　アーレントは、古代ギリシャにおいては私的領域と公的領域の２つしかなく、「社会」は後に特に近代になって発生し、私的利益を優先し画一主義を求めるとして否定的にとらえている（ハンナ・アレント『人間の条件』（1958年）ちくま学芸文庫、1994年、第２章参照）。しかし他方で、近代における独立した個人による市民社会の形成を範型に、社会学などで、「社会」は「〈individual〉相互の〈social〉な関係によって形成されるのが〈society〉なのである」と整理されている（大関雅弘「『社会文化』概念の構築に向けて」『社会文化研究』第13号、2011年１月）。本論ではそうした含意を含んで「社会」という用語を使用する。

したいのは、「生産・制作」の領域である。政治哲学者ハンナ・アーレントは、こうした古代ギリシャのポリス社会を念頭に置いて公共的な世界の実現を展望した[21]。その際に彼女は、「生産・制作」の領域を、人間が生命を維持するために必要な行動としての「労働」と、個々の人間の生命を越えて永続的に残る作品を作り出す「仕事」に分けている。しかしこれら「生産・制作」の領域の活動は、事物に働きかけて価値ある作品を生み出していくように、力を行使するという、いわば暴力の行使を不可欠に伴うと想定している。人と人との関係からなる「実践」の領域では、人を相手にするがゆえに一切の暴力の行使は許されなかったのとは対照的である[22]。

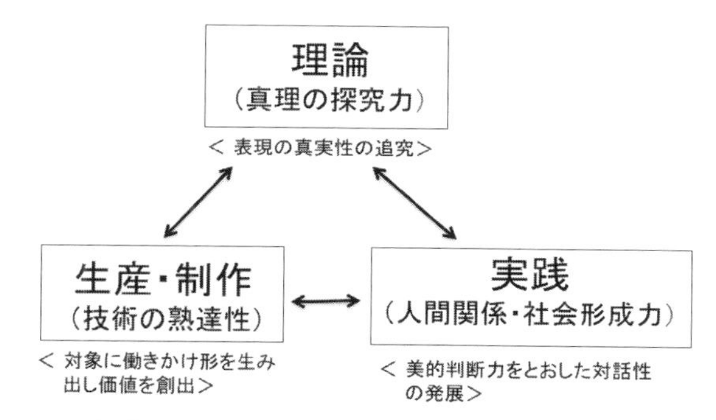

図１　人間活動３領域と美的諸能力（古代ギリシャをモデルに）

古代ギリシャでは、これら３つの領域は、人間が人間として存在するために欠かすことのできない基本となる要素と理解されていた。その中のどれかひとつを欠いても人間の世界は成り立たない。そして個々の人間は、生きていく上でそうした諸領域を必要とし、そこで必要とされる諸能力を自ら求めるところがある。

---

[20]　ここで示した古代ギリシャを念頭においての人間活動の3領域の構想については、藤本卓「〈制作〉と〈実践〉―その(1)〜(3)―」『高校生活指導』86・91・92号（1986年7月、1987年7月、同年11月。『藤本卓教育論集』鳥影社、2021年所収）に触発されたものである。また出隆『アリストテレス哲学入門』岩波書店、1972年、pp.29-34を参照。

[21]　公共的（public）とは、現代のように国家や行政に認められたという意味（official）ではなく、アーレントは人々に開かれていることと共通していることを挙げている（ハンナ・アレント『人間の条件』第２章参照）。つまり公共的な世界とは、人々に平等に開かれ、すべての人々の参加によって成り立っている世界と言ってよい。

[22]　See Hannah Arendt, *The Human Condition*, The University of Chicago Press, 1958, second edition 2018, chap.1.（ハンナ・アレント、志水速雄訳『人間の条件』ちくま学芸文庫、1994年、第１章等参照。）

このように古代ギリシャにおいても、生命を維持し、生活するのに必要な物品を作り、さらに芸術的な作品を生み出すという、必然的に力の行使を内在させている活動は人間が存在するためには欠かせない領域として理解されていたのである。このことを考えれば、「生産・制作」の活動には、フロムのように創造と攻撃性・破壊性とを二律背反するようにとらえるよりは、ともに力の行使という面では同様な性格を持つ両者が、常にその領域の活動には内属していると理解した方が妥当だろう。それほど攻撃性や破壊性は人間存在に深く根ざしている。

したがって生物学的にそして本能としてとらえられてはいるが、常に人間存在に付随している攻撃性と破壊性をいかに直接顕現させないようにする、正確にはいかに戦争や暴力のように他の人間にそれらを向けていかないようにするかを、リードは課題にしたのである。

(6)「事物による教育」を通しての攻撃性・破壊性の転化

> 「平和主義は、われわれの攻撃衝動が戦争以外の手段で——生活を高める活動や生命をまもる活動、あるいはたんにスポーツのような擬装された破壊活動で、十分に充たされないかぎりは、安定したものにはならない。[23]」

このようにリードは、平和が守られ維持されるためには、攻撃性や破壊性を抑圧するのではなく、無害な手段によって充足させたり転換させることによって、それらが他者に対する暴力や戦争という形で発現しないようにするという方向をめざしたのである。

そこでリードが期待したのが教育であり、その中でも芸術教育なのである。ところが一般に教育に期待すると言っても、現実の支配的な教育は人間の攻撃的な性質を抑えるどころか、逆にそれらを助長してしまっているのである。リードは、「われわれは、現在の教育によってわれわれの子どもたちを、競争の激しい分裂した社会の現実に適応させようとしているのである。攻撃本能は自らを発揮するすばらしい機会を与えられている。が、その攻撃本能は、他の子どもたちに向けられているのである。(…引用者中略…)つまり、われわれは人間を区分けするために——すなわち分裂させるために——教育を行っているのであり、我々のすべての努力は、差別をつくりだすために費やされているのである。」と断罪している。今日の教育は、攻撃

[23] H. Read, op. cit., p.19.(H. リード、前掲書[14]、p.37.)

性等をコントロールするどころか、それを他者に向けるような仕掛けになってしまっている。そこで彼は、「わたくしは、現在の教育の組織の完全な作り直しあるいは方向転換なしには、平和は促進されないし、人類が人類を全滅させる戦争から救いだされることは不可能だと信じる」、それゆえ「教育の方法と教育の目的とを完全に改めなければならぬ」と強く主張したのである[24]。

こうしてリードは、平和の実現のために教育に希望を託すのだが、そのためにまず既存の教育の根本的な改革を求めたのである。その教育改革の核になるのが、「事物による教育」としての芸術教育だった。なぜならば、具体的な例を挙げているが、農耕など実際に事物に関わり直接生産や制作を営む人々は、そうした生産や制作の活動の中で力を行使することによって、他者に攻撃性や破壊性を向ける必要がなく、欲望を解消したり転化するというかたちでのコントロールができるからである。

リードは、新たな教育の第一の原則を「事物によって教育する」、第二の原則を「人々を分裂させるのでなしに、結びつけるように教育する」と提示する。これらふたつの原則は、常に一体でなければならないとしている。この「事物による教育」は、原語では“educate with reference to things”あるいは“education in things”のふたつを使っている。意味を強調して訳せば、前者は「事物に委ねる教育」、後者は「事物での教育」ということになろう。どちらにしても人間の諸感覚を駆使して事物と深くかかわりながら価値ある物を作りだしていくことを通しての教育を指している。

リードは、『平和のための教育』の最後で、「教育における自由」と「平和のための教育」を実現していく手段方法として、以下の指摘をして結んでいる。

> 「その手段方法とは、人間の感覚がごく自然に従うところの唯一の訓練、つまり、芸術による訓練であるということを忘れてしまったら、それらの主張は危なげなスローガンになってしまう。芸術は、いかなる経験についても、人間の感覚が直観的に求めないではいられない形式と調和と比例と全一性あるいは全体性の訓練である。それはまた、道具と材料の訓練——鉛筆やペンや、織機や陶芸のろくろや、絵画、布、木片、石あるいは粘土の物理的自然によって与えられる訓練である。[25]」

このように美術教育をはじめとした「事物による教育」すなわち芸術教育こそが、

---

[24] Ibid., p.23.（前掲書［14］、p.43-44.）
[25] Ibid., pp.118-119.（同上、p.180.）

戦争や暴力を生み出す人間の攻撃性や破壊性を創造性へと転化させ、根本において平和を生み出す教育になると指摘するのである。しかし「事物による教育」は単に狭い意味で平和を生み出す教育にとどまるのではなかった。リードが全体にめざしたのは、人間の個性が発達していくこととそれを受け止める社会とが調和的に統合されていくことなのだが、「事物による教育」はそうした社会と教育の全体の改革を実現していく一環と位置づけられていたのである。

ところで思い起こしておきたいのは、リードが主張した芸術活動を中心とした「事物による教育」は、図1で示した人間活動の領域の中での「生産・制作」の領域を主舞台に展開されることである。それは、この領域を舞台に豊かに展開される活動と教育が、暴力性に根ざす攻撃性や破壊性を創造性へと転化させることに着眼したものだった。このことを別の面から見れば、人間存在の必然ではあるのだが、暴力性の淵源は保持されたままであることは、再度確認しておきたい。

3 人と人を結び、他者への暴力を抑止する働きと芸術教育

ここで改めて世界の歴史と現在に目を向けるならば、戦争や非人道的な暴力が絶えることなく続いてきている。したがってこれまで見てきたように、潜在する攻撃性と破壊性を創造性へと転化する努力が進んだとしても、ある社会的諸関係の結果として、戦争、侵略、迫害などの攻撃的・破壊的な他者への暴力が顕現する事態が生じることは容易に想定される。

そこで平和の維持や実現と芸術教育との関係に関して、特段に検討しておくべきもうひとつの論点は、暴力を最終的に抑止する機能と芸術教育との関係についてである。過去の歴史が示すように、さまざまな平和を求める営みがあったにもかかわらず、社会の全体主義化等が進む可能性はないとは言えない。それでもなお、あくまで他者への暴力を批判し否定することができる人間的根拠はどこにあるのだろうか。この暴力を容認しない人間的根拠を想定した教育を構想できないならば、平和を守る教育論としては不十分であろう。あくまで他者への暴力を許さない契機を検討し、それを芸術教育は持ちうるのか否かを考えてみたい。そうした契機を芸術教育が所有できることが明らかになれば、それは真に平和を守り発展させる教育としての資質を備えていると言うことができるからである。

(1) 全体主義の支配と「均制化」

このような最終的に他者への攻撃性・破壊性の行使を否定し拒否していく契機を

明らかにしていく上で、たいへん参考になるのが、自らナチスから危うく逃れてアメリカに亡命した経験や、ナチスの要人だったアイヒマンに対する裁判に関する考察などを背景に展開されたハンナ・アーレントの道徳哲学である。彼女は、ユダヤ系ドイツ人で、ドイツではハイデッガーやヤスパースのもとで哲学を学び、ナチス政権下にフランスに、そしてその後アメリカに亡命し、全体主義の起源の徹底した分析を基にした公共性の政治哲学を専門にした人物である。

全体主義はファシズム等の政治原理および政治体制を指す。それは一般に、個人主義、自由主義、民主主義を否定し、独裁政治権力が国家機構並びに社会を完全に支配し、全社会生活を規制する。アーレントによれば、全体主義は、19世紀後半のヨーロッパの帝国主義が膨張する中で、植民地に軍隊、警察、官僚制という権力的な政治体制のみが輸出され、そこで肥大化し強化された権力機構がヨーロッパに逆輸入されたことに起因している[26]。

アーレントにとって、全体主義は、産業革命さらに帝国主義の興隆の中で進行した、他の人々によって認められ保障される場を失い社会的に「根を絶たれ」孤立化が進む大衆社会を基盤にし、「イデオロギーとテロル」による全体的支配を特徴としている。その「イデオロギー」とは、民族や人種間に優劣を設ける人種主義などの科学的性格を装った似而非科学による観念を、現実的な経験による検証を否定して、あらゆる事柄に強制的に適用しようとする性格をもつ。そしてそれらの観念の実現に向けて執行するのが、「全体支配の本質」としてのテロルである。こうした政治的目的のために殺戮を含む暴力を用いるテロルによって全体主義的支配は、人々の自由を奪うだけでなく、孤立化をさらに進め見捨てられた状態にすることによって、「自分がこの世界にまったく属していない」という人間にとって最も根本的で絶望的な経験を作り出すという。この「自分がこの世界に属していない」という事態に注目するのがアーレントに特徴的である[27]。それはすなわち、すべての人間を同一化させることによって、「人間の複数性を消滅させる」ことを指している。アーレントの思想にとって、複数性（plurality）は人間にとって必須の条件である。

「活動（action）とは、物あるいは事柄の介入なしに直接人と人との間で行われる唯一の活動力であり、それは複数性という人間の条件、すなわち地上に生き世界に住まうのが単数の人ではなく、複数の人びとであるという事実に対応し

---

[26]　ハンナ・アーレント『全体主義の起源　第2巻　帝国主義』（1951年）みすず書房、1972年参照。
[27]　ハンナ・アーレント『全体主義の起源　第3巻　全体主義』（1951年）みすず書房、1972年、第4章参照。

ている。人間の条件のすべての側面が多少とも政治に関わってはいるが、この複数性こそが、すべての政治的生活の条件であり、その必須であるばかりか最高の条件である。[28]」

このアーレントにとっての「活動」とは、図1で示した古代ギリシャをモデルにした人間活動の3領域の中での「実践」の領域を指すものに他ならない。そこでの複数性という、すなわち平等でありかつ差異があり互いに他者であるという人間同士の営みによって、はじめて人間間の世界は成立するというのである。したがってアーレントにとって、人間同士は互いに他者であるという認識を前提にしていることは、後の議論にもかかわるので、確認しておきたい。ファシズムなどの全体主義は、そうした人間が人間であるために必須な条件を破壊し喪失させるのである。

アーレント自身にとっても、こうした同一化の中での極度の孤立の経験が、亡命を決断させ、全体主義批判の研究の決定的な契機になっている。この同一化と孤立の現象を「均制化（coordination）」という用語を使って語る。たとえば、1964年に行われたインタビューのなかで、亡命の経験について語っていた。その中で、アーレントは、1933年にユダヤ人が衝撃を受けたのは、ヒトラーが権力を握ったことだと一般的に理解されているが、それでは説明がつかないと指摘した。ユダヤ人にとって、ナチスが敵であり、ドイツ民族の多くがナチスを支持していることはわかっていた。自分たちが追い詰められたのは、なによりも友人たちの「均制化」によると、次のように語った。

「それ（均制化…引用者注）は、友人たちもまた［ナチに］同一化することを意味していました。つまり問題が個人レヴェルのものになったということで申し上げたいのは、1933年を境に、敵のなすこと以上に、こともあろうか友人の行為によって追いつめられはじめたということです。均制化の波といっても、当時はまだ自由意志で選択できる余地がかなりあり、ともかくテロルの圧力下にはおかれていませんでした。その波のうねりのなかでは、あたかも虚ろな空間が身のまわりを包んだような孤立感にとらわれました。[29]」

---

[28] H. Arendt, *The Human Condition*, p.7.（ハンナ・アレント『人間の条件』、p.20. なお、適宜訳し直しを行っている。以下同様である。）

[29] ハンナ・アーレント「何が残った？　母語が残った」『アーレント政治思想集成1』みすず書房、2002年、p.16.

このように近しい友人など個人レベルにまで同一化と孤立化が進むことによって生きる場を奪われていくのである。この「均制化」は、排除の対象になったユダヤ人のみならず、ドイツ人全体を支配した。こうした全体主義的支配は、近代以前の非合理な専制的暴力支配とは異なって、「科学的」な論拠と法的根拠の下に「均制化」を進めるのである[30]。アーレントは、こうした全体主義的な支配を許さない契機を徹底して探ろうとしたのである。

(2) 自己を根拠とする道徳性の限界

ただ本論で注目したいのは、歴史上かつてない規模の侵略戦争と国内外の迫害によって未曾有の破壊と殺戮を引き起こした全体主義の原因を究明し、それに抗する政治理論を構築しようとしたアーレントの研究の契機になった経験とそれに対応する核となる理論である。ここでは特に、全体主義下での非人道的な迫害と殺戮の危機への対応をテーマに道徳性の問題として考察した「道徳哲学のいくつかの問題」(1965-66年) という講義録に焦点を当てて検討してみたい[31]。

このナチスの経験をふまえたアーレントの研究上の問いは、次のような彼女の語りの中に示されている。

「道徳が崩壊したナチス時代のドイツにも、ごく少数ではありますが、まったく健全で、あらゆる種類の道徳的な罪をまぬがれた人々がいました。(…引用者中略…) これらの人々は、たとえ政府が合法的なものと認めた場合にも、犯罪はあくまで犯罪であることを確信していました。そしていかなる状況であれ、自分だけはこうした犯罪に手を染めたくないと考えていたのです。言い換えると、こうした人々は義務にしたがってこのようにふるまったのではなく、周囲の人々にとってはもはや自明ではなくなったとしても、自分にとっては自明と思われたものにしたがって行動したのです。ですからこうした人々の良心は (良心と呼ぶべきものだとして)、義務という性格をおびていませんでした。『わたしはこ

---

[30] 近年の第二次大戦時の日本による中国や朝鮮などに対する侵略と暴力的支配を否定する歴史修正主義と、それを受けての教科書という公的出版物の内容変更は、こうした観点をふまえれば、いかに危険なものであるかがわかる。

[31] 同じように中山元も、「道徳哲学のいくつかの問題」を中心に着目してアーレントによる全体主義下での道徳性問題の追究について考察を進めている。しかし中山の論の中心は道徳性の崩壊と思考の欠如との関係になっている (中山元『アーレント入門』ちくま新書、2017年、特に第4章「悪の道徳的考察」参照)。中山も当然触れてはいるが、本論では特にそこでの美的判断と共通感覚へのアーレントの注目に焦点を当て、それらを中心に論を構成している。

んなことをすべきではない』と考えたのではなく、『わたしにはこんなことはできない』と考えたのです。(…引用者中略…)いざ決断を迫られたときに信頼することのできた唯一の人々は、『わたしにはこんなことはできない』と答えた人々なのです。[32]」

ここで指摘されている政府が合法と認めた犯罪とは、すなわちナチスがその価値体系に基づいて法を策定し、その下で国内では自由と民主主義の否定と弾圧、対外的には戦争と侵略を進め、内外で人種的排外主義にもとづいてユダヤ人の大量殺戮を行ったことなどを指している。

ここでのアーレントの問いは、そうした社会全体が全体主義に支配される中で、それでもその支配に与しない人々が存在し、そうした人々の道徳性（良心）は何を根拠にしているのか、という問いである。そして少なくとも、その根拠となるものは、「わたしはこんなことをすべきではない」という義務の意識ではないというのである。一般に道徳規範は、社会的に課せられた規準や規則として、人間にとっては外在的であり、義務として意識される。そうした外部から課された形での道徳性では、社会全体が政治的にも思想的にも支配されている中では、それに抗することはできないというのであろう。

それに対して「わたしにはこんなことはできない」と自己を根拠に考える人は信頼ができると指摘している。しかし、アーレントの結論を先取りして言えば、自己を根拠にする仕方は２種類あり、たんに個人の自己内的な根拠に基づくような道徳性は消極的にしか機能せず、それでは悪を防ぐことはできても、善をなすことはできないというのである。

その例として近代のドイツの哲学者カントと古代ギリシャのソクラテスを挙げている。両者について、次のように語っている。

「カントの場合には、良心は自己への軽蔑という形でわたしたちを脅します。ソクラテスの場合は、これから説明しますように、自己との不一致という脅しがあります。そして自己への軽蔑や自己との不一致を恐れる人は、自己との交わりのもとにある人でもあるのです。こうした人々は、道徳的な命題を自明なも

---

[32] Hannah Arendt, *Some Questions of Moral Philosophy*, in *Responsibility and Judgment*, edited by Jerome Kohn, Schocken Books, 2003, p.78.（ハンナ・アレント、中山元訳「道徳哲学のいくつかの問題」『責任と判断』ちくま学芸文庫、2016 年、p.129-130. なお、適宜訳し直しを行っている。以下同様である。）

のと考えるのであり、義務は不要なのです。[33]」

カントの道徳哲学の根本法則は「君の意志の格律が、いつでも同時に普遍的立法の原理として妥当するように行為せよ」という命題で示されているが[34]、思い切って平易に言えば、自分がやろうとしていることが普遍的な法になってもよいように行えという意味だと要約できる。つまり人間には理性が働いているので、その理性を使って自分で判断して普遍的な法に合致するように行動せよと、道徳性は理性的な自己に依拠することになる。したがって人が善をなさなかった場合は、そうした理性的なはずの自己にふさわしい役割が果たせなかったと、自らを軽蔑することになる。

ソクラテスの場合は、「世の大多数の人たちがぼくに同意しないで反対するとしても、そのほうがまだしも、ぼくは一人であるのに、ぼくがぼく自身と不調和であったり、自分に矛盾したことを言うよりも、まだましなのだ」と語るように[35]、自己と心の中のもう一人の自己との調和・一致を道徳性の根拠としている。つまり自己ともう一人の自己とが対話して一致するならば、その行為は道徳的に適切だと理解されるというのである。したがってふたつの自己が一致せずに対立する場合は、道徳的に許されない行為になっていることになる。このソクラテスの自己一致の原理が、カントを含めた自身の良心との一致を強調するヨーロッパの倫理観の出発点になったと言われる。

したがってカントもソクラテスも、道徳性の根拠を自己においているという点で共通しており、個人を基に理論を構築している点で近代的だと言える。しかしアーレントは、そうした自己に依拠して道徳性を根拠づけるのは限界があるととらえる。たとえば、ソクラテスを名指して、次のように指摘する。

「これまでソクラテスの道徳性について考察してきたところでは、消極的な成果しか得られず、わたしたちが悪をなすことを防ぐ条件だけが解明されたのでした。たとえ世界全体と対立しようとも、みずからと対立しないようにすることが、悪をなすことを防ぐ条件でした。このソクラテスの考えは、理性に基づいたものです。(…引用者中略…)この〈みずからと対立しないこと〉という原則の重要

---

[33] Ibid., p.78.（前掲書［32］、p.129.）
[34] カント『実践理性批判』（1788 年）岩波文庫、1979 年、p.72.
[35] プラトン『ゴルギアス』482B-C、岩波文庫、1967 年、p.116-117.

性、妥当性、そして実践的意義は疑う余地のないものですが、この原則が明らかに意味をもつのは、緊急な状況や危機の時代においてだということ、わたしたちが追い詰められた状況においてだということです。(…引用者中略…)思考は孤独な場で営まれるので、他者とともに行動するための積極的な指標を示すことはできないものなのです。[36]」

ここに示されているように、自己と調和し一致しているかどうかを規準にして行為の道徳性を判断するのは、緊急で危機的な状況において悪をなすことをなんとか防ぐという場合に役立つという、重要ではあるが消極的な役割を果たすに過ぎないというのである。つまり自分が追い詰められて、犯罪等を犯さざるを得なくなったときに、なんとか踏みとどまって自己を守るような場合には有効なのである。

(3) 他者とともに道徳性を発揮していく根拠

それでは外在的な道徳規範でもなく、自己に依拠するのでもないとすれば、アーレントは、他者とともに積極的に道徳性を発揮していく契機を、どこに見出していたのだろうか。それは、次の指摘に示唆されている。

「道徳性の問題を、悪しきことをなさないようにするとか、いかなることもなさないというようなたんなる否定的な側面を越えて考察しようとすれば、この問題はカントが言わば美的な行為だけにふさわしいとみなした点から人間の行為を考える必要があります。カントは、人間の生活において道徳とはかけはなれているようにみえる趣味の領域で、道徳的にみて重要な問題を発見したわけですが、それはカントが共同体で生活する人間を複数性の視点から考えたのは、この領域だけだったからです。ですからこの領域においてわたしたちは、選択的意志(liberum arbitrium)としての意志の公平な調停者と出会うのです。[37]」

このようにアーレントは、道徳性の積極的契機を、なんと美的判断力の内にみるのである。そしてそこで出会う「意志の公平な調停者」、すなわち多数性のなかで意志を調整し、道徳性の積極的な発揮を促すものこそ、実は美的判断力に働く共通感

---

[36] H. Arendt, *Some Questions of Moral Philosophy*, pp.122-123.（ハンナ・アレント「道徳哲学のいくつかの問題」前掲書［32］、p.201.）

[37] Ibid., p.142.（同上、pp.231-232.）

覚なのである。

(4) 全体主義下の道徳性の危機に求められる力と美的判断力との同類性

ここで改めて、全体主義の進行の中で「均制化」が進み、人々が道徳性の危機に直面する事態と美的判断力との関係についての、アーレントの次の発言に注目してみたい。

> 「外側からみるかぎり、それまでつねに道徳的または宗教的な基準を確固として信じているようにみえる人々の間で、こうした基準が完全に崩壊していたこと、そしてなんとか渦巻きの中に吸い込まれないでいたごく少数の人々も、つねに正しい行動の規則を維持していた『道徳家（モラリスト）』と言えるような人々ではなく、破滅的な事態が訪れる以前から、こうした基準そのものが客観的にみて妥当性はないと確信していた人々である場合が多いことも指摘してきました。ですからわたしたちは理論的には、たんなる趣味の判断の問題に直面していた18世紀の人々とまったく同じ状況にあるのです。[38]」

ここでアーレントは、全体主義下で道徳性の基準が崩壊し、何が正しい行動かを理性によって客観的に判断できなくなった事態と、18世紀に直面した趣味判断つまり美的判断の解明の問題とは、理論的に重なっていると指摘している。これら両者が同じ理論問題に直面しているとはどのようなことなのだろうか。それは2点指摘することができる。

まずひとつは、その直面した理論問題とは、理論的及び客観的に判断する条件がなくても、普遍的妥当性をもった判断が可能なのか、という問題だということである。それに対するカントの結論は、可である。彼は、美的判断にそれを可能とする特質を見出したのである。カントは美的判断力を、「趣味とは、与えられた表象に関する我々の感情にすべての人が概念を介することなく普遍的に与り得るところのものを判定する能力のことである」と定義するに至った[39]。すなわち趣味つまり美的判断とは、概念を介して客観的にではなく、直観的・主観的に普遍的で妥当な判断を下すことができるというのである。これに依拠するならば、全体主義下の困難な事態でも、普遍的妥当性をもった判断が可能ということになる。

---

[38] Ibid., pp.138-139.（同上、p.225-226.）
[39] カント『判断力批判（上）』160、岩波文庫、1964年、p.235.

指摘できるもうひとつの点は、美的判断にそうした特質を発揮させているのが、そこで働いている共通感覚だということである。

アーレントは他のところで、判断する能力は「事柄を自ら自身の視点からだけでなく、そこに居合わせるあらゆる人のパースペクティヴで見る能力にほかならない」と指摘し、それは「共通感覚（common sense）と通常呼ぶものに根ざす」と記している[40]。この共通感覚の概念も、カントの「その反省において他のすべての人の表象の仕方を考えの中で（ア・プリオリに）顧慮する能力なのだ[41]」という指摘に依っている。

たとえば「このチューリップは美しい」と美的判断をしたときに、それは一般には「何を美しいとするかは個々人の好みによる」と考えられるように、主観的で個人的な判断に過ぎないと理解される。しかしカントの共通感覚に基づく美的判断力論によれば、人が「このチューリップは美しい」と判断した場合は、自分の視点からだけなく、他の多くの異なる人々の視点に立って見たうえで、直観的に自分の判断が普遍妥当性を持っていると判定して判断しているというのである[42]。

したがって改めて確認すると、全体主義下での道徳性崩壊の危機と18世紀の美的判断の解明というふたつが直面した同じ理論問題とは、理性を介しての普遍妥当な判断ができる条件がなくても、何らかの妥当性のある判断が可能かという問いだった。そしてそれに対するアーレントの回答は、共通感覚に依拠することによって、主観的であるが普遍妥当な判断が可能になるということだったのである。この共通感覚の働きに可能性を見出そうとしたのである。

(5) 共通感覚が備える能力

先の『実践理性批判』の道徳論からもわかるように、一般にカントは近代の個人主義に基づく理性主義の哲学を完成させたと理解されている。その理解は間違っていないのだが、そうしたカントが、その個人主義の枠を越えて、人間同士が共同体を形成する契機を発見したのが、なんと美的判断の検討を通してだったという。従来のカント理解を転換させ、その美的判断に働く共通感覚に着眼して、公共的な世界形成を展望したのがアーレントだったのである。

---

[40] Hannah Arendt, *The Crisis in Culture*, in *Between Past and Future*, Penguin Books, 1968, p.221.（ハンナ・アーレント、引田隆也・齋藤純一訳「文化の危機―その社会的・政治的意義」『過去と未来の間』みすず書房、1994年、p.299.）

[41] カント『判断力批判（上）』157、p.232.

[42] 同上p.142、p.217.参照。

したがってアーレントは、この共通感覚を社会形成論へとつないでいく。アーレントが共通感覚の役割として示しているのは、次のふたつである。ひとつは、他者との意志の伝達を可能にして、人と人をつないで社会を作り出していくことである。

アーレントは、「カントにとって(…引用者中略…)厳密には共通感覚とは、わたしたちが他人とともに共同体のうちで生活できるようにする感覚であり、共同体の一員としてわたしたちが自分の五感を使って他者と意志の伝達が行えるようにするものだった」と確認している[43]。アーレントにとっての共同体とは、近代以前のそれではなく、個々人が独立した複数性からなる共同体である。それは、いわば市民社会である。自分の視点だけからではなく、共通感覚を働かせることによって、異なるさまざまな他者の立場になって考えることを通して、そうした人々とコミュニケーションを取ることができるようになり、人々と社会関係を結びながら生活できるようになるのである。したがって人間が社会の中で生活するうえで共通感覚は欠かせないのである。

共通感覚に期待するふたつ目は、先にも示したように主観的ではあっても、普遍妥当性のある判断を可能にすることである。アーレントは、「わたしがある共同体の一員であるのは、この共通感覚をそなえることによってであり、そのためにこうした妥当性を共同体の全体に期待することができるのです[44]」と、共通感覚に支えられて共同体全体にある妥当性を求めることができることを示している。その機制については、次のようにいくぶん複雑に描写している。

> 「わたしは判断を下すときに他人を考慮にいれますが、それはわたしの判断を他人の判断にあわせようとすることを意味しません。わたしはどこまでもわたしの声で語るのですし、自分で正しいとする考えに到達するのに、詮索するようなことはしません。それでもこの判断は、自分だけを考慮して判断を下すという意味での主観的な判断ではなくなっているのです。(…引用者中略…) わたしが自分の思考のうちに思い浮かべ、自分の判断において考慮する人々の意見の数が多ければ多いほど、それはさらに代表的なものになると言えます。こうした判断の妥当性は、客観的で普遍的なものではありませんが、主観的なものでもありません。それは、個人の気持ちに依りますが、間主観的で代表的なものな

---

[43] H. Arendt, *Some Questions of Moral Philosophy*, p.139.（ハンナ・アレント「道徳哲学のいくつかの問題」前掲書［32］、p.226.）

[44] Ibid, p.140.（同上、p.228.）

のです。[45]」

共通感覚は、確かにあらゆる人々の立場に立って考えることができるが、だからといってそうした他者の意見に迎合するわけではなく、また逆に自己の意見に固執するのでもなく、さまざまな他者の考えを総合的にふまえて、最も妥当だと考える判断をくだすように働くのである。

したがってこれまでのアーレントの議論に基づけば、宗教や法といった外在的な規範が機能しないどころか荷担するようになり、自己と対話しそれと調和し一致する行動を取ることによってなんとか自らの良心を守るのが精一杯になってしまうような全体主義の支配下での道徳的な危機の中で、わたしたちが社会に人道主義を積極的に求めていくことができるのは、あらゆる人々の視点を考慮して正しいと考える判断をくだす共通感覚に依拠しなければならないということになろう。

アーレントは、こうした判断の具体的な例を示しているので、より理解を得られるように、紹介しておきたい。たとえば、戦争末期にナチの親衛隊に引き入れられようとしたが、入隊の署名を拒否したために死刑になった２名の農民少年が、「僕たち二人は、あのような重荷を心に負うくらいなら死んだ方がいいと思います。親衛隊員がどんなことをしなければならないかを僕たちは知っています」と書き残したという。そうしたヒットラーに与しなかった多くの人々について、アーレントは「これらの人々の立場は、陰謀者たちのそれとはまったく違っている。善悪を識別する彼らの能力はまったくそこなわれておらず、彼らは全然〈良心の危機〉には襲われなかった」と指摘している[46]。この指摘は、先に紹介した「いざ決断を迫られたときに信頼することのできた唯一の人々は」「わたしはこんなことをすべきではない」と義務として考えた人ではなく、「『わたしにはこんなことはできない』と答えた人々なのです」という記述と同趣旨だと考えてよい。

この親衛隊を拒否した少年たちは、残した文面から推察されるように、単に自己との対話を通して自己の存在との一致を求めて判断しただけでなく、何よりも親衛隊に入ったならばナチスに反対する人々やユダヤ人を摘発し抹殺することになることを想定し、そうした迫害の対象になる人々の立場を顧慮して判断していることは明らかである。そうした判断に、先の他者の視点から考える共通感覚が働いているのである。

---

[45] Ibid., pp.140-141. （同[43]、pp.229-230.）
[46] ハンナ・アーレント『イエルサレムのアイヒマン』（1965年）、みすず書房、1969年、pp.82-83.

以上のアーレントの議論などをふまえて、共通感覚とは事柄を自分自身の視点からだけでなく、あらゆる異なる人々の視点から見ることによって、一方で個人間のコミュニケーションを図り、人と人をつないで社会とりわけ公共的な性格をもつ社会を形成していくと同時に、他方でそうした公共性の危機に直面した場合でも主観的であってもある種の普遍妥当性のある判断をするなど、公共的な社会を維持していくための適切な判断を下して方向付ける働きをする、とまとめることができる[47]。

(6) 他者への攻撃性・破壊性を抑止する契機と共通感覚及び芸術教育

ここで本項の問題設定に戻るならば、特定の社会的諸関係の結果として、他者への攻撃性・破壊性の行使を迫られる社会状況に直面して、それを最終的に否定し拒否する契機は、アーレントにしたがえば、事柄をあらゆる他者の視点から見て、ある種の普遍妥当な判断を可能にする共通感覚を働かせることができるかどうかにかかっているということになる。当然ながら、個々の人々はその思想・信条に基づいて、そうした事態に抗する発言や行動を起こすであろう。しかしアーレントによれば、最終的に信頼できるのは共通感覚だと考えられることは、念頭に置いておかなければなるまい。同時に、この共通感覚は、そもそも人と人をつなぎ公共的な社会を生み出していく根源的な役割を果たしていることを考えるならば、この共通感覚を生かして自由と平等に開かれた民主的な社会づくりの営み自体が、他者への暴力を容認しない世界づくりにつながっていくことを示している。

ここで改めて図1で示した人間活動の3領域の中で、共通感覚が働くのはどの領域かを確認しておきたい。それが人と人を結びながら社会、とりわけ公共的な社会を生み出していくということを考慮すれば、共通感覚が働くのは「実践」の領域だということがわかる。つまり人々が人間関係を結び、さらに異なる個人から成り立つ共同体を求め、いわば市民社会を形成していくというさまざまな局面で、共通感覚は常に働いている。したがって美的判断に際してのみ働いているわけではなく、人間関係づくりそして社会づくりのいたるところで機能しているのである。

しかし私たちは、共通感覚の働きが典型的に表れるのが美的判断においてだった

---

[47] このようなアーレントの共通感覚のとらえ方は、日本でしばしば取り上げられる中村雄二郎が主張する共通感覚論とは趣旨を異にしている。中村雄二郎は、アーレントが注目する共同体を形成する際に働く共通感覚は常識につながると批判し、アリストテレスを起源とする触覚などの身体の諸感覚を体性感覚的に統合する共通感覚を積極的に主張する（中村雄二郎『共通感覚論』岩波書店、1979年）。そしてそれを起点に既成の知の転換を図ろうとするものである。筆者はかつてそうした中村の共通感覚論は、結局はプラトン以来西洋近代が現代まで引きずっている理論知の支配の枠組みの中にとどまっているにすぎないと批判した。本書第Ⅴ章第2節を参照されたい。

ことに、とくに着目しなければならないだろう。そこで美的判断力とその中で働く共通感覚に着目して、改めて芸術制作・表現・鑑賞といった芸術的諸活動及びそれよりもさらに広い美的経験の質をとらえてみると、次の諸点を指摘することができる。

第1は、芸術的・美的諸活動は、自己を含む多様な他者の視点からそれらの活動をとらえつつ、感覚的に妥当だと判断しながら進めるという、実に対話的な活動だということである。一般に芸術的・美的諸活動は、活動主体による単独の活動として、あるいは対象と活動主体との二者関係で理解されることが多い。ところが芸術的・美的諸活動は常に美的判断を伴いながら遂行される。したがって共通感覚論をふまえると、それらは実に対話的な活動だという性格が見えてくる。たとえば美術作品を制作する場合を考えてみても、作者個人の思想や感情をただ表すだけの営みではなく、表そうとする対象、制作の材料、さらにそれを見るであろうさまざまな他者といった多様な他者との対話を繰り返しながら作業を進めていく。そうしたさまざまな対話を通しながら、自らが最も妥当だと判断した行為を行っていくのである。鑑賞する場合も、作品と自己との対話だけでなく、当然作者との対話も入り、さらに他の鑑賞者の視点も考慮しながら、活動は行われていく。

第2に、芸術的・美的諸活動は、芸術や美に関わる個人の感性をはぐくむと同時に、それだけでなく共通感覚を働かせることを通して、人と人をつなぎながら社会を形成していく基底となる契機を生み出していくということである。それはふたつの側面から語ることができるだろう。すなわち、一方で芸術的諸活動を通して、人間同士を結び共同する契機を実際に社会的に生み出していくとともに、他方でそうした諸活動を経験することが、多くの他者の立場から物事を見る、他者と協同する、あるいは直観的ではあるが普遍妥当な判断をくだす、といった働きをする人々の共通感覚をさらに豊かに培っていくことになるのである[48]。

こうして芸術的・美的諸活動を促進する芸術教育は、美的判断を契機にして、人間間の事柄としての社会形成の役割を果たす「実践」の領域で機能する共通感覚を働かせることを通して、物事をあらゆる異なる人々の視点から見て、人と人をつな

---

[48] 水野邦彦は、このようないくつかの働きをする共通感覚について、種々の用語を使用しているカントの共通感覚論を詳細に検討し、常識としての共通感覚、感情によって美の判定をする共通感覚と、両者を包括する共同体感覚としての共通感覚に分類されると指摘をしている(『美的感性と社会的感性』晃洋書房、1996年、特に第5章参照)。これはたいへん興味深い研究であるが、中村雄二郎の強調する体制感覚的統合としての共通感覚も含めて、どのような構造になって働いているのかは判明していない。この面でのさらなる探求が期待されるが、現時点においては本論ではいくつかの機能を果たすカントに由来する共通感覚を、アーレントにならって一体として記述している。

ぎながら公共的な社会を築くと同時に、社会の危機に際してなど社会的なさまざまな局面において直観的であるがある普遍妥当性のある判断をする基底となる部分を形成しているのである。ただここで示されている共通感覚にかかわるいくつかの働きの中で、もっとも重要な核になるのが、事柄をあらゆる他者の視点に立って見ることであることは、確認しておきたい。

したがって平和と芸術教育という視点に戻るならば、共通感覚とそれが典型的に働く美的判断力は、平和を守り発展させるのに不可欠な人間的能力だと言うことができる。そのため、美的判断力を駆使する芸術教育は、必然的に平和のための教育という性格をもっているのである。

なお、芸術教育ひいては平和のための教育として共通感覚を核とした美的判断力の働きに注目する教育は、先に紹介したリードの教育改革論全体の不十分な面を補う性格ももっている。リードは、新たな教育の第一の原則を「事物によって教育する」、第二の原則を「人々を分裂させるのでなしに、結びつけるように教育する」と提示していた。第一の原則の内容については、本論で論じた通りである。しかし第二の原則については、筆者が見る限り『平和のための教育』だけでなく他の著書においても、個人の自然性や個性の伸長と社会との調和や統合は、社会の側が配慮していく以外にどのような仕組みによって進められていくのかは、十分に論じられているとは言えない。その点をふまえれば、アーレントの議論は、一元論にはならずに多元論になるが、制作論とは別に共通感覚を軸にした社会形成論を示しており、教育論としてリードの議論では不十分になってしまう面を補っていると言える。

本論では、「平和と芸術教育」というテーマにかかわって、いくつかの視点から議論を進めてきた。第１項では、美術教育実践として平和というテーマをどのように受け止めそして取り組んだらよいのかについて、美術教育を進める会の教育実践と理論を主な対象にして検討した。そこでは、美術の授業で平和の課題を具体的にどのように扱うかという美術教育にとって狭義と言ってもよい平和教育と、平和の課題を直接扱うのではなく、美術教育を通して豊かな人格を形成するという広義の平和教育のふたつの道筋から取り組まれていることが明らかになった。そしてそれぞれの具体的な視点も確認された。

それをふまえて、第２項と第３項では、平和を守り発展させるための教育の一環として美術をはじめとした芸術教育のさらに積極的な役割を明らかにすることはできないか検討した。その結果明確に示されてきたのは、芸術教育は社会関係とは一定の隔たりがあるという一般的な印象とは異なる姿だった。芸術教育は平和のための教育とは無関係であったり、何らかの寄与をする程度の間接的関係にあるものでもない。芸術教育の存在自体が根源的に平和を守り発展させる性格を備えているのである。

第２項で明らかになったように、芸術の制作は、人間が人間として成り立つための基本のひとつである「生産・制作」の領域の活動として、対象に働きかけ形を生み出すことを通して価値あるものを創出するとともに、人間が人間となるために必然的に有する暴力性を創造性へ発展させ、それが他者への攻撃性や破壊性に転化するのを防ぐ働きをしているのである。また第３項では、芸術的及び美的な諸活動に伴う美的判断が、人間活動の「実践」の領域にかかわる活動として、あらゆる異なる他者の視点から顧慮する共通感覚の働きを通して、そうした芸術的・美的諸活動を妥当性のある的確な判断の下に導くとともに、個々の異なる人々をつなぎ公共性のある社会関係を形成する契機を生み出すと同時に、他者への暴力を容認し拡大するような公共性の危機に際して、主観的ではあるがある普遍妥当性のある判断を下し、それを正すように社会に求める契機を作り出すことが明らかになった。そうした契機を生み出す基底的な感覚を形成するのである。

このように芸術的・美的諸活動に基づく芸術教育は、「生産・制作」及び「実践」といった人間活動の基本的な領域を構成する重要な活動を通して、人間の人格全体の形成に寄与するとともに、それだけでなくそうした芸術教育それ自体が「平和のための教育」となっているのである。したがって、その鍵になっている芸術制作の活動と美的判断力を駆使する活動を一層豊かに展開することが求められている。芸術制作の面では、子どもたちが、作品の制作や表現において、材料や用具も含む対象と身体の内部と外部を駆使して深くかかわることを通して、自らが納得できる新たな意味と価値を生み出すという充実した活動が期待される。また美的判断力の駆使の面では、芸術の制作、表現、そして享受または鑑賞、さらに芸術を超えた幅の広い美的体験の諸活動の中で、心の内外で他者との充実した交流と対話が重ねられることが期待されよう。

第2節　地域社会における芸術文化活動の視点と展開
―ドイツ「社会文化運動」と英国「コミュニティ・アート運動」の事例から―

筆者は、1998年、2012年、2017年と計3回にわたって、その創立以前も含めた社会文化学会の取り組みに同行するかたちで、ドイツの社会文化運動の視察に参加した。本稿で取り上げる社会文化運動ないしは活動の事例は、それらの視察で取材したものである。またここで取り上げる事例は、特に3週間にわたってドイツ各地の社会文化センターを訪問し、詳細なインタビューも含む綿密な調査を行った1998年の視察によるものが多い。その後、東西ドイツ統一後の旧東ドイツ地域の社会的・経済的変化、「難民」等の外国人の増加、そして社会文化センターも補助金による支援だけでなく自前の経済活動がより求められるようになるなどの変化が見られる。しかし筆者が見る限り、社会文化センターを中心とした社会文化運動・活動の基本的性格に大きな変化はないと思われる。したがって1998年の事例もそのまま紹介したい。

本論は、2部に分かれている。前半では、こうしたドイツの社会文化運動の事例を挙げながら、芸術文化の視点からそれらの性格を考えてみたい。後半では、2003年の筆者の英国コミュニティ・アート運動の視察の経験とその運動をめぐる近年の議論をふまえて、英国コミュニティ・アート運動と対照させるかたちでドイツ社会文化運動の特質をより鮮明にしていきたい[1]。

1 ドイツ社会文化運動の持つ性格

(1) 社会文化運動は芸術運動でもある

社会文化運動とは何であろうか。私たちは、ボンの文化政策協会を訪ねることに

[1]　本稿は、拙稿「芸術教育の視点から見たドイツ社会文化運動」(『共同探究通信』15号、2000年5月)を基に、英国コミュニティ・アート運動に関する部分を新たに追加し、改めて全体に加筆、修正を施すとともに、構成し直したものである。

よって、その概略を知ることができた。社会文化運動のオピニオン・リーダー[2]といわれる、1998年当時その事務局長であったジーヴァース(Norbert Sievers)は、「万人のための文化（Kultur für alle)」と「万人による文化（Kultur von allen)」の2点が新しい文化政策の基本戦略であり、社会文化はとくに「万人による文化」の実践領域として重要な位置を占めていると語った。そこには、旧来の高尚な「市民」(bourgeois）文化は、少数者を対象とした、伝統的、保守的、受動的文化だという批判が込められている。つまり社会文化は、教養市民階層を中心とした「市民」文化を批判して、それに代わるものとして進められているのである。

そしてジーヴァースは、社会文化の基本的な観点として、「文化を社会関係的なものととらえる」そして「つくられたものというより、つくっていくプロセスを文化ととらえる」という2点を指摘した。さらに社会文化の諸特徴として、①さまざまな自己実現されたものを文化ととらえる拡張された文化概念、②自主管理と自己組織化、③これまで文化とは理解されなかった生活スタイルも文化ととらえる多元主義、④芸術作品を志向することへの批判、⑤協同的なアプローチ、などの諸点を挙げた。そこから見えてくるのは、日常生活から遊離した少数者による「市民文化」、すなわち制度化された「芸術」を批判して、万人による社会形成につながる自主的・自治的文化の実現と拡大を通して、新たな形での市民社会（civil society）の創造をめざすという、社会文化運動の姿である。したがって、それは当然に、文化と芸術の概念を拡張し、その転換を求めるものである。

私たちは、先に述べたように複数回にわたってドイツを訪問し、各地の社会文化センターを訪ね、このような社会文化運動の一端を実際に目にすることができた。それらはジーヴァースによって示された基本的な姿を裏づけるとともに、それ以上に重層的な営みとして展開されていた。

これら社会文化運動が内包していると筆者なりにとらえた性格について、いくつかに整理してみたい。まずもっとも印象深かったのは、社会文化運動はそれ自体が実は芸術運動であるという点である。ここでいう芸術とは、単に人々が自らの思想や感情を表現し、作品にする活動だけを意味するわけではない。いわんやその中で狭義の美的価値をもつ作品の制作や鑑賞を指すわけでは当然ない。私たちの身の回りの政治、労働、社会生活、家庭生活などの人間の諸活動を新鮮な目で見直しつつ[3]、人々の対話と交流を生み出していくことこそ、芸術の役割だと考える視点か

[2]　谷和明「社会文化―ドイツの場合」『場―トポス』第4号、1994年10月、p.82
[3]　鶴見俊輔「芸術の発展」『講座現代芸術』第一巻、勁草書房、1960年、などを参照。

写真1 「アルテ・フォイエルヴァッヘ」の前景

写真2 社会文化センター・ガラス工房

写真3 社会文化センター・子どもスペース

写真4 社会文化センター・児童虐待相談室

［本節の写真はいずれも筆者撮影］

らのとらえ方である。

確かに社会文化センターでは、子どもから青年さらには高齢者までの、美術・工芸・演劇・ダンスなどのさまざまな芸術文化活動が展開され、多くの工房もその中で営まれている。しかしだから社会文化運動が芸術運動だというのではない。たとえば、中心的なセンターのひとつであるケルンの「アルテ・フォイエルヴァッヘ(Alte Feuerwache)」(写真1)という社会文化センターでも、ダンスなどの自主的な芸術文化グループがそこで活動し、ステンドグラス、木材、金属、陶芸、仮面制作、写真、打楽器、縫製、服飾デザイン、自転車の各工房(写真2)が活動していた。そして施設内には、食堂兼カフェ、ホール、映画室、会議室などが設けられていた。しかしそれだけでなく、教育的領域と位置づけられた幼児・青少年・女性の活動スペース(写真3)や、薬物中毒者や児童虐待のための相談室(写真4)、さらにはモータリゼーションやエネルギー問題などを対象とした社会運動団体の事務所も置かれていた。これらがみな自発的な活動として取り組まれている。

つまり地域社会にかかわるさまざまな問題や運動が、コラージュのように自発的に社会文化センターに持ち寄られていく。そしてそれぞれの活動が展開されると同時に、各々の運動や活動が相互に交わり刺激しあう空間が生み出されている。すなわち社会に生起する多様な問題や活動・運動が持ち寄られ、それらが相互の交流や刺激のしあいの中で活性化していく〈場〉が生成されていくのである。このように社会の内部に多層的多重的な対話と交流の〈場〉を創出していくという営みの総体が、芸術運動だと言えるのである。

折しも私たちが訪れた日に、「不法滞在」外国人に対する支援集会が開かれたのだが、この集会はそのことを象徴していたように思われた。「誰も非合法ということはない」というスローガンが記された横断幕が張られ、200名程度の人々が集まるという、規模としてはそれほど大きくはない集会だった。集会が始まる前から、バイオリンや民族楽器などによる音楽が奏でられ(写真5)、トルコの食べ物や飲み物の店が立ち、小さなステージの脇にはヒマワリの花が中に凍結されていたり外に散りばめられた氷のインスタレーションが置かれていた。このインスタレーションは、差別や抑圧のある冷たい現在のドイツ社会を氷で象徴し、友愛を示すヒマワリは存在はするのだが、まだ氷の中にあったり外に散らばっている、しかししだいに氷は融け、暖かなヒマワリが表に現れてくることを示していた。

そうこうするうちに政治集会が始まり、人々がステージに立つ。主催者の何人かは、なんと長い黄色の上着とヒマワリのついた帽子を身につけていた。ドイツでは、1998年時点で700万人の外国人が生活していたが、当時の政府は政治難民は認める

写真5　社会文化センター・政治集会の始まり

が経済難民は認めないという法改正を行い、難民の強制送還に乗り出していた。集会の最後には、集まった人々の輪の中で、仮面をつけた黒装束の二人の女性が、音楽をバックに、まったく疎遠だった人間同士がしだいに交わり理解しあい、さらにその関係を広げていくというプロセスを、無言劇で演じた。そしてその夜のセンターのホールでは、アマチュアの演劇集団による、「明らかに根拠がない」という題の、官吏に対する風刺の笑いを含んだ、当局に捕らわれた難民を題材にした演劇が上演された。

これは政治状況を深刻に告発するだけの単なる政治集会ではない。政治集会自体が、音楽、美術、演劇といった芸術のさまざまの要素を組み込んだ一種のカーニバルでもあった。そこで人々は、単に政治的言語でのみ難民問題を考えるのではなく、芸術文化を組み込んで、トルコの人々と文化を知ることも含んで、現状に対する理解と批判と希望を多角的に広げるのである。

このように社会生活上の諸問題などの社会問題に目を向ける際に、芸術文化の作用を働かせることによって、新鮮なかたちで、あるいはより明瞭に事柄が認識されていく。そうした働きが組み込まれている運動や活動は、その総体がすなわち芸術運動だと言ってよいだろう。それは、教化のための啓蒙的な芸術ではないことは言うまでもない。

(2) 生活世界から安易に離脱しない芸術文化活動

社会文化運動の視察を通して印象深かったもうひとつの点は、そこで営まれている芸術文化活動が、芸術を生活世界から安易には離脱させないという質をもっていたことである。社会文化センターでおこなわれている芸術文化活動を見て、特徴的だと思われたのは、自らの生活経験や社会的経験に基づく素朴で率直な表現が多いということである。子どもたちの美術活動でよく目にしたのは版画や粘土そして立体的な作品である。短い視察の限りでは確かなことは言えないが、予想に反して描画は少なかった。また漫画はしばしば目にし、それが表現として正当に評価されていることがうかがえた。これらのことは、社会文化運動全体に共通することだが、手仕事がたいへん大切にされていることも示していた。

1998年当時のライプチッヒの子どもを対象にした社会文化センターでは、材料費を安く抑えるために、床に敷くゴム製のタイルをカットして版画にしていた。このような工夫をしてまで制作活動をおこなっているということは、それが人間にとって必要不可欠な営みとして重視されていることを示していた。

よく目にした子どもたちの版画は、人や動物、魚などが線彫りによってシンプルに表されているものが多かった。そこには子どもたちの等身大の屈折のない率直な表現の仕方とその活動を楽しむなかで生まれる物語がよく現れていた（**写真6**）。多くを見ることはできなかったが、描かれた絵も、子どもたちの素朴で率直な表現の

写真6　社会文化センター・子どもの版画

仕方と、明るく豊かでかつ柔らかな色彩が特徴的だった。これらには、想像力が過度に活性化され飛躍させられた痕跡は見られない。あくまで子どもたちの生活経験から生まれた等身大の表現なのである。

ここに見られたように、人間の「経験」を尊重するという姿勢も、社会文化運動全体に共通した思想だと思われた。それを端的に示していたのが、高齢者演劇運動だった（**写真７**）。私たちはそれを、ハンブルグの「ゴルドベク・ハウス（Goldbeck-haus）」という社会文化センターで知った。その高齢者演劇とは、ドイツでは1980年代から続く「経験の演劇」という運動のひとつだというのである。ここでの高齢者演劇活動は、当時72～92歳のほとんどが一人暮らしの高齢者が集まり、２年間かけて、これまでの人生経験を出しあい、批判的な議論も含めてディスカッションしながら脚本をつくりあげ、自ら上演していくという。それまでに「婦人」や「笑い」をテーマにした演劇がつくられたが、その時は「未来」というテーマが考えられていると紹介された。週何回か人と出会い、上演の準備をしていくことが、高齢者にとって生きがいになり、この活動を通して孤独を克服していくという。それのみならず、それぞれの高齢者が自らの経験を想起し語り、そして相互の経験を交流し問い直しながら、それらを演劇という共有の経験へと結晶化させていく行為は、自らのアイデンティティを改めて確認していく作業になっているのではないかと思われた[4]。

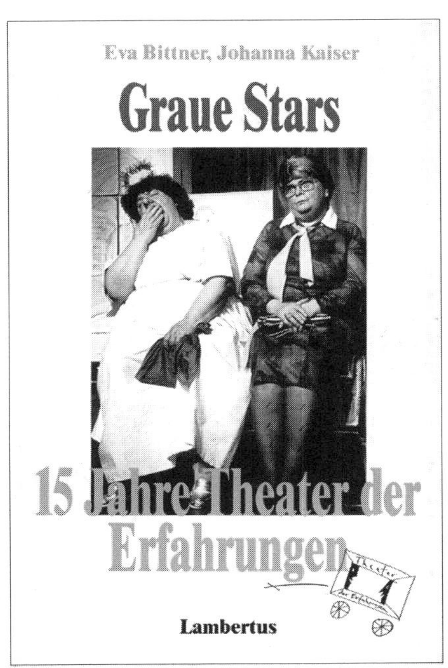

写真７　高齢者演劇運動15周年の書籍

このような子どもたちの美術活動や高齢者の演劇活動に見られるように、社会文

[4]　日本では、一般の高齢者が長い人生を通して蓄積してきた経験や感覚を生かして表現をしていく活動はほとんど見られない。多くは趣味として専門的技術の習得の一環となる取り組み、あるいは老化防止のための手習いになっている。しかし近年、美術や演劇など、高齢者一人ひとりが主体となり、その感覚や経験を尊重し生かすような表現活動を行い、そしてそうした表現を共有するような取り組みも少しずつ進みつつある。たとえば、岡山県で菅原直樹が認知症の高齢者とともに立ち上げた「OiBokkeShi」という劇団がある。

化運動では、芸術を日常生活を越えた異質な世界として構築していくのではなく、身体に根ざした経験から抽出される表現が重視されていた。しかしそれは頑ななリアリズムを意味しているわけではない。想像力の飛躍性を否定したり、逆に浮遊する想像力の自己展開を容認するのでもなく、生活世界や身体を媒介にした強靭な想像力を要求しているように感じられた。

芸術的活動にとって、イメージを広げそして飛躍させる想像力は、必要不可欠である。その否定は芸術の死を意味する。しかしともすると想像力の飛躍性を契機に、芸術は日常生活から遊離し、より刺激的で新奇な独自の世界の創出へと自己展開していく。このような日常性からの離脱は芸術のよさであると同時、そこには閉鎖的な「芸術のための芸術」へと制度化されたり、あるいは商業主義に席巻されていく陥穽が待ち受けてもいる。

社会文化運動はそうした想像力の飛躍性を否定することはないだろう。しかしそこで求めようとしているのは、飛躍したイメージを再び生活世界や自己の経験へ引き戻したり組み込んでいくといった、上昇と下降、あるいは飛翔と回帰・着床と形容してもよいような、往還を繰り返す地味ではあるが強靭な想像力であるように思われた。

それらを基本的特質としながらも、もう一点付け加えることができるのは、芸術の新しい様式や技術を積極的に取り入れようとする姿勢である。

ケルンの音楽を専門にする「オープン・ジャズ・ハウス（Offene Jazz Haus Schule)」という名称の社会文化センターは、伝統的なクラッシック音楽を中心とする一般の私立音楽学校に対するオルターナティブとして発足し、幼児から年配者までを対象に、大衆的な音楽を中心的に扱う活動をしていた。そのセンターは、受講料を徴収する音楽教育の講座を設ける一方で、無料の社会文化プロジェクトも進めていた。後者は、主に若者の音楽活動を支援するものだった。そこでは、ラップ、ヒップホップミュージック、ブレイクダンス、ＤＪといった若者文化を否定するのではなく、逆に積極的に進めていた。それは、大衆音楽は単純な形なのでだれでもそれを利用し参加でき、音楽をなによりも表現し対話しそして自己実現していくためのメディアととらえるからだと説明されていた。実際の活動としては、自分の生い立ちを記述したり、ダンスをしたり、ＤＪをやったりしながら、最終的にはそれらを総合してその生い立ちを音楽的に表現していったりするという。音楽資本や仮想現実の危険性を危惧する私たちの質問に対して、スタッフは「その危険はあるかもしれないが、だからこそ小さいときから自己表現をして、現実性を獲得していく必要がある」と答えていた。こうした応答に、音楽活動に対する考え方がよく表われていた。

このように流通する芸術文化の形式や装置を、遠ざけるのではなく、積極的に取り入れながら自らの経験に引きつけて、自己の表現をより効果的にしていくために利用していく姿は、現在の社会文化活動でも引き続き見ることができる。たとえば、2012年にドイツ東部のポーランド国境近くのソルブ人の町であるバウツェン(Bautzen)にある「シュタインハウス・バウツェン(Steinhaus Bautzen)」という社会文化センターを訪問した。そのセンターは全体として、青少年から東ドイツ時代を生きてきた高齢者までの世代間交流と、ドイツ人とソルブ人とポーランド人の交流をテーマにしていた。たとえば後者の例としては、毎年両国の若者が、「愛について」「ドイツにとってポーランドとは」など同じテーマで短編映画を制作しているという。私が訪問した当日夜も、ドイツ人とポーランド人の若者が共同したダンスの上演があった。それは、両国の若者の恋愛をテーマにしたコンテンポラリーダンスだった。ふたりの若者の恋愛感情、他の若者との関わり、それぞれの青年の民族的アイデンティティとの関係など、コンテンポラリーダンスを通して、その喜びや葛藤などを見事に表現していた。

また2017年には、フランクフルトの「芸術家の家・モウソントゥルム(Künstlerhaus Mousonturm)」という芸術センターで、リグナという劇団(Theater LIGNA)の「Rausch und Zorn」という市民参加型演劇に参加した。中心に広いオープンスペースがある劇場ホールに入る際に、各自にイヤホンつき無線機が渡された。この劇は、無線機から聞こえる指示に合わせて、指定された参加者が立ったり、移動したり、争いが起きたり、最後は全員が屋外に出て通りを歩いて行くなどのパフォーマンスからなっていた。それは「権威主義的性格についての研究」と副題にあるように、現代に忍び寄るファシズムを体験することを通して批判する内容を持っていた。こうした個々人が孤独に陥りながら、同時に忍び寄る声に支配されていくというファシズム的状況を参加者全員にイヤホン付き無線機を支給するという技術を使って見事に生み出していた。

新しく開発された芸術文化の様式や技術は、確かに人々の想像力を刺激する。しかしそれらに身を委ねるのではなく、あくまでもメディアとして利用しつくそうとするのである。芸術文化の新たな様式や技術を通してのイメージの広がりや飛躍と、それらを改めて生活世界や自己の経験に引き戻しながら、芸術文化を現実性のある表現のメディアとして駆使しようとするところに働いているのも、かの強靭な想像力だといってよい。そのようなイメージの活性化や飛躍と現実性への回帰という往還を司る人々の強靭な想像力への信頼が、社会文化運動の芸術的活動を支えているように思えた。

このように社会文化運動の中で見られる芸術文化活動は、芸術を生活世界から安易には離脱させないという質をもち、自らの生活経験や社会的経験に基づく素朴で率直な表現が多いこと、さらにさまざまな新しい芸術文化の様式や技術を否定的にとらえずに、逆に積極的に受け止め、それらを駆使して表現の新しい広がりや飛躍を生み出しながら、それらを常に生活世界や自己の経験に引き戻しそして組み込むことによって自らの糧にしていこうとしていることの２点を、その大きな特質として指摘することができる。

このようなふたつの特質の意味について考えた時、日本における1920～30年代の教育学においてテーマになった「自然の理性化」か「文化の個性化」（あるいは「理性の自然化」）かという興味深い論点に改めて注目する必要があると感じられた[5]。前者は大正自由教育の論客であった篠原助市の提出した議論であり、近代教育に対する一般的な理解となった見解である。それは、文化的価値を自律した成長メカニズムをもった子どもの自己活動のなかに導入することによって、自然としての子どもを理性化していこうとする見方である。それに対して同じような立場にありながら城戸幡太郎は後者の議論を提出した。「文化の個性化」を主張する城戸は、「教育の理想は生まれながらに有している個性を尊重しこれを導いて文化の理想に達せしむる者(ママ)でなく、文化の理想を人格的統一によって個性化する者(ママ)である」として、それゆえに「教育は過去の歴史を未来の生命に発展せしむる自覚的方法である」と語ったのである[6]。

篠原が教育を個人の側から発想していることは確かである。城戸が否定した「生まれながらの個性を尊重し導いて文化の理想に達する」という教育の考え方とは、「自然の理性化」に他ならない。城戸はある種の社会実在論をとり、社会や文化さらには子どもに先行する世代は子どもに対して外在的に対峙していると理解するのであろう。そのような文化と子ども（人間）との対峙する関係性の内に教育を見ようとするのだが、文化（理性）を単に受容するのではなく、人格を通して「個性化」するところに、さらにいえば文化の獲得だけでは及ばない次代の新しい「何物か」が現実化してくるところに、自然の働きを見ようとするのである。それゆえに「理性の自然化」に基づく教育こそが、過去を真に未来へと発展させる契機をつくりだすことができるというのである。

---

[5]　中内敏夫「生活教育論争における教育科学の概念」『生活教育論争史の研究』日本標準、1985年、参照。

[6]　城戸幡太郎『文化と個性と教育』文教書院、1924年、pp.111-112

考えてみれば、「自然の理性化」は文化へ向かう思想であり、それは人間的自然の文化への疎外を生み出し、文化を相対化し批評する契機を見出せない面がある。現代の文明とその中の人間の態様を省みれば、今日にあって、子どもという自然を文化化ないしは理性化するのが教育だという議論に単純に与する人は多くはないだろう。それに対して「理性の自然化」の思想は、文化を人間的自然の観点から批判的に吟味し、そうした文化を人間的自然が豊かに保存されるような形で身体に組み込んでいこうとするのである。そのことによってはじめて教育は、過去を未来へとつないでいくことができるというのである。その際に、こうした文化と人間的自然の保存との関係を媒介する契機になるのが、芸術文化活動のとりわけ表現という営みであるということに注目する必要がある[7]。

想像力を安易に生活世界から離脱させない社会文化運動は、この「理性の自然化」を思想化しているとは言えないだろうか。それはこれまで見てきたような芸術文化活動の特質に見て取ることができる。またそれだけでなく次のような全体的な姿勢からも読み取ることができる。たとえば、多くの社会文化センターが、古い建物や施設を修復しながら使用していた。それは、当然ながら財政上の理由ゆえと言えるが、それにとどまらずにあえて彼らはそれを使用していた面があった。ライプチッヒの「ガイザー・ハウス（Geyser Haus）」という社会文化センターは、18世紀にたてられたゲーテの師でもある著名な美術家ガイザーの家を再生させ、そしてその建物の裏にある東独時代に20年以上も使われずに荒れ果てた野外劇場を修復して使用していた。その理由として「その方がきれいであり、自分たちが生きてきた歴史を大切にしたい」と語られていた。このように全般的に、過去の歴史や文化を容易には捨て去らずに、保存し使用していく強い志向が見られた。それらは、単におのれの文化を誇ろうとする尊大の姿勢とは言えない。そこにも、過去の痕跡を記念碑として、過去と現在と未来とを繋ぎ合わせていこうとする強靭な想像力を見ることができる。

(3) 芸術は仕事を生み出し労働と生活の質を問う

ここでドイツ社会文化運動の性格を象徴するような取り組みを紹介して、ひとまずのまとめとしたい。それは芸術と労働と社会の関係の把握についてである。

“Kunst macht Arbeit”（芸術は労働をつくる）。この言葉に出会ったときは、

---

[7] この「理性の自然化」と表現との関係については、拙稿「人間の文化的主体性の形成における芸術・芸術教育の役割と意義―障害児者の芸術文化活動の意義に寄せて―」『障害者問題研究』第46巻3号（通巻175号）、2018年11月、pp.10-17、及び本書第I章第3節を参照。

衝撃を覚えた。それは、社会文化運動の一環として設立されたハンブルクの労働博物館に隣接する「仕事を探せ、未来を探せ」というプロジェクトを訪ねたときに、パンフレットに記されていた言葉である。この言葉がとくに印象深かったのは、それが単にこのプロジェクトにかかわるだけではなく、目にした社会文化運動が全体的にもつ性格のひとつを言い当てており、さらに芸術と労働を重ね合わせながら「喜びとしての労働」の思想を基軸に労働と生活そして社会の質の転換を求めたウィリアム・モリスなどの思想がその底流にあるのではないかと気づかさせてくれたからである。この言葉については、吉田正岳がはじめに注目し、他のところで詳しく論じている[8]。それと重なるところが多分にあると思われるが、筆者なりに若干のコメントをしておきたい。

先のプロジェクトは、1995年から準備が始まり、まず大きな取り組みが行われたのは95～97年にかけてだった。それは、展示会、フォーラム、そして街頭などでの文化的なイベントから成っていた。展示では、労働とりわけ失業の歴史や個々人へのインタビューによる失業の経験を示し、1900年、1930年、1970年といった今世紀の過去の失業の状態を再現する企画もあったという。フォーラムでは、現在と未来の労働の形態などについて論議された。文化的イベントでは、街頭だけでなく、ドイツ内外にネットワークをひろげながら、たとえば失業問題や未来の仕事をテーマに、ファクス・アート、E-メール・アート、未来のかばん、カーゴ・ボックスなどを送ってもらい、展示していった（**写真8**）。

このプロジェクトは、これらの内容からわかるように、「仕事を探す」といっても、単に物理的に労働市場を拡大することによって労働の場を確保するだけでよしとするような取り組みではない。過去と現在の労働や失業の状態に批判の目を向け、そして未来の労働と社会や文化のあり方を展望しながら、今現在の仕事を探したり創りだしていこうとするのがねらいだった。つまりただ物理的に失業がなくなればよいのではなく、失業を社会における労働のあり方の問題としてとらえ、社会における労働の位置づけ、その形態や質をも問おうとするのである。このプロジェクトのスタッフは「失業問題を個人的問題とするのではなく、それについての対話を実現し公共的問題としていくのが文化である」と語った。この発言は、このプロジェクトの目的を端的に示すと同時に、文化という言葉がどのような意味を含んで使われているのかをよく表していた。文化とは社会と隔たった存在なのではなく、社会の

---

[8]　吉田正岳「ドイツ社会文化運動の特徴」『大阪学院大学通信』29巻12号、1999年3月、及び大関雅弘・藤野一夫・吉田正岳編著『市民がつくる社会文化―ドイツの理念・運動・政策―』（水曜社、2021年）第2章参照。

写真８　アートプロジェクト「未来のかばん」の一例

諸問題についてのコミュニケーションや対話を生み出し、公論として立ちあげていくものなのであり、そこに文化の存在を見るのである。逆に言えば、そのような問題を公論としえない文化は文化とは言えないということだろう。

先に記したようにこうした社会文化運動の取り組みは、常に芸術の視点が貫かれ、それ自体が芸術運動という性格をもっている。芸術の観点を貫きながら、労働の現状を問い、そしてそれを公共的な議論の俎上にあげつつ、実際に仕事をつくりだしながら、労働の形態や質の転換を展望していくというこのプロジェクトの総体を、あの「芸術は労働をつくる」という言葉が指していると理解してよいのでないだろうか。芸術は確かに労働という性格を一面でもっている。したがって芸術の広がりは、実際に労働の場＝職をつくりだす。しかしそれだけでなく、芸術は人々の間でのコミュニケーションや対話を生み出し、他方で労働や生活の質を鋭く問う働きをするからである。

このような試みは、決してこのプロジェクトに固有の特徴なのでなく、さまざまな社会文化センターで実践されていることでもあった。そこは、仕事の場や職業訓練の場であったり、それを地域にシェアする場でもあった。また手仕事を中心とする工房が営まれるなど、多くの芸術的活動が進められていたが、そのことは単に伝統的な文化を尊重するだけの性格をもっているのではなく、今日の労働や生活の質を問い直そうとする意味を含んでいたと思われるからである。

2 英国コミュニティ・アートの核心と ドイツ社会文化運動との対照

(1) 英国コミュニティ・アート運動の全体的動向

先に見たように、ドイツの社会文化運動は、「万人のための文化(kultur für alle)」と「万人による文化 (kultur von allen)」というふたつの基本目標を掲げ、①拡張された文化概念、②自主管理と自己組織化、③文化多元主義、④芸術作品志向への批判、⑤協同的なアプローチ、といった諸特徴を持っていた。

これに類する運動はヨーロッパ各地で見られるが、英国でもコミュニティ・アート運動を挙げることができる。日本において早くからこの英国のコミュニティ・アートに着目し、連携や実践を進めている伊地知裕子によれば、それは1960年代末から「一般大衆から乖離したアートを取り戻すべく、アーティスト達が地域の人々の間に入っていき、共同制作を行い、さまざまな表現活動を行った」ことが始まりだった[9]。このコミュニティ・アートについて、日本での数少ない専門の研究者である小林瑠音は、英国においてはその用語の定義を敢えて避けながら、ゆるやかな解釈にゆだねて実践を積み重ねられてきたことを確認しつつ、小林がとらえた英国独自な重要な特徴として、①集合的創造性、②非専門家の参加、③カルチュラル・デモクラシーの3点を挙げている[10]。こうした伊地知や小林の指摘からも、ドイツ社会文化運動と共通する精神をはっきりと見て取ることができる。

ドイツでも同様なことが散見されるが、英国コミュニティ・アート運動は、新自由主義の政治・経済政策の進行やアーツカウンシルを含む芸術文化分野内部の葛藤などによって、1970年代以降今日まで、大きな変化や困難に直面してきた。そして現在は、一方でコミュニティを場にした芸術文化活動は引き続き行われているが、他方で一つの精神をもった「運動」としてのコミュニティ・アート運動はほとんど失われていると言われている。

先の小林も、コミュニティ・アートの変遷を、①コミュニティ・アクティヴィストが登場し、アーツ・ラボラトリー・ムーブメントが起こった創生期 (1960年代)、②1972年にコミュニティ・アーティスト協会が設立され、英国アーツカウンシルや

---

[9] 伊地知裕子「英国におけるコミュニティ・アートの伝統」『平成9年度地域・草の根交流派遣事業「芸術と社会を結ぶ」報告書』国際交流基金、1997年11月、p.21

[10] 小林瑠音「1960年代から1980年代における英国コミュニティ・アートの変遷とアーツカウンシルの政策方針」『文化政策研究』第9号、2015年、p.9

民間からの助成が始まり、活動が活発になった発展期（1970年代）、③コミュニティ・アートに対する政策権限が英国アーツカウンシルから地方組織に移管され、コミュニティ・アートも多様化・分散化し、コミュニティ・アーティスト協会も改編された収束期（1980年代）と、3期に分けている。本論におけるコミュニティ・アート理解の中心に位置づけているA．ジェファーズ&G．モリアティ編『文化・民主主義そしてアートへの権利―英国のコミュニティ・アート運動―』でも、N．クレメンツ（Nick Clements）は、「1970年代の理想主義は、1980年代の起業家精神に、さらに1990年代と2000年代の実用主義に取って代わられた」とまとめている[11]。

このようにコミュニティ・アート運動が収束していった要因について、小林は次のような5点を指摘している。まず挙げられるのは、1）先のように英国アーツカウンシルからの直接補助金が撤廃され、コミュニティ・アートへの権限がアーツカウンシル・イングランドなどの地方組織に委譲されたことによって、中央からの強いイニシアティブが失われたことである。他の4点とは、2）アクティヴィズムからプラグマティズム（実用主義）への変容、3）文化民主主義（Cultural Democracy）から文化の民主化（Democratisation of Culture）への転調、4）芸術性評価の欠如、5）理論化に対する無関心である。2）の実用主義への変容とは、コミュニティ・アートが財源確保に追われるようになると同時に、助成事業として効果や効率性を求められるようになることによって、批判性を失っていったことを指す。3）は、そもそもハイカルチャーや文化のヒエラルキーを批判する文化民主主義を出発点にしていたにもかかわらず、アーツカウンシルの政策方針の変化もあって、徐々にハイカルチャーを享受する教養や素養を育成しヒエラルキーの強化を許容する内容になっていったことを示している。さらにコミュニティ・アートは、非専門家の参加を重視

---

[11] Jeffers, Alison & Moriaty, Gerri ed., *Culture, Democracy and the Right to Make Art : The British Community Arts Movement*, Bloomsbury, 2017, p.111. 本書は、1970年代からコミュニティ・アートに携わってきた研究者や実践者たちが編集及び執筆したものであり、いわば1960年代から今日までのコミュニティ・アートを、運動を推進してきた立場から総括した書と言ってよい。前半は1960年代から1980年代までの英国各地のコミュニティ・アート実践・運動をまとめ、後半はそれぞれの視点やトピックからコミュニティ・アートの検討を行っている。本書について、S. HadleyとE. Belfioreは『Cultural Trends』誌上に「Cultural democracy and cultural policy」というタイトルのコラムを掲載し、本書の出版を契機に、シンポジウムが開催されるなど、研究者、実践者、および学生を巻き込んで、文化民主主義をテーマとした世代間および学問間の論議が促されていると指摘している。（Steven Hadley & Eleonora Belfiore, *Cultural democracy and cultural policy*, Cultural Trends, Volume 27, 11Jun 2018, p.218-223）（https://www.tandfonline.com/doi/abs/10.1080/09548963.2018.1474009?journalCode=ccut20　2020年3月12日確認）

したが、その作品の「美的クオリティの低さ」や「芸術性の評価の欠如」が指摘され、そして以上の諸問題に対応できるだけのコミュニティ・アートの理論化が進められなかったというのである[12]。

このようなコミュニティ・アート運動の衰退を促したような、それが経験してきた変化については、先のジェファーズも次の３点を指摘している[13]。ひとつ目は、コミュニティ・アート実践の分散化である。それは、刑務所での演劇活動、エコロジー・プロジェクト、障害者グループ活動、ブラック・アートプロジェクトなど、高度に専門化したプロジェクトが過剰になったことによって生じたという。ふたつ目は、経済主義化である。そこでは、補助金中毒、そして集団的労働形態から個人雇用への移行などを挙げている。3つ目は、道具主義化である。それは、コミュニティ・アートが政府の「社会的包摂計画（social inclusion agenda)」を満たすための道具として使われていることを指摘している。

これらのジェファーズが挙げている変化は、主には小林が指摘した５点の中の2)の実用主義への変容に含まれる内容である。コミュニティ・アート実践の分散化は単純にはそうした評価はできないが、経済主義化や道具主義化は確かに実用主義を促し、ジェファーズによればそれらが1990年代以降ますます進んできているのである。そしてコミュニティ・アートを進める側から見ると、その変化がたいへん大きい問題として意識されていることがわかる。

このような英国コミュニティ・アートの全体的な動向を確認したうえで、改めてコミュニティ・アートの理論的及び実践的な核心となっていると思われる文化民主主義という概念に焦点を当てて検討していきたい。その概念は、当のコミュニティ・アートの成否に関わると同時に、ドイツ社会文化運動との対照のポイントになると予想されるからである。

先の論考において小林は、コミュニティ・アートが収束していった大きな要因として「芸術性の評価の欠如」を重視していた。つまりコミュニティ・アートが「稚拙なアマチュアリズムとして過小評価された」ことに対応できるような「芸術性の評価」を示すことができなかったというのである。当然ながら、そこで求められる評価とは、既存の芸術的価値に基づくものであってはならない。そうであれば、コミュニティ・アートの目的そのものを否定することになるからである。小林も的確にも、「ここでの問題は、その『芸術性』の意味である。つまり、技術的卓越性では

---

[12]　小林前掲論文[10]、pp.14-15

[13]　Jeffers & Moriaty, op. cit., chap.7

なく、社会改革の布石としてコミュニティ・アートが何を提示したのか、その批判的革新性を含めた『芸術性』でなければならない」と指摘した[14]。確かに、既存の芸術の評価基準に与しない、コミュニティ・アートにふさわしい芸術的価値や基準が求められているのである。しかし、ではそうした価値や基準とはどのような内容や質を持つべきなのかについては、まだ言及されていない。文化民主主義の概念を掘り下げることは、そうした作業を進める糸口になると予想されるのである。

(2) アールカウンシルによる文化民主主義

実は文化民主主義という用語は、コミュニティ・アート運動側のみが使っているわけではなく、アーツカウンシルも使用している。例えば、アーツカウンシル・イングランド（以下、ACEと略す）は、2018年9月に『アーツカウンシル・イングランドと共に進める6400万人のアーティストによる文化民主主義の実践』[15]と題する31ページからなるガイドブックを作成して公開している。このガイドブックにしたがって、今日のACEの文化民主主義のとらえ方について確認しておきたい。

まずこのガイドブックの構成であるが、はじめにACE理事長ダーレン・ヘンレイ(Darren Henley)のイントロダクションがあり、次の第1の部分は文化民主主義に対する基本的な理解や実施の必要性の提示である。具体的には、「文化民主主義とは何か」など、理念や文化の民主化との違いについての確認、そして「なぜ今進めるのか」といった想定される疑問への回答が示されている。第2の部分は、実施に当たっての基本的な考え方についてである。すなわち、「リーダーはファシリテーターである」「どの人も尊重する」などの実施上の原則や、「アイデアの促進」「共同作業」などの方法上の原則が示されている。さらに第3の部分として、文化民主主義的な場の設定の仕方、意思決定の仕方、市民生活への生かし方など実践を進める方法論が提示され、最後に第2や第3の部分に関する具体的事例が紹介されている。このようにそれは、実際に地域での芸術文化活動を進めるうえでのマネージメントの担当者や、実践を進めるアーティスト向けのガイドブックと言ってよい。

---

[14]　小林前掲論文[**10**]、p.15

[15]　Arts Council England, Cultural Democracy in Practice by 64 Million Artists with Arts Council England, 2018 (https://www.artscouncil.org.uk/sites/default/files/download-file/CulturalDemocracy InPractice.pdf#search=%27cultural+democracy%27　2020年3月12日確認)

　なお、タイトルになっている6400万人のアーティストというのは、人口からいってイングランドではなく英国民全体を対象にして、そうした国民全員をアーティストとみなすというメッセージになっているが、そうしたタイトルの付け方にたいへん政治的な恣意が感じられる。

ACEの文化民主主義に対するスタンスは、既にヘンレイのイントロダクションにも感じ取ることができる[16]。ヘンレイは、「文化民主主義の理念は新しいものではない。助成を受けているかいないかに関わらず、この国中の多くの組織は、その設立の当初からこの精神にしたがって運営してきている」と指摘する。つまりACEにとって、文化民主主義は国中で昔から既に実現あるいは少なくとも実施されてきていることであり、それが実現していないまたは不十分な状態にあるという認識には立ってはいないことを示している。他方でACEが地域アート施策として取り組んできた「創造的な人々と場（Creative People and Places）」プログラムについて、それは「特に伝統的に文化的関心が低い地域では、地域社会や参加者そして観衆が意思決定過程に携わることが、芸術や文化へのより深い参加を可能にすることを示している」とその成果を語っている。この文言は芸術文化活動において参加者がその意思決定に関与するならば、より深いかたちで参加するようになるという適切な発言になっているわけだが、しかしわざわざ「伝統的に文化的関心が低い地域」と言及しているところに、その文化観がにじみ出ていると言わざるをえない。

ではACEの文化民主主義の理念であるが、このハンドブックでは特に、アメリカのシアトルで文化民主主義協会（The Institute for Cultural Democracy）を設立しているドン・アダムス（Don Adams）とアリーナ・ゴールドバード（Arlene Goldbard）の見解を取り上げ、以下の３つの中心的要素があると紹介している[17]。

- 人間社会においては多くの文化的伝統が共存し、それら文化的伝統の中のどれかが優位を占めることは許されず、かつ「公式な文化」になることは許されない。
- 誰もが自由に参加できる文化的生活がある。
- 文化的生活は民主的管理に従うべきである。私たちは、文化の発展が取るべき方向の決定に参加する必要がある。

これらの文化民主主義の理念は、その出典にも記されているが、①文化的多様性、②参加、③民主的管理、とまとめることができる[18]。これらの理念が文化民主主義に照らして、特段に誤った内容になっているとは言えない。しかし、後にコミュニティ・アート運動側の議論を見るが、それと比較するとよくわかるのだが、ここで指摘されている理念の３要素が形式的に規定され、文化民主主義の内実には踏み込まない性格になっていることに留意しておきたい[19]。したがって、ここで示さ

---

[16] Arts Council England, p.1

[17] Arts Council England, p.4

[18] Adams, Don and Goldbard, Arlene, *Crossroads: Reflections on the Politics of Culture*, Talmage, CA: DNA Press, 1990, pp. 107-109.

れているのは、文化の多様性を認め、そうした文化活動に、自己決定も含めて能動的に参加すること、つまりだれでも文化活動に参加することがすなわち文化民主主義なのだと理解する文化民主主義把握だと言うことができる。

「文化の民主化」と「文化民主主義」がどのように違うのかが表に整理されているので、参考に示しておきたい。その表1を見ると、ACEの考える文化民主主義の具体像を想像することができる。

表1「文化民主主義の方へ向かおうとする芸術文化組織は変わらなければならない」

文化の民主化 から	文化民主主義 へ
あなたの観衆や利害関係者にあなたの考えについて意見を聞く	あなたの利害関係者の考えを促進するか、共同で創造する
プログラムや制作に着手し、それを広く売買する	プログラムを共同で創造するために、はじめから利害関係者とともに作業をする
地域社会のプログラムのアイデアを提案するために専門のアーティストを雇用する	地域の人々といっしょに働く専門のアーティストを雇用し、共同でアイデアを創造する
意見を出すが決定権限をもたない若者会議を招集する	青年たちが管理や意思決定に積極的な役割を果たすように支援する
自分がすべて考え、それらを他の人々に広めるのがリーダーである	他の人々が考えるのを促進していくのがリーダーである
美術、演劇、舞踏、音楽など、文化の範囲は限定されている	たとえ公的資金を得ていなくても、(ガーデニング、料理、編み物、ファッションなどを含む) ずっと多くのもの、そのすべてが文化の一部であると認める
地域社会へのアウトリーチ、関与、参加は組織の「部門」が担当 より幅広い観衆に文化を奨励するために安いチケットを販売する	地域社会とその関与は、芸術文化組織の中核である 人々が望んでいることをよりよく理解するために、より幅広い観衆とつながりをつくる
人々の活動への関与は、学習チームや地域チームが進める	人々が活動に関与することを組織の中心的価値にしている
人々は観衆である	人々は参加者である

[19] なお、ACEの文化民主主義理解が、引き合いに出されているアメリカの文化民主主義協会にそのまま当てはまるものではないことは断っておきたい。むしろ文化民主主義協会は、「文化的民主主義は、深く根本的な理念である。それは、民主主義の理念の究極的な拡大である。」と指摘し、その理念は「現在の社会秩序によって締め出された人々と権力を共有するように求める」と記し、文化民主主義を民主主義の実現の一環として明確に位置づけている。(The Institute for Cultural Democracy, What Is "Cultural Democracy"?, 1995, 1998.) (http://www.wwcd.org/cddef.html 2020年3月12日確認)

この表からもわかるように、「文化の民主化」は、芸術文化組織やアーティストがリーダーシップや決定権をもって芸術文化プログラムを企画・提案・実施し、その文化も美術・演劇・舞踏・音楽というように明確に芸術と理解される範囲に限定され、地域の人々は決定権限のない観衆と位置づけられている。

それに対して「文化民主主義」では、芸術文化組織が、地域社会やその人々に関与することを組織の中心に位置づけ、アーティストや地域の諸団体・人々などの関係者と共同して、限定された芸術分野を超えた幅の広い文化活動を展開すること、そしてそうした組織やアーティストは指導者ではなくファシリテーターであり、活動に関わる人々は意思決定の役割ももつ参加者として位置づけられることが示されている。

この両者を比較する限りでは、「文化の民主化」は、芸術文化組織やアーティストが権限を持ち、活動に関与する人々は受動的に位置づけられており、確かに権威的で啓蒙的な性格を持っていることがわかる。他方で「文化民主主義」は、組織や人間間の共同を主張し、芸術文化組織やアーティストを支援者または促進者として位置づけ、そして活動に関与する人々を意思決定する役割も含む能動的な参加者としてとらえるなど、確かに民主主義的性格を持つように変化している。

しかし改めて見るならば、この表に「文化民主主義」の内容として示されているのは、参加する地域等の人々がそもそも芸術文化の主体であることを前提にしている、あるいは少なくともそうした主体になることを想定しているものではないことがわかる。関係する芸術文化団体向けのガイドブックという性格とはいえ、ここには「文化民主主義」の主体は結局芸術文化団体であるという姿が浮かんでくるだけである。したがって「文化民主主義」とはいえ、ACEの示すそれは、単に幅の広い文化活動に多くの人々が参加することのみを指し、全体としてその啓蒙的性格を維持したままであることを示している。

以上のように、具体的に進めようとする活動の姿からACEの「文化民主主義」の性格をとらえてきた。しかし、公式に示された内容はその限りではない。その特徴ももう少し見ておきたい。

このハンドブックにおいて、文化民主主義に移行するに当たっての「文化民主主義を支えるための原理」として、次の５点が示されている[20]。

①ファシリテーターとしてのリーダー

② 仲介と承認

---

[20] Arts Council England, p.9

③ どの人も尊重する―平等な専門性

④ 能動的な参加

⑤ 過程と作品を平等に評価する

このように、地域での芸術文化活動を進める芸術文化団体やアーティストは、①指導者としてではなくファシリテーターとして関わり、②活動に参加する一人ひとりを受けとめ、その参加を承認し、③一人ひとりが自らの物語と専門的技能を持っている者として平等に尊重し、④能動的な参加を促し、そして最終的には⑤作品や結果を重視するのではなく、取り組んだ過程と結果の質を平等に評価する、という５つの原理にしたがって活動を進めることが求められている。特に、５点目の過程と結果との関係については、単純に両者を平等に評価するという点を超えた記述もされている。たとえば、「文化民主主義は、何が優れた芸術で、何がそうではないかを明確に示そうとすることに関心をもたない。(…引用者中略…) 誰にも開かれていて参加できる過程のすばらしさが、文化民主主義の考え方の核心である」と、卓越性の原理を否定する考え方が示されている。しかしながらその「過程の重視」の成果として語られているのが、たとえば次のような内容である。「上手に支援された過程では、86％の参加者が正規の教育に進んでいった（地方での平均25％と対照的である)。付け加えれば、過程に着目することは、多くの場合その作業は優れたものになり、そのことによって参加者は満員になり、かつ大いに作業に取り組むことにもなるのである。」このように過程を重視する地域での芸術文化活動の成果は、参加者の増加というプログラムの成功として、さらに学校への進学率や作業の取り組み方の向上といった人材育成としての有効性として評価されることになるのである。

ここに、何よりも幅の広い文化活動に多くの人々が参加することを求めるACEの「文化民主主義」の性格を垣間見ることができる。

(3) コミュニティ・アート運動の求める文化民主主義

ここで改めて先に触れたA．ジェファーズ＆G．モリアティ編『文化・民主主義そしてアートへの権利―英国のコミュニティ・アート運動―』に注目して、長年コミュニティ・アート運動に携わってきた人々にとっての文化民主主義理解について検討してみたい。それと関わって、『国際文化政策ジャーナル (International Journal of Cultural Policy)』誌に掲載された、K. レワンドウスカ (Kamila Lewandowska) によるその書に対する書評を見ておきたい。そこでレワンドウスカは、その書が特にコミュニティ・アーティストとアーツカウンシルとの間の複雑で論争的な関係に入念な洞察を加えていることが高く評価されると記したうえで、次のように指摘した。

「一般に強調されていることは、コミュニティ・アーティストにとって、アーツカウンシルによる認知と支援を求める戦いは、単に金銭の問題だけではないということである。すなわちそれは、アーツカウンシルの『文化の民主化』（質の高い芸術に接する機会の提供）に基づくエリート主義的な手法を『文化民主主義』（市民による作品制作の奨励とそうした活動の正当な芸術としての認知）で補完（あるいはおそらく完全に転換）しようとする集団的試みなのである。[21]」

ここでレワンドウスカは、アーツカウンシルとコミュニティ・アーティストの対立を「文化の民主化」と「文化民主主義」のそれとして描いている。確かにアーツカウンシルの文化政策の理念にはその性格の色が濃いが、先のACEのガイドブックに見られるように言葉としては「文化民主主義」を主張している面がある。したがって、事柄の本質をより深くとらえるためには、ただ「文化の民主化」と「文化民主主義」の対立と理解するよりも、文化民主主義の質をめぐる対立と見る必要があろう。

そのうえで改めて確認するが、アーツカウンシルに見られる「文化民主主義」とは、ACEのガイドブックに見られたように、単に幅の広い文化活動に多くの人々が参加することのみを指し、結局は活動を進める芸術文化組織が主体となり、全体として啓蒙的性格を払拭できていないものだった。その意味では、それは「文化の民主化」とへその緒がつながった「文化民主主義」であると特徴づけることができる。

それに対してコミュニティ・アート運動においては、文化民主主義は、単にすべての人が文化を共有するという意味にとどまらずに、真の民主主義の実現の一環として位置づけられていたことが、ひとつの大きな特徴である。つまり文化民主主義は、真の民主主義の実現と不可分で不可欠な性質を持っていると理解されていたことである。ジェファーズは、コミュニティ・アートを文化民主主義の実験と性格づけ、たとえば1972年にヘルシンキで開催されたユネスコ「ヨーロッパ文化政策政府間会議」で、レイモンド・ウィリアムズ（R. Williams)、オーギュスタン・ジラー

---

[21] Kamila Lewandowska, BOOK REVIEW, Culture, democracy and the right to make art: The British Community Arts Movement, INTERNATIONAL JOURNAL OF CULTURAL POLICY, 2018, 24(4)(https://www.researchgate.net/publication/324223632_Culture_democracy_and_the_right_to_make_art_the_British_Community_Arts_Movement 2020年3月12日確認)

ル（A. Girard）、K.S.クロツコフ（K. S. Kruzhkov）が共同で「文化におけるアクセスと参加の拡大」というプレゼンテーションを行ったことを取り上げている。そこで彼らは、世界人権宣言の「すべての人は、自由に地域社会の文化生活に参加し、アートを楽しみ、科学の進歩とその利益を共有する権利を有する」という条文の重要性を強調したのだが、その中で「公的機関は、『文化政策の策定、実際の仕事の着手、施設の運営』において、文化活動の中心的提供者として見なされ、それによって『真の文化民主主義』が完全な民主主義を打ち立てるだろう。」と発言していたことを紹介しているのである[22]。つまり、文化民主主義は、文化に参加し、その成果を共有する文化への権利にとどまらずに、それが完全な民主主義を実現する一環として位置づけられているのである。すなわち、すべての人が民主主義を形成し実現する担い手になるためには、文化民主主義が不可欠なのである。逆に言えば、すべての人々が文化の主体となる文化民主主義が達成されることによって、はじめて完全な民主主義が実現されるということなのだろう。

文化民主主義の質に関わって、もうひとつ注目しなければならないのは、それを構成する内実である。先の書で編者の一人であるモリアティは、1994年から2011年の間にベルファストを基盤にしていたコミュニティ・アート・フォーラムで共有されていたコミュニティ・アート活動を特徴づける４つの要素に言及している。それは、アクセス、参加、authorship、そしてownershipだという。そして、それらの要素は互いに切り離すことができないと指摘したうえで、「21世紀のアート組織には、authorshipの問題にほとんどまたはまったく注意を払わずに、アート活動への『参加』を求めるところがある。このような運営をされたアート実践は、コミュニティ・アート実践に並ぶと見なされえないと言いたい」と批判した[23]。これら４つの要素は、コミュニティ・アートを特徴づけるだけでなく、文化民主主義とも不可分な性格をもっているのである。ところで、その４つの要素を構成するauthorshipは作者であることを示す「原作者性」、ownershipは所有者であることを示す「所有権」と訳されるのだろう。しかしこれらふたつの概念は、にわかには日本語訳しにくいために英語表記のまま論を進め、詳しくは後述したい。

ここではまずコミュニティ・アート運動と文化民主主義をよりリアルに理解する上でたいへん参考になる取り組みを見ておきたい。それは、当該文献の結論部で取り上げられている、2015年に開催されたコミュニティ・アートをめぐる討論であ

---

[22] Jeffers & Moriaty, op. cit., p.57
[23] Ibid., p.78

る。そこでは、1970年代から1980年代初期に活動していた5人のコミュニティ・アーティストと、現在コミュニティ・アートや参加型アートあるいは社会関与型アートで活動している5人のアーティストがマンチェスター大学に集まり、初期のコミュニティ・アートと現代の参加型アート等との間の類似性と相違について議論された[24]。

そこで明らかになったひとつのことは、コミュニティ・アートの衰退を引き起こした1980年代以降の、とりわけ1990年代以降の経済主義化や道具主義化を含む実用主義の進行の実態である。次のような発言に多くの参加者が同意したという。

・助成機関やスポンサーが、「実験的である、あるいは参加者にリードさせる」ならばたいへん困難になってしまうような「成果」を求めるので、コミュニティ・アートは今はずっとありふれた活動になってしまっている。

・コミュニティ・アーティストは活動を続けるための助成を求めてあせり、浮かび続けるためにともに活動している地域社会よりも助成機関の計画に適応しなければならない。

・今の活動は、いわゆる周縁化された人々を対象にしているなど、たいへん道具的になっていて、特殊な成果を上げようとしている。過去には元の対象から方向を変える自由がもっとあったと思われる。

そこには、活動を維持するために必要な助成獲得に追われる事態、その助成の目的や計画に基づく、しばしば数値で示すことが必要とされる「結果」や「成果」を出すことが優先される結果、参加者が主体になるようなあるいは新たな試みを行うような実験的な活動が抑制され、地域社会との共同もおろそかにされるような状況が進行していることが示されている。

先にジェファーズが論じたコミュニティ・アート運動の衰退を促した3つの変化について取り上げたが、その中で経済主義化と並んで道具主義化を挙げ、コミュニティ・アートが政府の「社会的包摂計画」を満たすための道具として使われていることを指摘していた。この社会包摂という理念や政策自体が否定される必要はない。社会包摂とは本来、社会的に弱い立場にいるマイノリティーの人々が、社会から排除されたり孤立させられることなく、同時にマイノリティがマジョリティに包摂されるのではなく、マジョリティの意識も変えることを通して、多様性と寛容性のある社会関係を築いていくことだからである[25]。しかしながら、実際の政策の実行段階では、本来の理念と異なり、目に見える「効率性」や「成果」に支配されてし

[24] Ibid., pp.245-6

まっているのである。

このコミュニティ・アートをめぐる討論で明らかになったもうひとつのことは、さまざまに広がっている参加型アートと対比して、コミュニティ・アートが最も重視する事柄が明確に示されたことである。この討論を通して、ジェファーズとモリアティは、「現代の参加型アートは文化の民主化パラダイムと矛盾しなくなっているが、コミュニティ・アート運動は文化民主主義モデルを追求していたということが強く意識された」とまとめつつ、次のようなコミュニティ・アートに初期から関与してきたC.マッカラス（Cathy Mackerras）の発言を紹介している。少し長くなるが、重要な論点を提出しているので、そのまま掲載したい。

> 「私の理解では、参加型アートとコミュニティ・アートとの間には大きな違いがあり、両者を分けることは重要である。明確に言えば、参加型アートは、決して悪いことではなく、広く人々を受け入れてきたし、ある点で主流であり、よい機会であり、創造的でエムパワメントさせるもので、積極的である。しかし私のコミュニティ・アートの理解は、そして私がコミュニティ・アートに入った理由は、authorshipについてであり、authorshipがだれの手にあるかということなのである。コミュニティ・アートは、自分の見方や、自分の経験、そして自分の言いたいことを表現する機会を持てないできた人々に関わるものであり、それは参加型アートと同じではない。あなた方は、音楽、ダンス、ドラマなどどのようなものにも参加する時間をもつことができる。しかし問題は実際に参加者が言いたいことを言っているかどうかなのである。コミュニティ・アートは、グループの人々とともに活動し、何かについての理解を共有し発展させ、考えを磨いていく過程をもっている、そうしたすべてが私にとって私が属しているコミュニティ・アート運動とは何かというものなのである。」

この指摘に見られるように、多くの参加型アートの活動とコミュニティ・アートが求めたものとの決定的な違いが、authorshipを徹底して重視するか否かだというのである。その意味するところは、「問題は実際に参加者が言いたいことを言っているかどうかなのである」という発言に込められている。

このauthorshipへの着眼は、先に紹介したモラリティの発言にも見られた。すな

---

[25]　藤野一夫「日本の文化政策にみる社会包摂と社会文化」社会文化学会編『学生と市民のための社会文化研究ハンドブック』晃洋書房　2020年　p.80 参照。

わち彼女は、コミュニティ・アート活動を特徴づける4つの要素に言及したうえで、現代のアート組織がアート活動への参加を求めるときに、そのauthorshipにほとんど注意を払っていないと批判していたのである。彼女はコミュニティ・アートの基本姿勢として、「コミュニティ・アーティストたちは、『文化』という語が何を指すのか、どのような形態のアートが公的助成を受けるべきか、アートの活動はどこで実施されるべきか、誰が創造の過程に参加する機会を持つべきか、誰の声や話や、そして考えが表現の機会を得るべきかということに関する既成の観念を覆そうと取り組んできたのである。」と述べている。この「誰が創造の過程に参加する機会を持つべきか、誰の声や話や、そして考えが表現の機会を得るべきか」という問いへの答えが、4つの要素のうちのownershipとauthorshipなのである[26]。

実は日本で活動する伊地知裕子も、authorshipとさらにownershipを強調する一人である。伊地知は、当初はコミュニティ・アートの本質は「参加」という言葉に集約されると指摘していたが[27]、近年はこれらの概念を重視している。伊地知は、地域でのさまざまな芸術文化活動と比較しながら、そのふたつの概念について、次のように説明している。

> 「コミュニティ・アートではコミュニティ・アーティストたちが参加者の人たち自身がプログラムや場をマネージしていくよう促している。つまり、住民や参加者にownershipがある、といえる。また、作品自体も参加者自らが制作をおこなうので、authorshipは参加者のものである。が、Artist in Communityは住民、あるいは参加者との共同作業ではあるけれど、どのようにプロジェクトを進めるか、どう作品を組み立てていくかなどはアーティスト側の判断となることが多い。なので、基本的にはアーティストにownershipがあり、authorshipもアーティストにあるといえる。言うまでもなく、ファイン・アートの場合はownershipもauthorshipもアーティストにある。authorshipとownershipを誰が持つのか、ということは主体的に誰がイニシアティブを持って活動していくのか、ということになる。コミュニティ・アートはあくまで参加者、あるいは住民が、将来、主体的にプロジェクトや場を創りだしていく力をつけることを意図している。そこから、自らのグループやコミュニティを自分たちの力でマネジメントしていく、自治を担っていく、ということを基本的にめざして

---

[26] Jeffers & Moriaty, op. cit., p.67

[27] 伊地知前掲論文[9]、p.24

いる。コミュニティ・アートの原則のひとつであるempowerment（権限を持つこと、裁量権を持つこと）とはそのことを意味している。[28]」

先に、authorshipとownershipのふたつの概念は、にわかには日本語訳しにくいと指摘したが、そのために伊地知も英語表記のままにしていると考えられる。そして伊地知は、authorshipとownershipはだれが芸術文化の主体になるのかに関わる概念であると規定している。そのうえで、純粋芸術としてのファイン・アートのみならず、地域社会におけるアーティストの活動としてのArtist in Communityにおいても、authorshipとownershipはアーティストにあり、コミュニティ・アートにおいてのみ両者とも住民や参加者にあると指摘する。すなわち、authorshipとownershipを自らがもっているかどうかが、専門家ではない地域社会等の一般の人々が芸術文化の主体になっているかどうかの試金石になっているのである。したがって、すべての人々が文化の主体となる文化民主主義の実現を求めるコミュニティ・アートにおいては、単に参加という形態にとどまらずに、人々によるauthorshipとownershipが不可欠な要素になるのである。

しかしここで、そのことに加えてコミュニティ・アーティストたちが、authorshipとownershipの内実に深く留意していたことに目を向けなければならない。たとえば伊地知は、今見たように、authorshipを「参加者自らが制作をおこなう」こと、ownershipを「参加者自身がプログラムや場をマネージしていく」ことと示していた。しかしコミュニティ・アーティストたちにとってのauthorshipとownershipは、その理解にとどまっていなかったと考えられる。

たとえばモリアティは、先のコミュニティ・アートの４つの要素が実際に見られる現代文化実践の例を挙げているのだが、そのひとつとして「Common Wealth Theatre」というコミュニティ・アートの精神を持った劇団の取り組みを紹介している。それは、2015年に演劇経験がほとんどない5人のムスリムの女性ボクサーにインタビューを行い、それに基づいて、その女性たち自身が演じた演劇であった。この取り組みの内容について、モリアティは次のように説明している。

「５人のキャストが、自分たちの経験や洞察、率直に感じたこと、自分たちみん

[28]　伊地知裕子「コミュニティとアート、そしてコミュニティ・アート」『ネットTAM　リレーコラム第62回』2010年1月27日（https://www.nettam.jp/column/62/?utm_source=internal&utm_medium=website&utm_campaign=author　2020年5月24日確認）

ながが言いたかったことを基に、この演劇を形作った。（…引用者中略…）ムスリムの若い女性がメディアで表現することは滅多にない。『No Guts, No Heart, No Glory（中身なし、気力なし、栄光なし）』はムスリムの若い女性たちが、自身を表現し、踊り、殴り合い、ののしり合い、怒り、楽しみ、チャンピオンになる機会なのである。」

このように一般的にほとんどあり得ないような、ムスリムの女性たちが公開の場で、自らの経験や内面を率直に表現するという場が生まれたのである。モリアティは、この事例において、authorshipとは「自分たちみんなが言いたかったこと」であり、そしてownershipとは「ムスリムの若い女性たちが自身を表現する機会」を指す、と指摘した[29]。このほか、authorshipについては、モリアティの別の「誰の声や話や、そして考えが表現の機会を得るべきか」という指摘、さらに参加型アートと比較したC.マッカラスの「問題は実際に参加者が言いたいことを言っているかどうかなのである」という発言も参照されるべきであろう。これらを総合するならば、authorshipという用語は、単に参加者自身による表現や制作という理解では不十分である。たとえば、心身ともに表現すること自体が困難な状況に置かれている人々や、多様な自己を演じることが求められる中で自らを失ってしまう人々が存在することを考えれば、形において参加者自身による表現が成り立っていれば、それでauthorshipが成立しているなどとは言えないからである。これまで見てきたコミュニティ・アーティストの発言を引き取れば、少なくとも、自らが本当に表し伝えたいことを表現しているという、いわば「真の原作者性」としてauthorshipは把握されなければならないと考えられる。

同様にownershipも、単に所有権ととらえても、その意味するところを理解したことにはならない。その概念を、伊地知は「参加者自身がプログラムや場をマネージしていく」こと、モリアティは「ムスリムの若い女性たちが自身を表現する機会」を指すと、説明していた。これらを考慮すれば、ownershipとは、表現の保障を含む表現への権利に基づき、作品を制作するか否かも含め、表現や作品制作の方法や過程、並びに公開の場や方法等にわたる、「芸術文化の作品と行為全般に対する自己決定権」を指すのではないだろうか。

以上ここまで、英国コミュニティ・アート運動については、最終的にはそのコミュ

---

[29]　Jeffers & Moriaty, op. cit., p.79

ニティ・アート及び文化民主主義の核心を成すauthorshipとownershipという概念に注目して、その意味を明らかにすることを試みてきた。それをふまえ、本論の結論として、次の2点を指摘しておきたい。

第1点は、authorshipとownershipの概念は、コミュニティ・アート及び文化民主主義の中核になる考え方であるだけでなく、英国コミュニティ・アートの大きな課題であったコミュニティ・アートにふさわしい芸術的価値や基準を探究することの契機になることである。既存の芸術においても、そしてその卓越性という基準も、既に多元化している。したがって非専門家によるコミュニティ・アートは、既存の芸術の基準に依存しない、固有の価値基準を明らかにしていくことによって、独自性が確保される必要がある。その根拠になるのがauthorshipとownership、とりわけ前者のauthorshipの概念だろう。今後、この概念を理論的及び実践的に深く掘り下げ、共有することによって、コミュニティ・アート固有の価値基準として成り立たせていくことが可能だと考えられる[30]。

第2点は、ドイツ社会文化運動の中で営まれる芸術文化活動の質を、authorshipとownershipという概念が見事に言い当てているのではないかということである。ド

---

[30] 本論のようにコミュニティ・アートを固有の価値を持つものとして位置づけ確立しようとする方向と関係して、それを否定的にとらえる議論も存在する。たとえば、日本ではたいへん珍しい現代美術を網羅的にかつ的確な視点から論じた山本浩貴『現代美術史』(中公新書、2019年)もその一つである。その中で山本は、コミュニティ・アートを含む昨今の参加型アートは既存の社会秩序を追認するだけの皮相な参加になっており、ラディカルな変化や政治的に意味のある不同意が起こりにくい構造になっているという議論を紹介したうえで、それを越えていく展開を次のようなふたつの方向にまとめている。それは、一方で現状の参加型アートとしてのコミュニティ・アートに改めてアーティストの独自性や自律性を働かせて、メッセージ性のある芸術的社会的実践を生み出していく方向(たとえば、クレア・ビショップ『人口地獄』フィルムアート社、2016年)と、他方で従来の関係性の美学の枠を越えて、アーティストと非アーティストとの対話とコラボレーションを力に芸術実践の新たな社会的展開を図る方向という、相違するふたつの展開である(山本同上書、p.91-111参照)。このようなふたつの展開が現代美術の新たな地平を拓く試みのひとつであることは確かであろう。しかし市民など非専門家が主体となるコミュニティ・アートの視点から見たときに、それら両者ともやはり専門家としてのアーティスト主導の実践であることは明らかである。したがって山本がそうであるように、結局コミュニティ・アートは、現代美術としてどのような意味があるかという、現代美術という価値基準によって評価されてしまっている。当然ながら、そうした現代美術として高く評価される芸術実践に非専門家の人々が参加して、さまざまな糧を得ることは大いに意義があろう。しかしそのことと、コミュニティ・アートが現代美術と同じ基準で評価されることを認めることとは別の事柄である。現代にあって芸術文化はひとつの分野においてすら多元化している。そのひとつとして今日において、非専門家が主体となるコミュニティ・アートが、現代美術やその他の既成の芸術の価値基準に従うことなく、それ固有の価値基準を持って独自の意味を持つ芸術文化実践として存在し、その存在が承認されていくことは不可欠に求められることだと考えられる。本論で示唆したauthorshipやownershipという概念はそのための鍵になると考えられる。

イツ社会文化運動は「万人のための文化（Kultur für alle)」と「万人による文化（Kultur von allen)」を標榜し、教養市民階層を中心とした「市民」文化を批判して、拡張された文化概念の下に、万人による社会形成につながる自主的・自治的文化の実現と拡大を通して、新たな形での市民社会（civil society）の創造をめざしていた。このような全体的な性格も共通性があった。

しかしそれだけでなく、その中で見られる芸術文化活動は、①芸術文化を生活世界から安易には離脱させないという質をもち、自らの生活経験や社会的経験に基づく素朴で率直な表現が多いこと、②さまざまな新しい芸術文化の様式や技術を否定的にとらえずに、逆に積極的に受け止め、それらを駆使して表現の新しい広がりや飛躍を生み出しながら、それらを常に生活世界や自己の経験に引き戻しそして組み込みながら自らの糧にしていくことを大きな特質としていた。そうした常に芸術文化を自らの生活経験に引きつけながら率直に自らを表現し、そうした表現を自らの糧にするという芸術文化活動の質は、まさに英国でいうところのauthorshipを強力に働かせていると性格づけることができるのである。このような点で、英国コミュニティ・アート運動の核心にあるauthorshipとownershipという概念は、ドイツ社会文化運動の芸術文化活動の性質を明確にするうえで示唆的な意味をもっていると考えられる。

第3節　コロナ禍に向き合う芸術文化の取り組みと芸術教育の展望

2020年当初からの新型コロナウイルス感染症のパンデミックによって、私たちは生命及び社会生活の深刻な危機に直面している。そうしたパンデミックは、単なる自然的現象ではなく、人工的な現象である。すなわち特に1980年代からの新自由主義政策が生み出した経済的・社会的格差と貧困の拡大がパンデミックを深刻化させ、その破綻を明確に示した。それだけでなく、こうしたウイルス感染症は人類史的に見れば、人と動物、及び人と人の距離や関係のあり方の変化によって生み出されてきた。今回のパンデミックは20世紀からの地球環境の変化、都市の巨大化、人の動きの活発化とグルーバル化の帰結として現象したものであり、近現代文明を改めて問い直してみることを私たちに求めていると言える。

2020年の１年間の芸術文化と芸術教育の動向を見ても、このコロナ禍の経験を通して、それらの根本や本質について改めて考え直さざるをえなくなったという声を多く聞くようになった。本節でも最終的にはその点について言及することになるだろう。

そのことを念頭に置きながら、本節では、①一般の芸術文化の領域で起こった事態や新たに生まれている試みを素描し、②コロナ禍の下で進められた芸術教育とりわけ美術教育分野の教育実践の特徴を、筆者が見た範囲で整理し、さらに③コロナ禍への対応として注目されるドイツの芸術文化政策などの諸外国の経験も見据えながら、今回のパンデミックの中で明らかになった美術・芸術教育に求められる姿や課題について考察してみたい。

1 コロナ禍の下での芸術文化の動向

2020年２月に新型コロナウイルス感染症が広がり始め、４月には緊急事態宣言が発せられるに至り、美術館・博物館は５月末頃まで休館をし、その間及びその後の多くの企画展などが中止になった。その間劇場やホールも公演等の中止を余儀なくされた。その後各種施設は徐々に活動を開始したが、さらに2021年９月までに４回にわたって緊急事態宣言が発令され、「３蜜を避ける」ための諸対応が続いている。

その中で、社会全体で倒産や失業が拡大しているが、とりわけフリーランスが多いアーティストは活動と仕事の場を失い、生活上大きな困難を抱えてきている。たとえば日本俳優連合が2020年12月31日から８日間を期間に行った文化芸術関係者への調査結果（5378回答）によれば、コロナ自粛前と収入を比較して、実に８割が大幅な収入減となり、特に45％の人が半減以下になっている。そして個人事業主や法人を対象とした持続化給付金は、42.1％の人が「業務委託契約書がない」など必要書類がないという理由で申請していない。さらに文化庁の継続支援事業についても、36.3％の人が「自己負担金がないと申請ができない」「申請のために事業をする余裕がない」と申請できないでいる[1]。このように非常に多くの芸術文化関係者が、芸術文化に十分に携われない状況に置かれ、生活自体が困難に陥っていることがわかる。それに対する支援も制度と運用の両面で不十分さを露呈している。日本の芸術文化分野には、大規模な危機に対応できる制度的基盤が準備されていなかったことが明らかになった。

他方で、このような苦難のなかでも、コロナ後も見据えてさまざまな模索が進められている。それらは芸術教育にも関連してくるので、簡単に見ておきたい。

① **従来型の展覧会や公演を見直す動き**である。

たとえば、日本の美術館・博物館の特異な性格である企画展偏重の館運営や展示方式を見直すことが求められている。コロナ後を見据えて、収蔵品を重視した運営方法を検討する動きが見え始めている。音楽分野でも、国内在住の指揮者や演奏家に目が向けられてきている。

これらは、施設やイベントの運営の評価の観点を見直すことにも連動している。新自由主義の浸透のなかで、参加者数など量的な評価が優先されがちだったが、それを変更してより内容や質を評価するようにならなければならないという指摘が生まれてきている。

② **非接触型の芸術文化活動の試みや模索**が進められている。

コロナ禍の中で個人や団体によるオンラインでの美術作品、舞踊、演奏の発信がさかんに行われてきていることは周知の通りである。

それだけでなく、たとえばかつてより高齢者施設などでの音楽ワークショップを

---

[1]　演劇緊急支援プロジェクト（作成：日本俳優連合）「文化芸術に携わる全ての人の実態調査アンケート」（https://www.engekikinkyushien.info/wp-content/ uploads/2021/01/kinkyushien_enquete_210112.pdf　2021年１月16日確認）

実施してきた作曲家野村誠は、オンライン会議システムを使って複数の個人と生活音を使って演奏する、あるいは観客にチャットに音符を記入してもらうことによって共同作曲を行ったという報告をしている。またダンス・アーティストが、高齢者施設でオンラインでダンス・ワークショップを実施したところ、入居者とこれまで直接に参加してこなかった職員とのふれあいが生まれ、これまで以上に豊かなダンス・ケアができたという報告もされている。

このようにオンラインという条件のなかで、その制限を超えて新たなかかわりを生み出す芸術文化活動の経験がつくられている。

③これまで十分に目を向けていなかったものに気づき新たな発見をし、それを契機に**芸術文化の本質的な意義を再確認する経験**が生まれている。

たとえば、パンデミックの中で世界中のダンサーがアクションを起こしたり、日本の民俗芸能の踊り手が一人でもひっそりと踊り始める姿を見る中で、犠牲になった人々を弔う鎮魂や災厄を鎮める祈りという舞踏の原初的な存在意義を改めて確認したという声が上がっている。また地域の芸術祭で、周囲をゆっくり時間をかけながら歩くことによって、身体を通して改めて自然と生命を感じ取るような取り組みを進めるところも生まれた。

さらに、オンライン化された世界では人が匿名になってさまざまなコミュニケーションを交わす場（ストリート）が失われたなど、パンデミックによって「余剰」に見える社会を下支えする基盤が掘り崩されることに気付いたという指摘もされている。またパンデミックによって、社会にこれまで存在していた問題が浮き彫りになり、そうした見えてきた問題をしっかり記録し保有し表現していきたいと語っているアーティストもいる。ここに挙げた例は一部に過ぎないが、新たな芸術文化の生成につながる気づきが醸成されていることは確かである〔2〕。

2 コロナ下で進められた芸術教育実践の特徴

以上のようなコロナ下での芸術文化状況をふまえながら、学校での美術教育を中

---

〔2〕 以上のようなコロナ禍で見られる芸術文化の諸動向については、主に次のようなwebsiteを参照した。

『美術手帖オンラインマガジン』（https:// bijutsutecho.com/magazine/insight 2021年1月16日確認）

「新型コロナウイルス感染症に立ち向かうアートの現場レポート」第1回～第12回『ネットTAM』（https://www.nettam.jp/ 2021年1月16日確認）

心とした芸術文化活動に目を向けていきたい。

2020年２月末の突然の一方的な全国一律休校要請から約３ヶ月間にわたって休校措置がとられ、そして再開後も全国の学校で感染予防を考慮した授業や生活が進められている。その間、この感染予防とともに、「学習保障」「授業時数確保」等が求められる中で、教師たちは、子どもたち一人ひとりの姿と家庭生活を思い浮かべながら休校中の家庭学習課題の内容やその届け方を工夫してきた。そして授業再開後は単に物理的に授業時数を確保してよしとするのではなく、長期休業後の子どもの現状から出発してまず安心して学習・生活できる学級や学校の環境をつくることと、そして内容を本格的に精査した教育課程をつくって授業を行うように進めてきている[3]。

このような全体的な努力と連動して、美術教育をはじめとした芸術文化に関わる教育領域でもさまざまな工夫や試みが進められている。たとえば美術教育を進める会では2021年１月にコロナ下での教育実践を特集した機関誌『子どもと美術』No.86を発行するとともに、同年１月10日にはそれをテーマにしたシンポジウムを開催した。また新しい絵の会も機関誌『美術の教室』No.105（2021年３月）において「コロナ禍に立ち向かう美術教育・今言いたいこと」という特集を組み、46名に及ぶ教師を中心とした美術教育関係者の実践や声を掲載した[4]。演劇教育分野では日本演劇教育連盟も機関誌『演劇と教育』2021年１・２月号（NO.719）で、特集「コロナ禍でも、できる！やっている！演劇教育」を組み、小学校から大学までの演劇の取り組み、さらに多世代を対象としたワークショップを紹介している[5]。その中で、ここでは参考事例として、上記の美術教育を進める会に寄せられた実践の内容を整理して紹介したい。

(1) 休校期間中やオンライン授業での取り組み

a. 何よりも面白いと夢中になれる教材の提示

---

[3]　コロナ禍での学校及び教師たちの実践については、教育科学研究会編『コロナ時代の教師のしごと』（旬報社、2020年）や雑誌『教育』2020年８月号・11月号・12月号・2021年２月号などを参照。

[4]　『美術の教室』No.105では、その多くの実践をふまえた発言の中で、次のようなメッセージが込められていた。それは、①子どもたちをはじめ一人ひとりの思いをていねいに表現すること、②自然との出会いを含めて、造形活動を通して元気になること、③行事を見直して、大切にすべきことを明らかにし残していくこと、④新しい機器も有効に利用することが、大切だということである。

[5]　『演劇と教育』2021年１・２月号（NO.719）では、三密を避けながら小学校や中学校、あるいは大学で、表現の方法、空間の設定、オンラインの利用など様々な工夫をして演劇的活動や発表を実現していること、また少人数、広い場所、マスク着用などルールを作って取り組むことで新しい演劇教育のあり方を探ることができることが示されている。

子どもたちが学校に登校できない休校期間中には、普段の対面での授業と同じ学力を身につけることを目標にするのではなく、何よりも「学校の勉強は面白い」と感じられる内容、あるいは楽しく簡単につくって遊べるなど夢中になれる内容を考慮した家庭学習の課題を設定したという小学校の事例が報告された。そして職員間の論議の末、作り方を説明したプリントだけでなく、解説動画も作成して配信したという。

加えて重視したのは、自宅にいても友だちとのつながりを感じられることである。完成した作品の画像とメッセージを添えてメールで送ってもらい、それらを通信に載せてクラスの子どもたちに配布したという。

b. コロナ禍の下での生活に目を向け、日常を見直す

保育者養成の大学での取り組みだが、大型ベビーカーで散歩しながら感触遊びをしていくという設定のもとに、実際に学生が自宅周辺を探索し感触遊びができる場を発見してマップにするという活動が紹介された。この例のように学校中心の生活でこれまで意識せずに通り過ぎてきた周囲の世界に目を向け、そこに新たな価値を見出して表現することによって、それまでの日常を見直す契機を生み出すことができる。

また美術教育に直接関係することではないが、乳幼児保育や学童保育の場でも、自粛期間中は登園する子どもの数が減り、子どもたちに対してじっくりとかかわりていねいな保育をすることができたという。その経験を通して、今後の保育や教育はコロナ後に元に戻ればよいのではなく、保育・教育の内容面だけでなく、クラスサイズや時間設定などの環境面での改善が必要なことが強く自覚されてきたと指摘された。

(2) コロナ下での対面での保育と教育の特徴

a. 感染を避ける物的・人的環境を工夫

園や学校再開後は、換気をよくし、人と人との身体的距離をとるためのさまざまな措置がとられてきた。

美術教育分野でも、「空間、学習、友だちとのつながりのどれも切り捨てない」ことを目標に、①空間を広くするために図工室のレイアウトを改善、②工具棚を廊下に出して作業空間の広さを確保、③子どもたちが集まって密にならないようにモニターを使って作業手順を説明、④説明は教室、作業は図工室と分けることによって子どもたちの集中が高まったなど、コロナを契機に積極的に環境面の整備を進めた例も紹介された。単に感染予防のための措置をとるだけでなく、併せて学習と活動の充実を図っていく視点を堅持する重要性が示された。

b. 園や学校での生活と行事を見直し、本当に必要で大切なことを明確にすると同時に、新たな活動も取り組む

生活や行事の見直しが進められたこともこの間の大きな特徴である。園での祭り、親子キャンプ、餅つきなど、学校での運動会、文化祭や修学旅行などが、それぞれ中止や変更になった。行事の見直しについては、改めてそれぞれの行事の持つ教育的意義を吟味する機会になった。

文化祭で例年大がかりな造形活動に取り組んできた中学校で、その見直しを学校側が提案したが、「ものづくりは外せない」という中学生の声を受けて、新しいコンセプトで造形活動を取り入れた文化祭をおこなったという実践が報告された。このように、園や学校の生活と行事を見直す際に、単に感染を避けるというだけの視点ではなく、子どもたちの成長や希望を考慮しつつその教育的意義を確認して、その存続や変更を検討する必要があることが改めて確認された。

また他方で園での美術活動でも、子ども同士が接触したり呼吸が速まるような集団的な活動は控えられ、例年おこなってきた活動ではなく、染めや紙すき、色氷を使った描画や遊びなど、一人ひとりがじっくり取り組むような新たな活動が取り入れられてきた。

c. 造形表現活動の原点に立ち返って活動を進める

実はコロナ禍の中にあっても、特段に題材や活動を変更するのではなく、取り組む順序等を工夫する程度で、これまで大切にしてきたことをそのまま実施している例が多い。それは、コロナ禍を契機にこれまでの活動を振り返り、その意義を改めて確認した上で実施を決断した結果である。その過程で注目されるのが、その振り返りの作業を通して、造形表現活動で最も大切なことを改めて確認することができたという多くの指摘があったことである。

その取り組みは、具体的には、いくつかの特徴があった。それを列記すると以下のようになる。

①身体や五感を使って物と深くかかわって制作する。

学校が再開し、図工室が使えることになった最初の活動として、低学年では粉粘土からの粘土づくりをおこなったという実践、また幼児では、子どもと保育士がいっしょになって園庭に土を積み上げて築山をつくったという実践が報告された。素材に触覚など身体全体を使ってかかわる意義が示されただけでなく、築山によって坂を上り下りする経験の持つ意味も指摘された。

②楽しく自由な表現を保障する。

学校休校後の最初の授業では、とにかく楽しいことをしようと、つくって遊べる工作をし、6年生が1年生へのプレゼント分もつくったりしていた。

また学校現場では、ともすると授業の課題に沿った表現を求めがちになるが、一人ひとりの子どもの思いに寄り添い、「表現の自由」を大切にして取り組み、学校再開後に、友だちに会えた喜びや、いろいろな造形活動で楽しんだことは、改めて生きる実感につながったと語った特別支援教育からの報告もあった。

③自分とじっくりと対話しながら思いを表す

子ども同士の身体的に近い接触が避けられる中で、改めて一人ひとりがじっくりとものや自分と対話しながら表現する取り組みが大切にされたのも特徴である。

6年生が6年間使ってきたランドセルを、ていねいに描写し、「お兄ちゃんのが使いやすくてそのまま12年間使ってきた」「川で遊んで投げ合って落としそうになった」などの思い出を振り返りながらそれぞれの思いをのせて着彩していったという。

また中学校でも、コロナ禍で不自由になっている日常、自分の好きなことや希望など、今の自分の思いを言葉で書き出すところからイメージを広げかつ凝縮して「目のある自我像」という象徴的な表現を生み出していく実践などが紹介された。

④表現を通して人とのつながりを生み出す

共に作品を制作したり、緊密な場で互いが作品をつくっていく環境になくても、友だち一人ひとりの作品とていねいに向き合う中で、互いに相手を理解して結びつきを強めていくという経験が改めて大切にされたのも、この間の特徴である。

③で取り上げた小学校や中学校での実践も共通にそうした取り組みを大切にしていた。また他の小学校6年生でも、「詩からイメージして」という題材で、詩人による詩でもよい設定だったが、ほとんどの子どもたちが生活のなかで感じたことから自分で詩をつくり、そこからイメージしてさまざまな画材を駆使した表現をしていった実践が紹介されていた。完成後に、詩と絵を互いに鑑賞し、子どもたちにとって友だちが語ってくれる言葉がとても心に響くという。このように一人ひとりの心のこもった作品を共有することによって、互いのつながりが生まれていくことが改めて確認されてきた。

d. ICTは、表現とコミュニケーションの幅を広げる道具として利用する

オンライン授業時や学校再開後の授業において、ICTを利用することによって、授業での説明がわかりやすくなる、互いの作品をより詳細に見ることができるようになる、さらにはオンラインによって個別のコミュニケーションが深くなるなど、さまざまな利点があることが経験的に理解されてきた。今後、そうしたICTが表現そのものにも利用されることが予想される。

しかし、私たちはICTに使われてしまうようになってはならず、何よりも表現やコミュニケーションの幅を広げ豊かにする限りにおいて利用することの重要性も指摘された。

3 コロナ禍に向き合う諸外国の芸術文化分野の経験と芸術教育の課題

コロナ禍の下での、日本での芸術文化と美術教育の取り組みの特徴を見てきた。それをふまえて、一旦は外国にも目を向けて、その中の注目すべき取り組みを確認したうえで、コロナ禍の中で見えてきた芸術教育の課題を考えてみたい。

このたびのコロナウイルス感染症拡大に際して諸外国のなかで特に注目されたのが、ドイツの対応である。ドイツは、2020年3月末にフリーランスの芸術家を含む個人事業者に110万円の給付を行い、6月には1200億円の文化活動支援策を打ち出し、12月時点ですでに1000億円が活用されているという。先にみた450億円の「文化芸術活動の継続支援事業」も芸術文化関係者の実態と合っていないために申請が低迷していた日本と大きな違いが見られる。

このドイツで同年3月の文化支援に際し、連邦文化大臣モニカ・グリュッタースは、「文化はよい時代にだけ営まれる贅沢ではない。文化は生活と社会に必要不可欠なものである」と声明を出した。さらに3月31には、国の文化政策に大きな影響力を持つドイツ文化政策協会が「コロナ・パンデミック後の文化政策のための10項目」を提出した。詳述はできないが、その第1項目の中で、「文化インフラは、民主主義的議論に著しく貢献し、社会的コンセンサスのさらなる発展と反映のための機会を提供する。」と指摘されていた。

このような芸術文化を重視する政策の土台にあるドイツの考え方に注目する必要があろう。そこでは、芸術文化は、生活や社会に必要不可欠であり、民主主義に貢献し、社会のコンセンサスの発展に寄与すると指摘されていた。この考え方は、人間性を豊かに育むといった芸術文化観からさらに一歩踏み込んだとらえ方を示している。ドイツの文化政策を専門にする藤野一夫は、こうした文化観の形成について、次のように指摘している。

> 「戦後ドイツの文化関係者は、芸術文化とその議論を通して民主主義を根付かせ、新しい市民社会の形成と発展に大きく寄与してきた。少なくとも連邦政府としての国家ではなく、ボトムアップ型民主主義の文化運動こそが『文化国家』

の実質をかたちづくってきたのである。[6]」

このようにドイツでは、特に1970年代以降に社会文化運動が発展し、ナチズムにおける国家による文化統制・支配を否定するだけでなく、60年代までの教養市民文化を啓蒙しようとする文化の民主化も批判し、「万人のための文化」と「万人による文化」を標語にした文化民主主義が進められてきた。そこには、政治的な民主主義だけでなく、一人ひとりが文化の主体になることによって、真の民主主義が完成するという考え方が込められている。

このような文化民主主義における芸術文化活動とは、具体的には、ルーツや年齢などが多様な人々が芸術文化活動をとおして、一方でエンパワーメントされる（力と権限を獲得する）とともに、他方で他者とのつながりを形成するという２つの大きな役割を果たしていると言える（下線―筆者）。先に藤野が指摘した芸術文化が民主主義を根付かせ、市民が真の主体となる新しい市民社会形成に寄与してきたとは、このような芸術文化の働きを指しているのである。

こうしたドイツの経験に加えて、もうひとつ重要な示唆を与えてくれるのが、イギリスのコミュニティ・アート運動である。この運動も、1970年代に発展したが、ドイツと異なってサッチャー政権を契機に1980年代から進められた新自由主義政策によって、1990年代以降運動の衰退期に入ってしまっている。ただ衰退しているといっても、地域社会の市民参加型の芸術文化活動がなくなったわけではない。ここで詳しく紹介はできないが、その政策下で元来のコミュニティ・アートが大切にしていたことが失われ、実用主義的になってしまっているのである。

その中で、改めてコミュニティ・アートの理念を確認する議論が進められている。その理念も基本は文化民主主義の思想であるが、それを構成する鍵となる概念として確認されてきているのが、authorship「原作者性」とownership「所有権」である。これらの概念は一般的な日本語訳にすると何を示しているのか、非常に分かりづらい。しかしあるコミュニティ・アーティストは、参加型アートとコミュニティ・アートの間には大きな違いがあり、それは「authorshipがだれの手にあるかということなのである」と指摘した上で、「問題は実際に参加者が言いたいことを言ってい

[6]　藤野一夫「パンデミック時代のドイツの文化政策(1)」『ウェブ版美術手帖 INSIGHT』2020年５月20日(https://bijutsutecho.com/magazine/insight/21937 2021年１月14日確認)。なお、ドイツ文化政策協会の内容も本稿による。また大関雅弘・藤野一夫・吉田正岳編著『市民がつくる社会文化―ドイツの理念・運動・政策―』（水曜社、2021年）第８章も参照。

るかどうかなのである」と語ったのである[7]。この指摘にauthorshipの意味するところをとらえることができる。それは、「自分が本当に表現したいことが表現できているか」という真の表現の主体性を問う概念だったのである（下線―筆者）。こうしたauthorshipの考え方は、ドイツの社会文化運動にも通底している[8]。

したがってここで、新型コロナウイルス・パンデミックの中でドイツやイギリスの経験を通して、芸術文化の根源的なあり方や役割が明確に示されてきたと言える。それは、芸術文化活動では、①何よりも「自分が本当に表現したいことを表現する」という表現の真性性に立脚する必要があること、そうした芸術文化活動を通して②多様な人々それぞれがエンパワーメントされていくと同時に、③そうした人々の対話と共同性が生み出されていくことである。

これらの３つの点がこの危機のなかで浮き彫りになってきたのは、決して理由のないことではない。なぜならば、それぞれが、実は歴史的に芸術を成立させてきた根源的な原理と通じているからである。第１の表現の真性性は、芸術が探究する固有の真理性の基盤を成している。

第２の人々がエンパワーされるという役割は、芸術を成り立たせる「制作」という原理に基礎を置いている。この「制作」とは、人が事物に働きかけ加工することによって価値を生み出す機能である。ナチズムなどの全体主義を批判する根源的な研究を進めたエーリッヒ・フロムは、この「制作」という機能に着目して、「創造するという行為によって人間は被創造物としての自分にうちかち、かれの生存の受動性と偶然性とをのりこえて、目的性と自由の領域に到達する」と指摘した[9]。芸術文化活動の中で人々がエンパワーされていくのは、この「制作」の働きによって、人々が目的性と自由に目が開かれていったことに立脚している。

第３の芸術文化活動を通して人々がつながり共同性が形成されていくというのは、美的判断力に付随している共通感覚の働きによる。美的判断力に共通感覚が働いていることを発見したのはカントであるが、その共通感覚に着目し、それを契機に独立した人間が互いに対話し共同性を生み出しながら公共的な世界を形成することを展望したのはハンナ・アーレントである。

---

[7]　Jeffers, Alison & Moriaty, Gerri ed., *Culture, Democracy and the Right to Make Art : The British Community Arts Movement*, Bloomsbury, 2017, chap.7.

[8]　これらドイツの社会文化運動とイギリスのコミュニティ・アート運動のやや詳しい内容については、拙稿「芸術文化の視点から見たドイツ社会文化運動―英国コミュニティ・アート運動とも対比して―」（大関雅弘他前掲書[6]所収）、及び本書第Ⅱ章第２節を参照されたい。

[9]　エーリッヒ・フロム、加藤正明訳『正気の社会』（1955年）社会思想社、1958年、p.55.

彼女によれば、作品の制作や鑑賞の中で働く美的判断は、決して主観的で個人的なものではなく、そこには他者の立場に立ってあらゆる人の見方を考慮する共通感覚が働いているのである。つまり作品を見ていくときに、私たちはさまざまな人の見方や感じ方を暗黙に想定しながら、その上で自分なりの判断を下しているのである。このような他者の立場に立って考える共通感覚の働きこそが、人と人の間を結び他者と世界を共有することを可能するのである[10]。したがって芸術文化活動を通して人々が互いにつながりを形成するのは、その活動が根源的に備えている美的判断ひいては共通感覚の働きによるのである。

ドイツとイギリスに目を向けることによって、2020年来のコロナ禍という危機の中で芸術文化を成り立たせる根源的な3点が明るみに出てきたことが確認されてきた。これらの点は、決して他国の問題ではなく、先に概観してきたこの間の日本の芸術文化の動向や、特に美術教育実践の諸特徴の底流に存在すると見て取ることができる。したがって今後のコロナ禍の中で、あるいはその後の芸術教育の展開において、この機に改めて見えてきた①表現の真性性②エンパワーメント③対話と共同性という芸術の根源的な契機が内在的に生成されていくような取り組みを意識的に進めていくことが求められていると言えよう。

---

[10] Hannah Arendt, *The Crisis in Culture*, in *Between Past and Future*, Penguin Books, 1968, pp.215-224.（ハンナ・アーレント、引田隆也・齋藤純一訳「文化の危機—その社会的・政治的意義」『過去と未来の間』みすず書房、1994年、pp.290-303.）

第Ⅲ章

学校改革と芸術教育

—「芸術の教育」から広義の「芸術による教育」へ—

第1節　学校改革運動としての芸術教育
―学力向上論と芸術教育との関係に寄せて―

日本の学習指導要領は、たとえば1998年の改訂では「過度な受験競争」や「知識詰め込み授業」を批判し、「ゆとり」と「生きる力」を強調した。ところが国際的な学力調査の結果の低下などに反応して、その新教育課程が完全実施される段階にもかかわらず、一転して学力向上政策に舵を切り始めた。その後2008年の改訂では、基礎的・基本的な知識及び技能の確実な習得とそれらを活用する思考力・判断力・表現力等をはぐくむことを柱にした「確かな学力」が据えられ、さらに2017年の改訂では、主体的・対話的で深い学びを通して、学力を越えた「資質・能力」の育成が強調されるようになった。

このようなやはり学力を中心とした諸能力の向上政策は、地球規模で急速に進む政治・経済のグローバル化に対応した人材育成を目的にした国の教育政策の展開によるものである。

本節では、まずそうした社会の政治的経済的危機に対して学力向上政策で対応する教育政策下の中での芸術教育の動向について、アメリカ合衆国を例に考察する。そして次に、そうしたさまざまな社会的要請が寄せられる学校の中で求められる芸術教育の基本的なあり方や考え方を、20世紀初頭のドイツ芸術教育会議等の歴史に目を向けて検討してみたい。

1 合衆国に見る学力向上論と芸術教育の対応

合衆国では、教育内容の科学化を進めた1960年代の「教育の現代化」から1970年代に入ると人間性の回復を求める「教育の人間化」に転換した。しかし同時に、巨額の海外投資やベトナム戦争の長期化による軍事費の増大などによる深刻な経済危機に陥り、教育予算が大幅に削減され、「緊急性」を要しない芸術の教師が大量に人員削減され、多くの学校から芸術教科が消失した。たとえばニューヨーク市の小学校では99％の図工専科の教師が削減されたという。

このような芸術教科の存亡の危機に対して、全米美術教育協会（NAEA）は、従来の創造的表現や創作性を重視する考え方から転換し、美術教育の存在意義を明確に示す教育理念を確立することによって、その生き残りを図った。その教育理念が、1980年代から展開された「学問性を基礎にした美術教育」（DBAE＝Discipline-based Art Education）だった。それは、美術制作、美術史、美術批評、美学の四つ柱に基づき、それらを統合したかたちで美術教育のカリキュラムを編成した[1]。確かに、創造性の開発などとは違って、他の教科では不可能な美術固有の内容によって教科課程が構成されるならば、その独自な価値を主張することができる。しかし事態は予想通りには進まなかった。

依然として経済危機を脱しえなかった1980年代当時から現在まで、合衆国はほぼ一貫して、「学校選択の自由」などの市場原理を導入する一方で、「学力不振」の危機と「ナショナル・アイデンティティ」の危機を打開しようとする教育政策を進めてきた。レーガン政権下の1983年に発表された『危機に立つ国家』は、経済危機と国際社会における地位の低下の原因を「学力不振」に求め、学力向上のための教育投資の増大と国家の主導性の強化を図った。それを受けたブッシュ（シニア）政権による1990年の『2000年のアメリカ—教育戦略』は、全米学力試験の実施、世界第一位の数学と理科の学力の達成、非識字者の一掃と国際経済競争に耐えうる知識の普及などの6つの国家目標を示した。クリントン政権下の1994年に制定された教育改革振興法『2000年の目標—アメリカ教育法』もほぼそれを踏襲し、その後のブッシュ（ジュニア）政権は2002年1月に『どの子どもも取り残さない』というタイトルの新教育法を立ち上げ、改めて親の学校選択の拡大と、結果に対する説明責任の強化として学力水準の向上と全学校での学力テストの実施を約束した。

このような学力水準の向上を求める動向のなかで、先のDBAEは1990年代になると変更を余儀なくされ、Neo-DBAEと呼ばれる教育理念に改定された。その主要な変更点とは、多文化主義の視点を強化したことと、先の4つの美術固有の内容からなる美術教育と他教科との連携を図ったことだった。この他教科との連携とは、たとえば美術の鑑賞教育が言語能力を向上させるといったように、知的教科の学力の向上に芸術教育が有効であると強調するものだった。知性に芸術が深く関与することは、否定されるものではない。しかしそこで志向されているのは、社会的な効率性と深く結びついた学力向上論のなかで、芸術教育の実用的な効果を高めること

---

[1] *The Dbae Handbook: An Overview of Discipline-Based Art Education* (Getty Trust Publications : Getty Center for Education in the Arts),1992. 参照

だった。合衆国の教育現場から美術教育の現状をレポートした徳雅美は、DBAEの問題点とは「これら４つのディシプリンを統合した形でカリキュラムを展開した所で美術教育の役割・価値をその中に見出すことは困難であると云う点にある」と指摘した[2]。すなわち、たとえ他の教科では実現不可能ないわゆる芸術固有の内容によって芸術教育を構成したとしても、そのような芸術教育論は社会的効率性の観点から実利性や実用性を求められ、結局その独自の価値を確保することが困難な状況に追い込まれるということを示している。

近年このような美術教育の現状に対して、先の全米美術教育協会内からも、これまでのディシプリン中心のパラダイムを批判する新たな試みが進められはじめている。たとえば同協会の研究誌の編集に携わったマイケル・パーソンズは、結局DBAEの「主要な目的は大人の美術家の作品について生徒の理解を助長すること」なのであり、それは「美術のディシプリンと美術の世界の特性に強く傾斜しており、相対的に（教育の成立にかかわる）他の要素を無視してきた」と批判する。そしてとくに、マスメディアによる視覚イメージがあらゆるコミュニケーションを支配し、子どもたちのアイデンティティ形成に重大な影響を及ぼしていることを指摘し、彼らが身の回りのイメージに対して批判的な態度を養っていくことの必要性を強調する。

実際には、「ビッグアイデア」と「本質的な問い」を鍵概念にした統合カリキュラムの例を紹介している。それは、この鍵概念に示されるような大きなテーマを設定したうえで、国語科、美術科、社会科といった各教科からアプローチしながら、生徒間の討論を進め、最終的にそのテーマにかかわるさまざまな美術作品を公開の場に展示していく「アートパーク」というパブリックアートワークを行うという内容である。パーソンズは、このような実践をふまえ、「芸術活動の中にオルターナティヴな思考のモデルが見いだせると私は考える」とまとめている[3]。

この種の総合学習的な実践は特段に新しい試みとは言えない。しかし支配的な文化に対する批判を欠いては今日の子ども・青年のアイデンティティ形成は図れないという視点から、現代文化批判と子ども・青年のアイデンティティ形成とを重ねていく、そしてその際に欠かせない要素として芸術の機能や芸術活動を位置づけていることは、改めて目を向けておく必要があろう。

---

[2]　徳雅美「日米の美術教育の比較」『アートエデュケーション』27号、建帛社、1997年３月、p.76.
[3]　マイケル・パーソンズ「統合カリキュラムへの動き―アメリカの美術教育における背景」『美術教育学―美術科教育学会誌』第24号、2003年、pp.376-392.

2 芸術教育思想の系譜と展開

公教育制度としての学校の存在をふまえて芸術教育のあり方が論議されはじめたのは、19世紀末になってからである。そのような芸術教育運動は本来的に学校改革運動という性格をもっていたと言える。たとえばドイツでは、芸術教育運動を背景に1901・03・05年の3回にわたる全国的な芸術教育会議が開催された。そこでは、今日の芸術教育理論を構成するいくつかの基本的な考え方がすでに示されていた。たとえば、その中心となったハンブルク美術館長リヒトヴァルクは、一方で「趣味教育の基礎であり諸々の価値に対する感覚の基礎としての鑑賞力と感受能力の覚醒と強化」という、年来の主張である芸術作品に対する享受能力を育成する必要性を訴えた[4]。しかし他方で、まとめ役として、「教授すること、教育するということは、一つの芸術」であり、「私たちが、教師を芸術家としてとらえ、彼を芸術家として活動させることによってのみ、今日、学校に対する不信に満ちた現状を変えることができる」と主張した。またさらに学校は教材の教え込みによって子どもの自然な能力としての表現能力を壊していると批判し、「私たちの教育制度の中心点は、諸能力の発達にあるのであって、(…引用者中略…) 私たちは、表現能力、即ち創造力の発達の端緒と目標を確かめようとしているわけです」と語った[5]。

これらの主張は、それぞれ「芸術への教育」、「芸術としての教育」、そして「芸術による教育」として定式化される。つまり、はじめの主張にあるように、「芸術への教育」とは、芸術の鑑賞を通して美に対する感受能力を培い、人々を芸術や美に近づけようとする考え方である。「芸術による教育」とは、3つ目の発言に示されるように、芸術活動を通して創造力や表現能力などの諸能力を発達させようとする考え方である。いわば前者が芸術を目的とするのに対して、後者は人間を目的にしていると言える。

ふたつ目の指摘に見られる「芸術としての教育」は、他のふたつとはいくぶん位相を異にしている。なぜならば前の二者が芸術と教育というふたつの異なる営みの間の関係を問題にしているのに対して、教育とは芸術であると両者の同一性を主張するからである。それは、教育と芸術とは、対象とかかわりながら新たな価値を生み出していくという点では同様な営みであると考える。この考え方はシュタイナー

[4] リヒトヴァルク「芸術作品享受への導き(1902)」岡本定男訳『芸術教育と学校』明治図書、1985年、p.196.
[5] リヒトヴァルク「芸術教育の統一(1903)」同上書、p.218-220.

教育などに引き継がれていく。しかしこの「芸術としての教育」の考え方に対しては、人間とかかわる教育と事物を対象にする芸術とを同一視してはならないという批判も提出されてきた。つまり芸術とは根底において、事物に働きかけ変形させることを通して価値を生み出していく、つまり事物を目的実現の手段にしてしまう指向をもっているからである。

これら各種の芸術教育の考え方には、それぞれの社会的背景があった。「芸術への教育」は、19世紀半ば以降の産業の発展に伴う機械による低劣な大量生産品の広がりに対して、芸術教育を土台にその製品の質の向上を求めようとする経済的要請と、同時にそれと両義的な後発資本主義国ドイツの国民の独自な文化性や精神性を高めようとする反科学主義・国家主義的な性格をともなった文化改造論を背景にしていた。また「芸術による教育」は、国民教育の制度化と一体となって進んだヘルバルト主義による一斉授業形態での知識注入的で画一的な教育に対する批判を背景にしていた。それは、単に芸術教育の改善のみならず、それを起点に子どもの自然な発達を促すような学校の改造を求めた。したがってとりわけドイツでは、芸術教育運動が新教育運動の先駆けとなった。

このように、その内実を問う必要はあるのだが、芸術教育運動はそもそも文化と学校の改造を求める性格をもっていたのである。ところがその後「芸術への教育」と「芸術による教育」の思想は、新教育の学校体制のなかに回収され、児童中心主義の芸術活動を通して感覚や感性を育みながら人格を形成する「芸術の教育」として一体化してしまい、学校の内部的な改良さらには芸術教科の改善を求めるに過ぎない存在になり、本来の批判性を失っていった。たとえば美術教育研究者の堀典子は、「『芸術による教育』及び『芸術の教育』という分け方は混乱をきたしやすい。なぜなら（…引用者中略…）『芸術による教育』とは『芸術の教育』を意味しており、またその反対についても同じことがいえるのである」と、従来のふたつの分け方の無効を指摘している[6]。確かに、「芸術（へ）の教育」を芸術と文化に子どもを導くこと、「芸術による教育」を芸術活動を通しての自己の発見と育成というように、一般的に理解するにとどまっているならば、先のように一体化してしまうのである。

しかし批判性を失っていない「芸術による教育」思想は、そこから分岐して、ウィリアム・モリス、ハーバート・リード、鶴見俊輔、小野二郎といった、いわば民衆芸術運動の思想に息づいてきたのである。そしてそれは現在、たとえばヨーロッパにあっては、「市民文化」を批判し万人のためだけでなく万人による芸術・文化を追

---

[6] 堀典子「『芸術による教育』と『芸術の教育』」『図画工作科教材研究』建帛社、1985年、p.11.

求するドイツの社会文化運動[7]や、イギリスのコミュニティ・アート運動[8]などに引き継がれている。総じてこの広義の「芸術による教育」とは、政治、教育、人間関係などのさまざまな人間諸活動内部で芸術を作動させることによって、そのあり方を問い質し、翻って既存の芸術の質をも問おうという思想である。かつて冨田博之は、1960年に演劇教育の定義として、一方で「演劇の創造活動を体験させ、また鑑賞させるいとなみをとおして、子どもの全面的な成長をはかる」という「芸術の教育」を語りながら、他方で「その本質、機能を日常の教育活動全体にいかすことによって、教育の仕事をよりゆたかで、いきいきしたものにしていこうとするもの」と指摘した[9]。後者が挿入されたのは、「教育の科学化」と連動して芸術固有の価値を追求する「芸術の教育」が広く主張されるなかにあっても、民衆芸術運動に息づく「芸術による教育」思想を感知していたからにほかならないと推察する。今日日常の生活や教育の質を見直すことなしには子ども・青年のまっとうな成長は図れないことが明らかになるなかで、芸術教育の二元的なとらえ方を越えて、なによりも広義の「芸術による教育」の思想を発動させることによってこそ学校の蘇生の契機が生み出されると考える。

[7] 谷和明「社会文化—ドイツの場合」『場—トポス』No.4、1994年10月、参照。

[8] 伊地知裕子「英国におけるコミュニティ・アートの伝統」『平成9年度地域・草の根交流欧州派遣事業「芸術と社会を結ぶ」報告書』国際交流基金、1998年11月、参照。

[9] 冨田博之「Ⅲ芸術教育の内容と方法　5　演劇」『岩波講座　現代教育学　8　芸術と教育』1960年、p.264.

第2節　総合学習に芸術教育の視点を活かす

1 内閉化してしまった芸術教育

1998 年の学習指導要領の改訂では、学校５日制の完全実施や「総合的な学習の時間」の設置が示されたが、同時に当初議論の俎上にあがっていた教科の再編・統合については先送りにされ、既存の教科の時間数の全体的な削減が行われた。

このように特に1990年代以降、学習指導要領改訂のたびに芸術教育分野では、関連する教科の縮減・統合・廃止についてさまざまな場で論議がかわされてきている。しかし「総合的な学習の時間」の導入に関しては、残念ながら芸術教育という独自の視点から総合学習をどのようにとらえるかという議論はほとんど進められてきていない。一般に芸術教育界では、総合学習の導入を伴い、かつ教科の再編や統合も予想されるような教科時間の縮減は、芸術教育存続の「危機」ととらえられてきた。たとえば1997年１月に文部省は、「今後の教育課程のあり方について」というテーマで、意見書を募集した。それに対して美術教育界からは、全国造形教育連盟などの４教育団体と２学会の計６団体が意見書を提出した。そこでは、ほぼ共通して「知性や感性の調和」といった「バランスのとれた教育課程」編成の必要性が指摘され、そのうえで芸術教科の統合を示唆したひとつをのぞいたすべての団体によって、現存の芸術教科の必修の存続と充実の必要性が主張されたのである。

だが実は、「バランスのとれた教育課程」を求め、そしてそれを構成する一領域として芸術教科の必要性を主張するという枠組み自体に、いつのまにか芸術教育を単に芸術教科の教育としてのみとらえてしまうという、歴史的に内閉化してしまった芸術教育の姿が窺えるのである。

2「芸術による教育」思想の射程

では総合学習問題をはじめ教育全体にコミットしうる芸術教育の視点とはどのよ

うなものなのかについて、歴史的なプロセスを含めて考えてみたい。広く社会や学校における芸術教育のあり方について組織的に論議され始めたのは、今世紀初頭のドイツでの芸術教育会議からであった。そこでは「芸術への教育」「芸術による教育」そして「芸術としての教育」などの芸術教育の基本を成す概念が提出されていた。それ以降芸術教育分野は、これらの概念の理解や相互の正当性をめぐって、さまざまな議論を交わしてきた。しかしここで目を向けてみたいのは、1960年の時点で、冨田博之が次のように演劇教育を定義したことである。

> 「特殊な性格と機能をもつ芸術の一種である演劇の創造活動を体験させ、また鑑賞させるいとなみをとおして、子どもたちの全面的な成長をはかり、さらに、その本質、機能を日常の教育活動全体にいかすことによって、教育の仕事をより豊かで、いきいきとしたものにしていこうとするもの[1]」

ここには演劇教育のふたつの役割が示されているが、それらを芸術教育一般の役割と理解することができる。つまりひとつは、芸術の創造と鑑賞を通して芸術固有の諸能力を中心として子どもたちの人間的成長をはかることであり、もうひとつは芸術の本質や機能を教育活動全体にいかすことである。やや単純化すれば、前者を「芸術への教育」、そして後者を「芸術による教育」と規定することができる。

とくに注目したいのが、後者の「芸術による教育」の思想である。私が見るところ、日本においては、この思想を十分に深めそして熟成させることができずに今日に至っている。たとえばその思想のもとに芸術教育を進めたのは創造美育協会だといわれる。しかし創造美育協会は、子どもたちの創造力と個性の伸長こそその思想の目標であり、しかもそれを主に狭い意味での美術・芸術教育によって達成しようとした。そしてその主張も、芸術教科内部の改善のための発言としてしか生かされなかった。このような事情もあって、「芸術による教育」思想は、科学などの他の教育が不完全に行われているときにあらわれるものであり、「芸術教育万能論」だと批判された。結果として芸術教育は、学校内部の他の教科教育と並列される、芸術固有の価値と子どもの成長を結びつけながら、狭義の芸術的諸能力を育てる「芸術への教育」という形に閉じてしまったのである。

しかし「芸術による教育」思想は、実は教育全体に対するラディカルな（根源的

---

[1] 冨田博之「Ⅲ 芸術教育の内容と方法 5 演劇」『岩波講座 現代教育学8 芸術と教育』1960年、p.264.

な）視野をもっていた。たとえば、先の冨田の指摘に通じる発言として、ハーバート・リードの「広義の芸術は教育の根本的基礎になるべきである」という主張がある。これはリードの芸術教育論の根幹を成すのだが、かつてその思想を日本の教育に生かそうとした周郷博すら、「いくらかの誇張」と受けとめていたのである。この言葉は、誇張であるとも、さらに悪いことに従来のような個人の自発的創造力の尊重という程度に理解されてはならない。

私の見るところ先の言葉の真意は、それに続く次のような指摘にあらわれている。

> 「統合の過程は、教訓主義に密かに含まれているような精神的態度を避けることから主として成り立っている。道徳、芸術、社会におけるパターンは、それぞれ新鮮な感受性によって新たに知覚されなければならない。もしそうでなかったならば、パターンは、それが包含すべき生命を殺すだろう。[2]」

教育とは、社会からの教育作用と人間の成長との矛盾をはらんだある種の統合の営みである。しかしその場合、既成の文化が一方的に受容されるだけであれば、それは抑圧になり、教育は硬直化する。そうした文化が常に新鮮な感覚で問い直されてこそ、はじめて人間の成長の糧となり、かつ緊張と葛藤をはらむ世代間交代による社会の更新は正しく遂行される。リードの言わんとするところは、この新鮮で批判的な感覚を通して、既成の文化を常に問い質しながら、教育という営みが正常に働くようにするものこそが、芸術の機能に他ならないということなのである。したがってこの広義の芸術教育としての「芸術による教育」思想は、このような質をもった芸術の機能を、教育のあらゆる局面に働かせていこうとするものだったのである。

総合学習には教科の教育では十分に成しえなかったような学習の内容や質が求められるのだろうが、それが期待される内実をもちうるためには、このような広義の芸術教育という性格を内在させることが欠かせないと考えられる。

3 総合学習の民衆文化的性格

ところで新しい学習指導要領で設置されることになった「総合的な学習の時間」については、肯定的に理解する声がある一方で、多くの批判も提出されている。それはたとえば、①学校に市場原理を持ち込み、「総合的な学習」を契機に「特色化」

---

[2] ハーバート・リード『芸術による教育』（1945年）美術出版社、1953年、p.353.

を図りつつ学校間の競争や教育の民営化を進めるものだという批判、②総合学習の導入は教科教育の否定であり、基礎学力保障の放棄であるという批判などである。

総合学習を教育課程に位置づけるということは、単に従来の教育課程に新しい内容を加えるにとどまらず、教育のあり方総体の根本的な問い直しを求めるほどの意味をもっている。したがって、その批判の是非を含めて総合学習を教育理論の問題として正確に検討するためには、改めて戦後教育理論の、とりわけその主要な論点を構成してきた「科学と教育の結合」と「生活と教育の結合」のそれぞれの思想の歴史的総括が本来求められるだろう[3]。

だがここでは、芸術教育とかかわって、とくに必要だと思われるふたつほどの点にしぼって考えてみたい。

ひとつは、総合学習は学校文化の性格の転換を求めるという点である。たとえば総合学習を教育課程の一領域として積極的位置づけていくことを主張している日本の教育改革をともに考える会監修『ともに生きる総合学習』では、「教科教育が並列されている学校では学問体系の基本を伝えることが重視され、未分化で総合的な課題に素早く応えることができません。総合学習は、こうした教科教育並列学校の矛盾を克服する学習分野として構想されました」と指摘されている[4]。このような「学問体系の基本を伝える」こととは異なる学習を進めるということは、実は学校のもつ文化的性格を大きく転換させるほどの意味をもっていることを確認すべきであると思われる。

かつて日本の教育全体が「科学と教育の結合」へ進んでいた1960年に、鶴見俊輔は「限界芸術」という興味深い芸術概念を提示した。鶴見は芸術を3つに分類した。ひとつは専門的芸術家によってつくられ専門的な享受者をもつ「純粋芸術」、ふたつ目は企業家と専門芸術家の合作によってつくられ大衆が享受者の「大衆芸術」である。さらに3つ目に、両者とは異なって非専門的な芸術家と享受者によって成り、しかも芸術と生活との境界線にあるという広大な領域をもつものを、「限界芸術」(Marginal Art) と名づけたのである。そして普遍的な価値を与えられた「純粋芸術」からではなく、大衆支配のメカニズムをもつ「大衆芸術」でもなく、この生活と結びついた芸術領域からの人間の生活と文化の転換を展望して、次のように語ったのである。

---

[3] 拙稿「文化的主体形成と芸術教育 (1)」『子どもと美術』第46号、1999年12月、参照。
[4] 行田稔彦他『ともに生きる総合学習』フォーラムA、1999年、p.87.

「限界芸術の諸様式は、芸術としてのもっとも目立たぬ様式であり、芸術であるよりはむしろ他の様式に属している。この特殊な位置ゆえに、限界芸術のことを考えることは、当然に、政治・労働・家族生活・社会生活・教育・宗教との関係において芸術を考えてゆく方法をとることとなる。芸術を純粋芸術として考えてゆくことが、芸術を他の活動からきりはなして非社会化・非政治化してしまうのとちがい、また芸術を大衆芸術として考えてゆくことが、芸術を他の活動に従属し奉仕するものとして過度に社会化・政治化してゆくのともちがって、芸術そのものの観点につきながら他の活動の中に入ってゆき、人間活動全体を新しく見直す方向をここから見いだせるのではないかと思う。[5]」(傍点─引用者)

鶴見がまとめた「限界芸術」のリストには、町並みや祭りといった大きなものから家族アルバム、手紙、落書き、早口言葉、遊び、さらには労働のリズムや日常生活の身ぶりまでも含まれていた。このように一見「芸術」とは理解されないようなありふれた文化活動が、その内に備わった芸術的な要素が生かされることによって、労働や生活さらには教育といったさまざまな人間の活動の質を問いながら、その生活や文化を転換していく契機を生み出していくのである。したがってこの「限界芸術」の思想は、普遍的な価値をめざすような芸術・文化のあり方を批判し、芸術概念の変更を進めつつ、民衆文化としての市民文化(civil culture)の創出を求めるものなのである。

生活と結びつきながら、芸術などの専門家とは言えない子どもと教師によって生み出される学校の学習活動をはじめとした文化活動は、この民衆文化としての市民文化の創出を求める「限界芸術」の領域だと言えないだろうか。とりわけ現実生活や現代社会の課題とかかわり子どもたちの能動的で探求的な学習を進める総合学習や子どもたちの自治的共同を求める教科外活動は、そのような性格をもっていると言える。このことは同時に、普遍的な文化を求め、その下に支配される学校全体の文化的性格の大きな変更を求めることになる。先に教育のあらゆる局面に芸術の機能を働かせていく「芸術による教育」思想について紹介したが、その眼目も実はこのような学校の文化的性格の転換と確実につながっているのである。

---

[5] 「芸術の発展」(1960年)『限界芸術』講談社学芸文庫所収、1976年、p.13.

4 認識の獲得を求める「教授＝学習」領域の限界

総合学習とかかわって考えるべきもうひとつの事柄は、「教授＝学習」領域の枠内で総合的な認識をもちえたとしても、子どもたちが文化的主体性を本格的に獲得するということは不可能だという点である。総合学習の目的は、しばしば教育基本法にある「平和的な国家及び社会の形成者」の育成と重ねられて論じられている。これをあえて文化的主体の形成と記述しておきたい。

たとえば先の『ともに生きる総合学習』では、その目的を「現実生活の中に今日的な課題をとらえ、仲間とともに問題解決の主人公となって能動的、探求的に学び、主権者としての自覚を深め、自立した市民として生きる人格を育てることをめざす学習です」と規定する[6]。ただし正確には、同書は教科教育、総合学習、自治的文化活動の教育課程の３領域論をとるため、この３領域の相互作用によって文化的主体の形成をはかろうとするのだろうが、しかしその記述を見ても総合学習がその中核に位置づけられているのは明らかである。そしてこの総合学習などを通して、とくに個別的な知識や技能および認識にとどまらないような、総合的で全体的な認識力を育てようとしていると考えられる[7]。つまり総合学習は、教科教育と相互関係をもちながら、総合的で全体的な認識を育みながら、文化的主体性の形成をめざすものと理解されているのである。

しかしここで改めて考えてみたいのは、たとえば竹内常一が1969年に示した、次のような生活（自治）集団と学習集団とを区別するところに存在する教育認識についてである。

> 「生活集団、というよりは自治集団（訓練的集団）の場合は、生徒集団は教師の指導をのりこえて集団の自己指導をつくりながら、集団のちからと自覚を集団の内外に表現していくことが中心テーマであった。ところが、学習集団の自己指導は、科学的な教科内容を伝達・教授する教師の指導をのりこえて前にすすむことはふつうできない。同様に、学習集団による自主管理もまた教師の管理をこえて展開されるべきではない。（…引用者中略…）
>
> だが学習集団の自己指導と自主管理は訓練的集団のように教師の指導をのりこえ、教師の管理を吸収していくものではないということは、決して学習集団

[6] 行田前掲書[4]、p.86.
[7] 詳しくは、前掲拙稿[3] を参照。

の自己指導と自主管理を認めないということではない。学習集団の自己指導と自主管理とは、教師の学習集団にたいする指導と管理を最後まで基礎とし、最後までそれと平行してはたらくのだということになる。[8]」(傍点―引用者)

ここには、いわゆる「教授＝学習領域」の範囲内では、子どもたちは教師をのりこえるなどということは一般にはできないという自覚が示されている。しかも当然にも子どもたちの自律的共同的な学習活動を求めるのだが、それとても教師の指導や管理と平行的な関係にまで発展する程度なのだというのである。他方で子どもたちの「自治集団」は、それも教師の指導と管理を通して進展するが、最終的にはそうした教師の「ちから」との葛藤を通じて、それをのりこえていくことが求められるのである。そこには、子どもたちは、相対する「ちから」としての大人・教師との緊張や葛藤を経て生まれる、その自治的共同的世界の形成なくしては真の自立を成しえないことを確かに組み入れた教育理論を構築しようとする意図を見てとることができる。

この「教授＝学習領域」と子どもたちの自治的共同的世界との関係を深く自覚した力動的な教育構造を学校の中に確実につくりだすことによってはじめて、子どもたちの文化的主体性の形成を本格的に求める教育を実現しえるのではあるまいか。しかもこの文化的主体性が社会を形成する力量である限り、たとえ個別化された認識ではない真理認識に通じる総合的で全体的な認識を獲得したとしても、その形成は成しえない。社会形成には、そうした認識とは異なる力量が求められるからである。このことと関連して、藤本卓は竹内の教育理論の中軸となる「訓練論的生活指導論」の核心を次のように解いている。

「『訓練論的生活指導』における『生活認識』は、確かに“認識”とはいうものの、平常イメージされるそれとは異なっているということ、すなわち、対象との間に距離をおいた観察的・客体化的な認識ではなく、社会的な価値・行為の選択（美的・実践的判断力の行使）と一体をなし（政治的）実践そのもののうちに埋め込まれた認識でなければならない、ということである。言い換えるなら、〈テオリアとしての認識＝理論知〉ではなく、〈プラクシスとしての認識＝実践知〉でなければならない、ということである。[9]」(傍点―引用者)

---

[8]　竹内常一『生活指導の理論』明治図書、1969年、pp.472-473.

[9]　藤本卓「教育のレトリックの方へ」『竹内常一　教育の仕事』第1巻、青木書店、1995年、p.363.（『藤本卓教育論集―〈教育〉〈学習〉〈生活指導〉―』鳥影社、2021年所収、p.332.）

ここには社会を形成する力量を不可欠に含む文化的主体性の獲得には、真理とかかわる客観的な認識とは別に、具体的な行為や実践に伴う判断力が不可欠に求められることが示されている、と読みとってよいであろう。そして、たとえばH．アーレントが公的世界を成りたたせる政治的判断力を、カントの「反省において他のすべての人の表象の仕方を考えのなかで（ア・プリオリに）顧慮する能力」といった美的判断力のうちに見出しているように[10]、この判断力の形成はすぐれて芸術的実践と関連する。

確認しなければならないのは、文化的主体の形成を求める限り、子ども・青年の共同的な実践をとおして自治的共同的世界が生まれ、そのようなプロセスを通じて真理認識にとどまらない判断力を培うような教育の構造が学校のなかにつくりだされなければならないということである。総合学習は、子どもと教師の共同的探求的な学習という枠を超えて、それがどのように子ども・青年の「美的・実践的判断力」を培い、その自治的共同的世界の創出に寄与できるかが、なによりも問われているのではないだろうか。

---

[10]　H．アーレント『カント政治哲学の講義』（1982年、法政大学出版）などを参照。

第3節　学校文化活動の性格と役割をめぐって
―「芸術の教育」か「生活指導」かを越えて―

一般に学校教育は、教科教育と教科外教育のふたつの領域に分けられると理解されている。そこでは、教科教育は、各教科の諸活動で組織され、教科指導という形態をとり、主に知識や技能の習得 つまり陶冶の機能を果たすと位置づけられている。他方教科外教育は、教科外の自主的・集団的な諸活動で組織され、生活指導という形態をとり、主に価値観や道徳性といった人格の形成つまり訓育の機能を果たすととらえられている。

子どもたちに組織的に文化を獲得させることは学校教育全体の役割である。だが学校文化活動は、文化的価値の伝達を固有の役割とする教科指導とは異なって、自主的・集団的な教科外の活動として営まれてきた。そしてその活動は、たとえば大正期の自由教育運動の中でのさまざまな展開に見られるように、学校の支配的な教育体制と緊張関係をもちながら進められてきたという歴史をもつ。本論の目的は、主に日本の1970年代以降の学校文化活動をめぐるいくつかの議論を検討することによって、教科外教育とりわけ学校文化活動が今日もつべき性格や役割を明らかにしようとするところにある。

1 芸術的文化的価値の追求としての学校文化活動

(1) 生活指導としての文化活動への批判

戦後日本の教科外の文化活動は、戦後初期から1950年代にかけての隆盛の後、1960年代に入って停滞した。しかし1970年代後半以降改めて文化祭をはじめとして広範に取り組まれるようになる。その中で1979年に、戦後一貫して演劇教育を中心に児童文化の発展と研究に力を尽くしてきた冨田博之は、雑誌誌上において、生活指導の立場から演劇活動に取り組んだ能重真作の教育実践に対して厳しい批判を行なった。この批判に表れた冨田と能重との間の文化活動についての考え方の相違の中に、戦後の学校文化活動のとらえ方をめぐるひとつの基本的な対立点を見ることができる。

能重は、1978年から79年にかけて『生活教育』誌上において、18回にわたる「教育荒廃にいどむ／非行への総力戦」と題する連載を行なった[1]。それは、中学校教師である能重の、1977年度一年間の「非行」問題を正面に据えての教育実践の記録だった。その教育実践記録の中に、文化祭において学級として演劇上演に取り組んだ経過が記されていた。その演目選定に際して、脚本選定委員の生徒たちが中学生を主人公とする「あこがれ」[2]という脚本を提案し、それが当初生徒の間で多くの支持を得ていたにもかかわらず、能重は学級総会の場で、あえてシェイクスピアの「ベニスの商人」を対案として提出し、討議と採決の結果、上演劇は後者に決定された。冨田は、この上演劇決定に際しての能重の教師としての考え方や行動を取り上げ、そしてそれを強く批判したのである。

冨田は、この教育実践の批判を、まずはじめに「学校演劇脚本の読み方に意義あり」と題して、『教育』誌上の「時評・児童文化」という短い批評欄に掲載した[3]。能重学級では、学級の背面黒板に「朝鮮死ね！」という落書きがあったことをきっかけにして、文化祭直前に差別問題の学習や討論に取り組んだが、冨田は「ベニスの商人」の上演が決定されていった経過を、能重が文化祭においてもシャイロックを通して民族差別の問題を考えさせようとしたという面を強調するかたちで紹介した。そのうえで次のような批判を行なった。それは、能重が「『あこがれ』という作品に対する理解のしかたが、お粗末すぎる」、それに対して「何の理解ももっていない」、「文学作品を、表面的なテーマでしか読まない」という批判である。さらに「『ベニスの商人』の翻訳者による違いをまったく問題にしていないというのも気になる」と付け加えていた。つまり能重が「あこがれ」や「ベニスの商人」といった脚本を文学作品として極めて不十分にしか理解していないというのである。

続いて冨田は、この問題を『特別活動研究』誌上でも取り上げ、さらに詳しく論じた。そこでまず冨田は、これを取り上げた意図を、「たんに脚本の読み方の問題というだけではなく、教師の文化活動観、ないしは文化の質をどう考えるかという問題についていいたかったのだ」（傍点—引用者）と説明した[4]。そして改めて脚本選定

---

[1]　この実践記録は後に『ブリキの勲章』（民衆社、1979年）として刊行された。以下、能重のこの実践記録の引用は本書による。

[2]　辰嶋幸夫作・日本演劇教育連盟編『中学校劇脚本集・上』国土社、1966年、所収。

[3]　『教育』1979年3月号、p.45.

[4]　冨田博之「行事・文化活動の『質』を問う」『特別活動研究』1979年10月号（冨田著『学校文化活動論』明治図書、1984年、所収、p.163.）

の経過に触れ、そこでの能重の行為は、教育的熱意にもかかわらず、「あこがれ」の上演を希望する生徒の願いを理解せず、生徒を信頼しない姿勢を表わしており、同時に能重は「あこがれ」という作品を、戯曲として読みとっていない、と批判した[5]。

冨田は、戯曲「あこがれ」が、中学生の人間関係や異性に対する悩みなどに焦点をあてた内容をもち、そして1964年に発表されて以来数多く上演され、1960年代後半の中学生の悩みにじかに答える作品として受けとめられ、共感をよんだことを紹介している。そのうえでこの戯曲について、「中学生にとってのドラマとして、すぐれた達成を見せている作品であり、戦後の演劇教育運動から生まれた、中学生のための脚本として、貴重な意義をもつ作品だと思う。それは、決して、中学生にとって、何の訴えるものももたないといった次元の低い作品ではないと断言してよい作品である」と指摘した[6]。つまり冨田は、能重がこの「あこがれ」という作品が戦後の演劇教育の歴史上重要な位置を占めていることを認識しておらず、さらに中学生自身が自らを見つめ直すような、内容としてもその年齢にふさわしい作品であることを理解しようとしなかったというのである。

この冨田の議論の限りでは、能重は極めて正当性のある生徒たちの自主的な意思を踏みにじったばかりか、教師として文化活動を進めるにふさわしい、芸術や文化に対する教養や理解力に欠けているということになる。この評価の是非については後述したい。その前に確認しておきたいのは、このような議論を支える冨田の文化活動観である。

これまでの議論からも想像できるように、冨田にとって、学校文化活動とは自由で創造的な芸術や文化を生み出す活動でなければならない。すなわちそれは、子どもたちの自発性を尊重しながら、なによりも質の高い芸術や文化を追求する自由な芸術文化の創造の場と位置づけられているのである。したがってそのような自由で創造的な活動の発展を規制したり抑圧してしまうような「教育的」意図や介入は否定されなければならない。これは、上記の『特別活動研究』誌上論文が収められている同氏の著書『学校文化活動論』全体に貫かれている、冨田の学校文化活動に対する基本的な見方である。この見方によれば、冨田にとって能重の文化活動実践は、「教育的熱意にもかかわらず」、その言葉の真意からすれば逆に教育的であるがゆえに、自由で創造的な文化活動を圧迫することになり、芸術や文化固有の価値の実現の追求を不可能にし、そして文化活動の質を低下させてしまう類のものなのである。

---

[5] 冨田、前掲書[4]、pp.164-165.

[6] 同上、p.168.

このような冨田の能重実践への批判は、単にその実践だけに向けられたものではなく、生活指導の立場から進められる文化活動全体に対しての批判という性格をもっている。

ここで冨田が提出している議論の枠組みは、自由で創造的な芸術文化活動の実現かそれとも教育的意図の追求かという対立図式である。換言すれば、文化的価値を優先するのかそれとも教育的価値を優先するのかという枠組みである。いみじくも、冨田は能重批判のまとめとして、次のような劇作家宮本研の芸術と教育との関係把握を取り上げている。

> 「戯曲にかぎらず芸術上の行為は、モラルという基準を排除したところで成り立ちます。しばしばアンチ・モラルでさえあります。その点で、学校での演劇の仕事のむずかしさをつくづく思います。教育という仕事と演劇という仕事の矛盾、演劇が教育のための手段で終わってしまっていいのならともかく、演劇的であることがそのまま同時にことば本来の意味でもっとも教育的であるような、そんな芝居――そのむずかしい仕事にとりくんでいらっしゃる人に、ぼくは大きな敬意をはらいます。[7]」(傍点―引用者)

この宮本の発言の演劇という部分を芸術と言い換えても、趣旨を損なうことはなかろう。つまり「芸術的であることがそのまま同時にことば本来の意味でもっとも教育的であるような芸術的行為」を求めようというのである。これはまず、芸術を教育のための手段にしてしまうのではなく、芸術的価値と教育的価値の統一的あるいは同時的な実現を図ろうとするものであると理解することができる。この芸術と教育との関係把握の意味するところは、より深く読み取ってみる必要があろう。だがとりあえず冨田の文脈に即すならば、この芸術的価値と教育的価値の同時的実現のためには、教育は、芸術的ないしは文化的な価値の追求の下に置かれることによって、もっとも教育的であることができるということになろう。冨田の意図するところは、他の箇所での「民主的な学級づくり、集団づくりが必要なのは、学級づくりそのものが目的なのではなく、創造的な教育・文化活動のために必要だというのである」という発言にも伺うことができる[8]。

ところで、この芸術的文化的価値の実現が第一義的に追求されなければならない

---

[7] 『演劇と教育』1964年10月号掲載。冨田前掲書[4] での引用による。p.169.
[8] 冨田、同上書、p.68.

という考え方は、単に教科外教育としての学校文化活動において貫かれなければならないだけではなく、学校教育全体の目的とも重なっているのである。このことも、冨田の文化活動論を検討するうえで、見逃してはならない点である。冨田は学校の任務を次のように規定している。

> 「学校とは、本来、子どもたちに『文化』を獲得させ、さらに『創造』へと向かわせることを、システィマティックに遂行していくことを任務とするところ、といってよいだろう。つまり、『文化的創造的仕事』とは、ずばり学校の任務を意味している。それ以外のものではないのだ。[9]」

自由で創造的な文化を生み出し、そうした文化を子どもたちに獲得させていくことこそ、学校の役割なのである。学校とは「自由な文化活動の場」でなければならない[10]。冨田においても、教科の学習ではそれぞれの教科の論理や内容が重要であり、行事などの教科外活動では子どもの自発性・内発性が重視されなければならないという区分けは確かにされているが[11]、なによりも学校全体が自由な文化創造の場でなければならないのである。したがって冨田にとって、芸術的文化的価値の実現を求め、自由で創造的な文化を生みだそうとすることは学校文化活動の目的のみならず、学校教育全体の目的でもあった。この基本的な目的において、教科教育と教科外教育の区別はないのである。

(2) 芸術的文化的価値の実現を求める教育の特質

①同一の目的と役割をもつ教科教育と教科外教育

このように学校教育の目標を、なによりも芸術的文化的価値の実現に求めるのは.冨田固有の譲論ではない。教育実践や論者それぞれの間での相違はあるものの、それは1960年代以降の教科研究や授業研究を中心に、戦後の教育のひとつをかたちづくった教育理論である。

たとえば群馬県の島小学校や境小学校での学校づくりで知られ、授業研究のシンボルになった斎藤喜博は、次のように「質の高い」教育の必要を主張する。

---

[9] 冨田、前掲書[4]、p.27.
[10] 同上、p.112.
[11] 同上、p.141.

「教育は質の高さを要求されるものである。質の高いものにふれ、質の高いものを追求し、質の高いものを獲得することによって子どもの質は高いものになっていくからである。したがって教育においては、いつでも、質の高いものを子どもに与え、質の高いものを子どもに追求させ獲得させていくことが必要である。[12]」

この「質の高い」教育を成立させるのは、授業と行事のふたつである。「質の高いもの」という言葉から容易に推し量ることができるように、その教育は、授業と行事を軸にしながら、価値の高い芸術や文化を子どもに与えそして獲得させようとするものである。しかし他方で、質的に高い文化を子どもに与えればよいと、単純に考えているわけではないことも確かである。

「選び出された教材も、そのままではまだ教材としての価値を生み出してはいない。やはり選び出した学校なり教師なりが、実際に授業のなかに持ち込み、実際に効果をあげてみることによって、はじめて教材としてのいのちを持ってくる。したがって選び出された教材は、かならず授業という事実にあてはめてみなければならない。[13]」

文化的素材としての教材は、単にその文化的価値の高さによってだけではなく、子どもとの関係を通して教育的価値が確認されることによって、その価値が決まるというのである。にもかかわらず、子どもになによりも教材のもつ文化的価値と直面させていくことを、徹底して重視しようという基本姿勢があることは否めないのである。

教材の質が高いか否かは学校や教師が決めるものであると言われるが[14]、授業においては教師と子どもは協働者となる。斎藤は、従来の教育を、「教師だけが真理とか正しさとか真理に向かうねがいとかを持っており、それを一方的に教師が子どもに教えていくという考え方を持っていることが多かった」と批判したうえで、次のように語っている。

---

[12] 斎藤喜博『教育学のすすめ』筑摩書房、1969年、p.107.
[13] 同上、p.109.
[14] 同上、p.108.

「真理とか正しさを持ち、真理とか正しさに向かうねがいを持っている教師と子どもとが、文化遺産である教材を媒介にして、教師と子ども、教師と教材、子どもと子ども、子どもと教材とのあいだで、相互に激しくぶつかり合い、その結果として、つぎつぎと新しい正しさとか真理とかを獲得したり発見したりしていくことが、『指導』ということであり、『教える』ということであり、『学ぶ』ということである。[15]」

教師と子どもとは互いに文化的価値と格闘し合いながら、なによりもより高い文化的価値の実現と獲得をめざして、緊張関係をもちながら協力しあい切磋琢磨していくのである。

もう一例、芸術的文化的価値の実現をめざす教育として、その特徴をより端的に表わしている山梨県巨摩中学校の実践に触れておきたい。巨摩中学校は、1960年代半ばから70年代半ばまで、芸術教育を重視した学校づくりを進めたとして知られている。この巨摩中学校の学校づくりの中心を担った久保島信保は、その教育の全体像を次のように語っている。

「巨摩中の授業が現在のような子どものためのものになるためには、教師の教育に対する思想の変革を思わなければならない。子どもたちを解放することからはじめて、芸術教育によって子どもたちは自己の目やからだを通して考えたり、創造することの喜びを知った。人間にとって文化とは何かという、文化に対するあこがれが根づくようになった。このことは、当然教科で何を教えなければならないかという教育の基礎の問題につきあたらざるを得なかった。

子どもたちが自由になり、より高い文化を渇望するとき、一時間一時間の授業は、吟味され、準備されて、子どもの知識になるように創られていく。この過程こそ、もっとも教師集団が結束してなしえたことのように思う。[16]」

このように巨摩中学校の学校づくりは、芸術教育を土台にしながら、子どもたちの文化に対する要求やあこがれを生み出し、より高い質の文化の実現と獲得を求めるものだった。久保島によれば、こうした学校づくりは、「先生だけでなく子どもたち同士にまで管理されてしまう」ような、生活指導を主軸にした教育の否定から生

---

[15] 斎藤、前掲書[12]、p.71.
[16] 久保島信保『ぼくたちの学校革命』中公新書、1975年、pp.116-117.

まれた。したがってその教育実践の進展に伴って、生徒会の必要も否定されていったという。

「学校全体が、教師と子どもで何かを創造していく場になってきた。授業も、春の遠足も、合唱大会も（…引用者中略…）すべて子どもと教師による合作である。この一つ一つをできるところまで高めてみようと、一年中活動がくり広げられる。

もはや、生徒会が存在する必要もなければ、存在する場所もない。すべてが自発的であるし、すべてが自治的なのである。（…引用者中略…）かつて生徒会があったとき、生徒の手による運営として、何が残ったであろうか。生徒会は、自らの手で自らを拘束し、伸びるべき生命をつみとる役をしていた。（…引用者中略…）子どもたち全体で何かをしようとするとき、それに必要な組織をつくるけれども、そのことが終れば消えてしまう。学校には組織はいらないと考えている。[17]」

学校とは、教師と子どもがともに力を合せて、自発的に自由に文化を創造していく場なのである。生徒会をはじめとした既成のあるいは固定された組織は、そうした自由で自発的な活動の発展を束縛してしまうものなのであり、必要な時に一時的に必要な組織をつくる以外は、学校に組織は基本的に必要ないと考えるのである。

このような斎藤喜博や久保島信保の議論に見られるように、なによりも高い芸術的文化的価値の実現を追求する学校づくりにおいては、教師と子どもとは、相互に緊張関係をもちながらも、同等にそれらの価値の実現をめざすのである。その場合に、たとえば久保島においては、生徒の自治的組織としての生徒会が否定されていた。芸術的文化的価値の実現を追求する学校づくり実践の多くが、このように明確なかたちで恒常的な自治的組織を否定するというわけではない。むしろそれは少ないと言えよう。だがこうした教育実践においては、冨田博之の議論にも見られたように、学校教育の構造の中での教科指導と教科外活動の性格や役割の違いを、明確に区別しながら教育活動を進めるという視点が希薄なことは認められるのである。教師と子どもがともに、高い芸術的文化的価値の実現をなによりも追求していくのであるがゆえに、基本的には教科教育も教科外教育も同一の目的と役割を担うのである。

---

[17] 同[16]、pp.44-45.

②普遍的な芸術的文化的価値の追求

文化的価値の実現と獲得を第一義的に追求する教育実践ないしは教育論においては、教科教育と教科外教育とを自覚的に区別するということが希薄であるという特徴をもつことが確認できたが、さらにそこで追求されている芸術や文化の性格も問う必要がある。これらの教育論と重なり合う部分の多い1960年代の教科研究に見られる、教育的価値と文化的価値との関係についての理解の仕方が、そのための糸口になる。この60年代の教科研究とは、教育を学問や芸術の成果と結びつけ、羅列的な知識のよせあつめではなく、それぞれの教科の基礎的で原理的な内容をふまえた構造的で体系的な教育内容を創りだそうとするものだった。

先の斎藤の議論に見られたように、教育の中心を文化的価値の実現におく場合においても、文化的価値が無前提に教育的価値になると単純に理解されていたわけではない。文化的価値は、なんらかの契機をふまえて、教育的価値としてとらえなおされなければならない。たとえば堀尾輝久は文化的価値と教育的価値との関係について、次のように指摘している。

> 「文化的価値はそのまま、教育的価値ではないといわねばならぬ。文化的価値は、発達をうながし、人格形成に役立つものである限り、その子どもにとって教育的意味をもつ。文化的価値は、子どもとかかわるかかわり方、そのときの存在形態を含んで、教育的価値としてとらえなおされる。[18]」

このように文化的価値は、そのまま教育的価値があるというわけではなく、その伝達のされ方といったような.「子どもとかかわるかかわり方」や、文化的価値がそれ独自の体系に基づいて構造化され、そして教育内容として分節化されるといった「存在形態」などをふまえることによって、教育的意味をもちうるのである。

こうして文化的価値は、教育的意味があるかぎりにおいて、教育的価値をもつのである。しかしそのことを踏まえながらも、文化的価値が教育的価値ととらえなおされるうえで、どのような契機を強調するかは、論者によって相違がある。たとえば上記の堀尾は、その契機をたんに文化的価値の伝達のされ方や存在形態におくにとどまらず、なによりも子ども・青年の発達と人格形成との関係という視点で一貫させようとする[19]。他方で、ここで取り上げようとする、1960年代の教科研究に深くコミットした山住正己は、ある文化的価値が普遍的性格をもつ限りにおいて、

---

[18] 堀尾輝久「教育の本質と教育作用」勝田守一編『現代教育学入門』有斐閣、1966年、p.56.

それは固有に教育的価値をもつということを主張するのである。

山住も、教材について論じた際に、まず「文化価値は、ただちに教育的価値ではない」と言う。そして「教育の過程において教材の問題を考えるとき、教師の指導の態度や方向のただしさ、あるいは子どもの学習という観点からいって、それまでの学習のつみかさねや学習の姿勢のただしさなどが、教材が教育的価値をもつための前提であることはたしかである」と指摘する。だがそのうえで、「しかしそれでは、教材自体の教育的価値を明確にすることは不可能であろうか」と問うのである[20]。文化的価値をもった教材が、すなわち教育的価値をもつというわけではない。教材が教育的価値をもつためには、教師の指導が適切であることや、その教材が学習の進展状況をはじめ子どもの生活や発達にとって適していることが必要だというのである。しかしそのうえで山住は、教材という文化的価値の教育的価値は、そのような教師や子どもとの関係を通してしか確定できないわけではなく、その教育的価値を文化的価値固有の論理によって明らかにすることができるのではないかと問うているのである。

すなわち山住は、文化的価値の教育的価値を判別するうえで、子どもとの関わりにおける文化的価値の伝達のされ方や伝達される時の存在形態を問うのみならず、その文化的価値自体の質や内容をこそなによりも重視するのである。結論的に言えば、山住にとって、教育内容が文化の発展の成果も取り入れた普遍的な文化的価値をもっている限りにおいて、それ自体として教育的価値を有するのである。

山住のこの議論を理解するうえで、同氏の戦前日本の教育の評価の仕方、ならびに生活と教育の結合の思想に対する批判的見解が重要である。山住は、戦前の日本の教育と関わって、正当にも次のように語る。つまり公教育はしばしば文化価値から遮断されていると言われるが、明治以降の日本の近代学校においても教科の内容とされてきたものは、他ならぬ文化であり、教育と文化とは否応なく結びついているというのである。しかしながらそこにおいては、教育と文化の結びつきはあるものの、教育が非合理的は道徳教育やナショナリズムと結びつくことによって、近代自然科学や人文科学などを普遍的文化価値として自覚することがなく、しかも文化

---

[19]　堀尾はその後、子ども・青年の発達という視点から、文化価値のみならず既成の教育的価値そのものをも見直そうとする教育理論を展開する（たとえば、『人間形成と教育』岩波書店、1991年、参照）。
　なお、拙稿「思春期における自己の探求と表現―西根一中の実践の検討―」（日本教育学会「現代社会における発達と教育」研究委員会編『現代社会における発達と教育 第四集』 1986年8月所収）は、全体としては、上記の視点から、学校文化活動の中での芸術的表現活動の実践を分析したものと言える。

[20]　山住正己「文化価値と教科の本質」『岩波講座 現代教育学』 第2巻、岩波書店、1960年、p.199.

の各分野の新しい成果は教科内容として無視された、と指摘する。それゆえに「文化価値と教育とを直結させることが必要となる」と主張するのである[21]。

生活と教育の結合に対する見解も注目に価する。まず教材と実用性との関連についてである。山住は、実用性の観点は、コメニウス以来教材選択のひとつの原則になりうるが、それが子どもの認識の発達の可能性を制限してしまうことになる場合には不適切であり、「教材には、より普遍的な文化価値を反映させることが重要な意味をもっている」と指摘する[22]。つまり教材にとって、実用的であるか否かよりも、すぐれた論理的思考能力やゆたかな感受性を育てられることが重要なのであり、そのためには普遍的な文化的価値を内在させていることが必要だというのである。ここには、生活単元学習などの戦後新教育への批判が含まれていると考えられる。

さらに日本の生活と教育の結合の思想を検討するうえで不可欠な昭和初期の生活綴方運動に対しても、次のような限定的な評価をくだしている。

> 「その運動では、生活者である子どもひとりひとりにとっての真実から出発し、国家統制のもとであたえられている教材を、批判的・主体的に学習する態度の形成につとめていた。この児童詩についてのスローガン（「詩人へ里子に出した子どもたちをつれもどそう」─引用者注）も、右のような傾向の克服が当面の目標であるかぎり、進歩的な役割をはたすことができた。しかし、教材を選択し組織するとき、つねにこのスローガンを適用することはできない。むしろ多くのばあい、誤りでさえある。科学者や芸術家などそれぞれの文化の専門家の協力なしには、教材の編成は困難である。[23]」

子ども一人ひとりの生活現実とそこでの生活感情や生活意識を契機にして、国家的に統制された教材に対する批判的で主体的な学習をうみだしていくという限りにおいては意義があるが、本格的に教材を選択し編成していく場合においては、そうした生活との結合を主張することは誤りであるというのである。このような山住の、生活綴方教育をはじめとした、生活と教育の結合を主張する教育に対する批判的評価は、単に教材編成の場合に限られたものではない。たとえば芸術教育分野においても、昭和初期から戦時下にかけて展開された芸術教育と生活を結びつけようとし

---

[21] 山住、前掲書[20]、p. 210-211.
[22] 同上、p. 200.
[23] 同上、pp. 202-203.

た生活画や「音楽の生活化」が支配的な政治体制に組み込まれていった歴史を指摘し、改めて生活との結合を強調しようとする戦後の美術教育や音楽教育の傾向に対して、芸術教育としてゆきづまるものだと批判する。そしてなによりも「芸術そのものの本質に接近すること」を主張するのである[24]。

山住にとって、生活と教育の結合が依拠しようとする生活現実やそこから生まれる生活感情や意識は、歴史的に見ても結局は時代の変化に応じて流動化するものなのであり、教育が依って立つ根拠にするには、最終的には信頼できない脆弱なものだ、と理解されていたと考えられる。したがってそれとは異なって、教育は、芸術や文化の発展の成果を含む普遍性をもった芸術的文化的価値にこそ依拠しなければならないというのである。

教育の中心を芸術的文化的価値の追求におく教育実践や教育論において念頭におかれている芸術や文化の性格を明らかにするために、とくに山住正己の教育と芸術・文化との関係についての議論に焦点をあてて論じてきた。当然ながらこれまで取り上げてきた論者の間で相違があることは確かである。たとえば、冨田博之は教科外活動を主な立脚点にしながら学校全体での自由な芸術・文化の創造を強調し、斎藤喜博はなによりも授業のあり方に重点をおき、そして山住は教科教育を中心に、そこで追求される芸術や文化の質や内容を重視するのである。しかしながらそれらは教育において芸術や文化の価値の実現や獲得をとりわけて重視する点では共通していた。そしてそこでは、山住に端的に見られたように、教育的価値としてとらえなおされなければならないとしても、教育を含む他の諸価値に対して独自な、そして人間にとって普遍的な価値をもつと性格づけられた芸術や文化の創造と獲得がめざされたと特徴づけることができる。

2 学校文化活動の教科外教育としての独自な意義

(1) 学校文化活動の独自性の追求

ここで再び、能重の文化活動の実践に立ち戻ってみたい。そこでは、脚本選定委員の生徒たちが「あこがれ」を推薦したのに対して、能重が「ベニスの商人」を提案し、討議を経て後者が上演されていったわけだが、冨田によれば、こうした能重

---

[24] 山住正己「近代日本の芸術教育」『岩波講座 現代教育学』第8巻、岩波書店、1960年、pp. 49~62参照。

の演劇活動の実践は、教育的意図のもとに生徒の自発的で正当な意思を尊重しないばかりか、教師として脚本を文学作品として理解しようとする姿勢を欠いており、そのことによって自由で創造的な文化活動を不可能にするものだった。

しかし能重の脚本に対する理解がはなはだ不十分だったとは、必ずしも言えない。冨田は「『ベニスの商人』の翻訳者による違いをまったく問題にしていないというのも気になる」と指摘していた。「ベニスの商人」は、19世紀以来悲劇として解釈されるようになるが、そもそもは喜劇としてつくられたのであり、解釈に違いがうまれることは確かである。しかしそのことは能重自身も自覚していた。「恋愛喜劇として上演するには、『法定の場』だけ切りはなしたのでは、その効果は半減する。シャイロックが主役でないことも事実だ。にもかかわらず、わたしは『シャイロックの芝居』を、それも悲劇として演じさせてみたいという誘惑を、おさえることができなかった」と説明されている[25]。また、この「ベニスの商人」の翻訳者である中野好夫の次のような指摘を見ても、そのように悲劇として解釈し上演することは、不当ではない。

> 「19世紀以来シャイロックのいわば定石ともなっている、彼をほとんど宿命とも思える悲劇的人物とする解釈についてだけは、一言しておく必要があろうか。座付作者であるシェイクスピアが最初に構想したシャイロックが、決してどんな意味でも看客(ママ)の同感を要求するような悲劇的人物でなかったことは確実である。(…引用者中略…)では、いずれが果たしてシェイクスピアのシャイロックであるかという問題が残るのだが、たとえ作者の意識的作意がどうであったにせよ、今日わたしたちが『ヴェニスの商人』を読んで、シャイロックをもって単に嘲笑的劇画にすぎぬとするものはほとんどいまい。(…引用者中略…)文学においては作者が必ずしもその創造人物を支配しきれるとはかぎらぬ。いや、むしろ反対に、被創造人物が作者を押し流し、振りまわしている場合だって決して珍しくはない。[26]」

だが、このように「ベニスの商人」に対しては一応の理解をしていた能重ではあるが、一方の「あこがれ」という作品に対しては、冨田が指摘するような歴史的位置も含めて、十分に理解していたとは言い難い。しかし能重があえて「あこがれ」に

---

[25] 能重、前掲書[1]、p. 113.

[26] 中野好夫「ヴェニスの商人 解説」『ヴェニスの商人』岩波文庫、pp. 202-203.

対して「ベニスの商人」を提案したのは、独断的な教育的意図からではなく、生徒との関係によると考えられる。

能重がまず問題にしたのは、「あこがれ」という作品の内容よりも、それに対する生徒たちの関心の所在である。能重によれば、生徒たちがこの作品に魅力を感じたのは、その内容よりも、上級生が2年前に上演した際に「アドリブをまじえてのドタバタ劇」となり、それが当時の生徒たちに「受けた」からである。実際に、脚本選定委員から示された提案理由には、「一昨年の文化祭で受けた劇である」という点が第一に挙げられていたが、作品の内容についての言及はなかった。それに対して能重は、討論の場で、次のように発言したという。

> 「『あこがれ』という劇は、(…引用者中略…) 中学生の男女交際のあり方を考えようというものだが、そのこと自体には問題はない。しかし、みんなの関心は、客席の後方から走ってきて舞台へかけあがってケンカをする場面や、学級の帰りの会の議長の女生徒が、『あたしはねえ、好きでやってるんじゃないんだ』とか『なんだい、ちきしょう』とか『なんだい、なんだい、やんのかい!』なんて台詞にあるのだろう。だとすると、そんなの演劇でもなんでもない。文化なんてよべるもんじゃない。[27]」

このように能重が「あこがれ」上演に批判的だったのは、生徒たちの関心がその内容とは別のところにあったからである。しかし上演に向けての過程で、生徒が内容に目を向け、理解を深化させていくことは可能なのであり、その作品を選択することは一概に否定されるものではない。にもかかわらず能重はあえて対案を提出した。だがそのことによって、能重の芸術作品に対する理解が浅いとか、その個人としての文化観が固定的である、あるいは生徒の意思を軽視する姿勢が見られるなどと、単純に断定することはできない。能重が「ベニスの商人」を強く提案したのは、なによりも学級の現状に対する能重自らの判断によると考えられるからである。もし担任する学級が直面している課題にとって、「あこがれ」という演劇のもつ形式と中学生の友情や異性に対する悩みに焦点をあてた内容がふさわしいと判断された場合には、その上演を肯定するのではなかろうか。実際に能重も「(「あこがれ」は—引用者注) 学校劇脚本集にある劇なので、わたしが反対しなければならないような内容のものではなかったが、文化とは何か、演劇活動とは何なのかという本質にかかわ

---

[27] 能重、前掲書[1]、p. 109

るところから、学級として劇を上演することの意味を考えさせなければと考えて、わたしはあえて対案を出した」と記していた[28]。そして学級討議の場で、「ベニスの商人」が高い文化性をもっていることと、劇はおもしろいと同時に強く訴える内容がなければならないということを主な理由として提案し、さらに「文化は人間が人間らしく生きるための基本的条件だといってよい。音楽も文学も演劇も、そういう人間が人間らしく生きるためにあるものだ（…引用者中略…）三年五組には、三年五組という学級の質にみあった文化がなければいけないだろう」と発言したのである[29]。

以上から理解されるように能重は、単に個人の文化観を押しつけたとは言えず、またより高い文化的価値の実現を否定するわけではないが、なによりも学級の現状とのかかわりにおいて、「ベニスの商人」を悲劇として演じることを選択し、演劇活動に取り組んだのである。

学校での芸術文化活動は、ともすると一般の芸術や文化の価値基準に則って評価される。しかし教師が、とくに教科外の文化活動に取り組む場合には、芸術や文化諸分野の専門家が普遍的価値をもつ芸術文化の創造をめざすのとは性格の異なる独自性があることが自覚されなければならない。それは、学校で行なわれる芸術文化活動は基礎的なものであって専門的なものではないとか、あるいは学校においては文化的価値の実現よりも教育的意義が優先されるといった、従来からも指摘されているような「独自性」を挙げようというのではない。その「独自性」の限りでは、結局は、学校での芸術文化活動を普遍的で専門的な芸術文化と比べて低次なものと位置づけたり、教師を芸術や文化の専門家よりも下位に置くことになりかねないからである。教科外の文化活動を、芸術や文化の一般的で普遍的な価値基準から評価するのでもなく、また上記のような「独自性」からとらえるのでもない、教師が取り組む積極的意味を含んだ真の独自性が明らかにされなければならない。子どもとの関係において、そして学級や学校の集団とのかかわりにおいて進められる生活指導としての文化活動には、このような独自の性格を明らかにするうえで、読みとるべき示唆が含まれていると考えられる。

(2) 生活指導としての文化活動

ところで、上記の能重の文化活動実践が行なわれた時期は、能重もその中心メン

---

[28] 能重、前掲書[1]、p.101.
[29] 同上、p.110.

バーとして参加している全国生活指導研究協議会（以下「全生研」と略す）が、生活指導における文化活動の位置づけを変更する過渡期にあたっていた。1959年に生活指導にかかわる研究者や教師によって結成された全生研は、1978年に「集団の民主性と文化性の統一的発展」という視点を掲げ、「集団づくり」の手段としていたそれまでの文化活動の位置づけを大きく変更した。

全生研は、1971年に『学級集団づくり入門　第二版』を著し、その理論的骨格を明確にした。そこでは生活指導を、はじめに指摘したような陶冶と訓育という教育のふたつの機能のうち、後者の人格形成を担う訓育を主たる役割とする教育活動として位置づけ、そしてその指導を学校においては主に教科外諸活動において展開するととらえていた[30]。この点で、学校教育の中での領域や機能を明確に区分けし構造化しながら教育活動を進めようとするところに特徴がある。その生活指導概念は、究極的には「行為、行動の指導によって、民主的人格を形成する教育活動である」と定義づけられているが[31]、「民主的人格」というなかでも、とくに近代的市民としての社会的政治的能力の形成が主眼とされていたといってよい。たとえば、生活指導とは「子どもたちに民主的な集団のちからの行使・表現を教えることによって、子どもたちのなかに集団の民主的主人としての自治能力と自覚とを、ひいては、民主的主権者としての統治能力と自覚とを育てあげる教育的いとなみだととらえられるようになった」と指摘されている[32]。つまり子どもの集団の形成を通して、自治能力や統治能力を育てようとするのであり、それは近代市民社会における政治的主体を生みだそうとするものだと言える。

このように教科外活動を主な場とする生活指導の主たる目的を、民主的な集団の生成による民主的市民の形成におくのであるから、当然ながら文化活動は第二義的に位置づけられることになる。この『学級集団づくり入門　第二版』では、「学級集団はその集団のちからを集団の民主的改造に発揮するだけでなく、集団生活の文化的向上にも発揮する必要がある」と指摘し[33]、民主的な集団の形成のみならず、その集団の文化的向上も、生活指導の課題としてとらえている。しかし、文化的活動の原則として、子どもたちの一時的なあるいは自然成長的な欲求に追随するような「児童中心主義的な文化活動」ではなく、質の高い文化活動を組織していくことを挙げると同時に、文化的活動を「学級集団の民主的改造の必要と課題とに結びつけて

---

[30]　全生研常任委員会編『学級集団づくり入門　第二版』明治図書、1971年、pp.18-19.
[31]　同上、p.18.
[32]　同上、p.1.
[33]　同上、p.226.

組織されねばならぬ」と主張している[34]。つまりあくまでも民主的な集団の形成と結合させて文化活動を位置づけるのである。また教科指導との関係も含んで、次のようにも指摘されている。

> 「文化的活動の質的向上を教科指導的に追求することは誤っている。いうまでもなく、文化活動の質的向上のためには教科指導の援助を受けることは必要であり、教科指導との交流は必要であるけれども、生活指導にあって大切なことは.文化的に低俗な生活にあまんずるものたちと文化的に高い生活を獲得しようとするものとのたたかいを組織していくことであり、そのことによって集団の民主的発展と改造を推進していくことである。[35]」

ここにも、教科指導と教科外活動の性格とを明確に区分けしようとする意図が見られる。教科指導は、あくまで教師の指導に基づいて、知識・技能といった文化の陶冶を目的とするものなのであり、それに対して教科外活動としての生活指導は、教師の指導はあったとしても、なによりも教師—生徒の関係の変革を展望する生徒集団による自治的活動の確立を求めていくものなのである。そして教科外の文化活動は、その質的向上のために教科指導と一部結びつくとしても、教科指導の論理が貫かれるのではなく、民主的な集団による自治的活動の発展という目的の下に行なわれるのである。

したがってこの生活指導論において、文化活動が相対的に低い位置におかれ、民主的な集団の形成の手段としてとらえられ、「集団づくり」の目的に従属していたことは否めない。そのような文化活動を、芸術や文化がもつ固有の価値を尊重していないという視点で批判するのはたやすい。しかし少なくとも、教科指導と教科外活動とは異なる性格をもつととらえていたこと、そして教科外の文化活動においてもっぱら芸術的文化的価値の実現を求めようとすることに対しては自覚的に否定し、文化活動を自治的活動の発展と切り離すことなく追求しようとしていたことには着目しておきたい。

ところで、このように文化活動を「集団づくり」の手段ととらえていた全生研は、1978年に文化活動の位置づけを大きく変更した。そこでは「すぐれた文化的肉体、文化的伝統をもった子ども集団をつくりださねばならない」と指摘され.「集団の民

---

[34] 全生研常任委員会、前掲書[30]、p.226.
[35] 同上、p.229.

主性と文化性の統一的発展」、そして「自治的活動と文化活動の統一的展開」が主張されたのである[36]。生活指導の目的を「民主的市民の形成」とするところには変わりはないが、文化性や文化活動の位置づけを高めたのである。

全生研の生活指導論を理論的にリードする竹内常一は、この文化性や文化活動の位置づけの変化とかかわって、「これまでの生活指導の実践と研究は、その自治活動をベースにして文化諸活動を発展させていく点については、大まかな実践的原則しか確立できないできた」と指摘したうえで、先の『学級集団づくり入門 第二版』での、次のような「集団づくり」と文化活動との関係把握を取り上げている[37]。

> 「生活指導にあたっては、集団の民主的改造と文化的活動の質的向上が結合されていなければならない。そのばあい、集団の民主的改造、集団生活の向上を追求していくなかから文化的活動を組織していくという文化的活動の組織のしかたと、すでにある文化財をみずからのものにしながら集団生活の文化的低俗さとたたかい、ひいては集団の民主的改造をおしすすめるという文化的活動の組織のしかたとがある。[38]」

これは、文化活動を実際に進めるうえでのふたつの道筋を示したものである。ひとつは、たとえば学級新聞を発行する場合に、学級のための新聞という性格が考慮されていないような一般的な内容になったり、あるいは一部の生徒や教師の私物になってしまうのではなく、学級の民主化や生活の向上と結びついた編集が行なわれる必要があるというように、民主的な集団の形成の課題に直接に基づくかたちで文化活動を行なうという道筋である。もうひとつは、民主的集団の形成と文化活動を結びつけるという視点は堅持しつつも、合唱や演劇のように、文化活動独自の論理に基づいてそれを展開しながら民主的な集団の形成に結びつけていくというものである。これに対して竹内は、次のようなコメントを加えた。

> 「このような集団づくりと文化活動との関係づけの定式化は、日常の教育実践の原則としてまちがっていないが、しかしこの定式だけで文化的諸活動を構想す

---

[36] 全生研「第20回大会基調提案　子どもの発達を保障する集団の民主性と文化性を追求しよう」(『全生研大会基調提案集成　第2集』明治図書、1983年、所収)参照。

[37] 竹内常一「教材文化と教科外文化」竹内著『生活指導と教科外教育』民衆社、1980年、所収、p. 92.(『教育』1978年1月号初出)。

[38] 全生研常任委員会編『学級集団づくり入門　第二版』p.230.

ると、それは集団づくりの手段にしかすぎないような文化的活動に限定される危険性がある。(…引用者中略…)

教科外教育の全校的・学年的編成のためには、右の定式を民主的市民、民主的人格における自治的能力と文化的能力の発達の相互関連性の問題にまで深めてとらえかえしていく必要がある。すなわち、どのような文化的能力を育てれば、それが自治的能力を内側から支えるものになるのか。また、自治的能力はどのような文化的能力を前提とし、かつ統轄するものとしてあるのか。このような一連の問題を子ども・青年の発達に即して究明していくことによって、教科外教育の編成の手がかりをつかまなくてはならない。」[39]

従来のように「集団づくり」の課題と直接結びつけるかたちで文化活動を考えるならば、文化活動の幅が狭く限定されてしまうというのである。その場合、民主的集団の形成と文化活動とが性格の異なる二元的な活動となってしまい、結局は文化活動が集団の形成のための手段になってしまうというのであろう。そこでは自治的能力と文化的能力とが分離されてしまっているのである。そうではなく、自治的能力と文化的能力の発達の深い関連性を明らかにしながら、確かな文化的能力に裏打ちされた自治的能力を形成していかなければならない。そして、そのような視点から新たに教科外教育の内容が構想されなおす必要があるというのである。このように文化的能力と一体となった自治的能力を形成しようというのが、「集団の民主性と文化性の統一的発展」あるいは「自治的活動と文化活動の統一的展開」という主張の主眼とするところであった。

こうした全生研の生活指導としての文化活動論には、文化活動が「集団づくり」の手段と位置づけられていた時においても、また自治的活動と文化活動の統一が主張された時においても、次のような共通する特徴があることが指摘できる。まず教科外活動としての学校文化活動を、教科指導における文化的価値の伝達と獲得とは、性格の異なるものととらえるのである。教科外教育は、たとえ教師の指導があったとしても、最終的には教師対生徒あるいは生徒間の関係の変革を伴う生徒集団による自治の確立を追求し、そのことを通して、自立した市民の共同によって成り立つ近代市民社会を担う政治主体を形成する領域なのである。したがって教科外の文化活動も、芸術的文化的価値の実現をもっぱら追求しようとするのではなく、自治集団や自治能力の形成と結合して進められるべきなのであって、その過程で教師対生

[39] 竹内、前掲書[37]、p.93.

徒あるいは生徒間の関係の変革が生み出されなければならない。そこで求めようとするのは、政治的自治的能力とは区別された一般的な意味での芸術的・文化的能力なのではなく、近代市民社会を担う政治文化を含み込んだ市民としての文化的能力の形成なのである。したがって、生活指導としての文化活動は、学校における教師と生徒との関係をはじめとした自他の関係の変革を不可欠に伴いながら、文化的主体性を形成しようとするものだと言える。そこに、芸術や文化諸分野の専門家ではない教師が、教科外の文化活動においてこそ追求しうる、独自な文化的能力の形成の仕方を見てとることができる。

(3) 民衆文化の大衆的地盤を耕す学校文化活動

ところがこのような近代的市民の形成と結合された文化活動論は、大きな難点に遭遇している。それは、文化活動を民主的集団の形成の手段ととらえるところから、自治的能力と文化的能力との統一を主張するように変化せざるをえなかったという事情の内に見ることができる。実は自治的活動の発展を、それ固有には追求できなくなるという事態が進行したのである。その点について、竹内は次のように指摘している。

> 「現代の子ども・青年の発達にあっては、文化的諸能力の発達のゆがみが自治的能力の発達のゆがみに大きく投映して、自治的・社会的能力の発達のゆがみをこれまで以上に深刻にしている。また逆に、自主的・自治的な子ども・青年集団の不在が、退廃的文化の支配をますます許し、子どもの文化的諸能力の発達をいっそうゆがめている。
>
> このような問題状況のなかで、子どもの人間的発達を擁護していくためには、生活指導はこれまでにもまして自治活動と文化活動との統一的展開をすすめ、民主的で文化的な子ども・青年集団の創造に自覚的にとりくまなければならなくなった。[40]」

文化的諸能力の発達の「ゆがみ」と自治的・社会的能力の発達の「ゆがみ」とが相乗して両者の発達をますます「ゆがめている」というのである。当然ながら自治的能力は単独に存在しているわけではなく、それにはさまざまな文化的能力が付随

---

[40] 竹内常一「教科外教育をどう編成するか」竹内同上書、p.174.(『日本の民間教育』1978年夏季号初出)。

しており、この文化的諸能力に伴われることによってはじめて自治的能力は存立するのである。そのような自治的能力を成り立たせる文化的諸能力が弱体化することによって、自治的能力の行使や発達自体が困難になっているということである。

竹内は、このような文化的諸能力の発達の問題を「文化としてのからだの未確立」と概念化している。この「文化としてのからだ」とは「からだをとおして自然や社会をつかみ、からだをとおして仲間とひびきあえる『わざ』をうちにふくんだ」ものだと説明する[41]。また子どもの発達のしかたの変化とかかわって、次のようにも指摘している。

> 「能力面で目につくのは、『文化としてのからだ』という言葉で総括されている身体を軸 とした労働能力、自治的能力、感応・表現能力の発達のおくれ、ゆがみ、くずれです。それに加えるに、感応・表現能力と認識能力を結合する言語能力の発達のおくれ、ゆがみ、くずれです。これらの能力の未発達のために、子どものからだとこころが外に開かれてこないという状況があります。子ども自身の内部に子どもを外側に押し出していく力がないんですね。[42]」

ここでは身体とかかわる諸能力と言語能力が強調されているが、そのなかでこの「文化としてのからだ」論が目を向けようとしているのは、表面的に獲得される文化的諸能力ではなく、世界と自己の結び目としての身体の内部に深く刻まれる能力についてである。つまり、自然や人間との交渉をとおして文化的諸能力が深く刻印されるかたちで形成される身体という、表面的な諸能力の基底を成すような層に目を向けているのである。そうした身体が十分には形成されないために、他者とコミュニケートできず、学習面でもさまざまな難点が生じるのみならず、自治的活動の成立が困難に陥るのである。

それまでの生活指導論においては、自治的能力に付随し、そしてそれを支える、こうした身体に刻印された文化的諸能力を暗黙の前提にして、自治的活動を固有に発展させようとしていたと言える。しかし自治的活動の発展を固有に求めることの困難のなかで、「自治的活動と文化活動の統一的展開」を主張し、自治的能力とそれを裏打ちする文化的能力との関連性を明らかにしながら、両者を密接に結びつけなが

---

[41]　竹内常一『教育への構図』高校生文化研究会、1976年、p. 44.

[42]　竹内常一「学校の文化性を問う」竹内前掲書、pp.60~61.（『生活指導』1978年4月号・5月号初出）。

ら発達させるような実践方向を探ろうとしたのである。だが、近代市民社会を担う政治的主体を形成する自治的活動の発展を求めることの困難に直面し、その活動を進めるうえでの基本となる諸能力の形成に目を向けるということは、単に自治的能力を、それを成り立たせる文化的能力で補完するというような修正にとどまるものではなく、理論と実践の枠組みの根本のところでの問い直しが必要とされる事柄なのである。

共同性の次元から生活指導の新たな実践構想を探る藤本卓は、次のようにそれまでの「集団づくり」論の主眼を明らかにしつつ、その難点を指摘している。

> 「『集団づくり』の構想は、子ども・青年が抱える諸問題を“公的地平”での自治的活動によって解決していくよう導くことを、当初からの課題にする。筆者のシェマでいえば〈社会的矛盾〉(ソーシャル・コンフリクト)を〈私的紛糾〉(プライベート・トラブル)に閉塞させず、〈公的争点〉(パブリック・イシュー)として集団的にとりくみ解決することを目指す。つまり、“討議と決定”にもとづいて、“要求行動”をとおして問題解決に迫るよう指導するというわけである。ところが今日、この回路では、子ども・青年の抱える“問題”の芯を揺することができない。そして、肝心の“公的世界”が豊かに拓かれてこないのだ。しかも、強いてそれを追求しようとすれば、手法の形式化をへて、旧き『啓蒙主義』や『心情主義』に先祖返りする、というのがこの間の実践動向ではなかったか。[43]」

民主的集団の形成を求める「集団づくり」における自治的活動は、公的な領域の次元での取り組みという性格をもっていたというのである。自立した市民社会が生まれていくためには強靭な公的な世界が形成される必要があることは確かである。「集団づくり」の実践は、公的な次元で取り組まれる自治的活動を通して、このような国家からもそして私的領域からも独立した公的な市民社会の創造をめざしたものだと言えるが、そうした自立した市民社会の形成が不十分な日本社会においてそれを求めようとした教育的眼目の意義は大きい。しかし今日、自治的活動を公的な次元の枠内で想定し取り組もうとしても、公的な世界を豊かに形成していくことには直接つながってはいかないというのである。自治的活動が成り立たないことの責を、

---

[43] 藤本卓「共同の世界に自治と集団の新生をみる」『高校生活指導』104号、1990年5月、p. 9.(『藤本卓教育論集―〈教育〉〈学習〉〈生活指導〉―』鳥影社、2021年所収、p.283.)。なお、以下の本論における共同の世界への着眼は、藤本の諸論稿に負うところが大きい。

子ども・青年の発達上の問題に負わせるよりも前に、その理論と実践の枠組みが問い直されなければならないのである。したがって自治的活動の成立の困難さを前にして、自治的能力とそれを支える文化的諸能力との深い関連性を明らかにしながら、両者の統一的な発達をめざそうという方向は認められるが、その自治的活動や自治的能力を公的な次元に限定したままであっては、公的な世界を豊かに生み出していく道は根本においては切り開かれてこないのである。そこで藤本は、公的な領域と私的な領域がともにその上に成立する「共」の領域に着眼し、その「共」の領域を耕すことを基本的な課題として提出する。

社会教育の分野ではあるが、文化活動の側面から「共」の領域に着目したものとして、北田耕也著『大衆文化を超えて』を挙げることができる。それは、「資本によって大衆向けに大量生産された文化的消費財と、それを中心とする生活の生み出す行動様式と価値表現の総体」としての大衆文化の支配を批判し超克するような、「民衆の労働と生活のなかから生み出された行動様式と価値表現の総体」としての民衆文化の創造のなかで[44]、「民衆の一人ひとりが文化の継承と創造において主体的な存在になる」道筋を明らかにすることを課題としていた[45]。つまり民衆＝文化的主体の形成の道筋を、対抗文化としての民衆文化の創造のなかで探ろうとしているのである。そしてこのような文化的主体を形成する場として、「共」の領域に着目する。

> 「いわゆる『公共の論理』は（その機能の上からいえば）、プライベートに対する単なる対立概念としてパブリックを位置づけるのではなく、個に優先し個を制約する上位概念としてパブリックを打ち出すのであって、状況によっては、プライベートの完全な否定も起こりうる。
>
> コモン＝『共』の論理は、プライベートとパブリックの矛盾・対立を止揚したところに成立する、これも行動上の実際的なはたらきをもつ。
>
> 地域社会の諸矛盾は、プライベートとパブリックとの矛盾といった問題にとどまらず、プライベート相互の対立をはらむものであり、その双方を含んで課題を解く立場は、コモン＝『共』でしかありえまい。地域住民が、それを、思索と行動の準拠基準として選びとることが自治能力を身につけるということであり、それに基づいて、ひとつひとつの問題の解決をはかっていくことが地域の変革、ひいては地域の民主的な再編成に通じるのである。[46]」

---

[44] 北田耕也『大衆文化を超えて――民衆文化の創造と社会教育』国土社、1986年5月、pp.9-15.
[45] 同上、p.206.
[46] 同上、pp.134-135.

パブリック＝公的領域とプライベート＝私的領域とが対立しているかぎりにおいては、前者は後者を抑圧するばかりか、容易に国家の論理に吸収され私の否定へと導く。それに対して改めて私的領域の強化・拡大を設定するのではなく、公的領域と私的領域の間に位置するコモン＝「共」の領域の確立を求めるのである。この「共」の論理に依って立つことによって、住民は、公と私の矛盾や私相互の対立を越え、地域の民主的再編成に通じる真の自治の確立に向かうことができるというのである。その際、「芸術文化活動は、地域に、感動によって結ばれた『共』空間を創り出す」（傍点―引用者）のである[47]。

教科外教育が、教師と生徒の、そして生徒間の関係の変革を不可欠に含みながら、強靭な「共」の次元の自治領域の形成をまずもって求めるものであるとすれば、そこでの文化活動は、その自治に文化的内実を与えるところの民衆文化として存立しなければなるまい。それは、民衆文化の大衆的地盤を耕すという方向に定位された諸活動の展開を通して、文化的主体性を形成するものだと言えよう。

その場合に、文化活動における芸術や文化の性格も見直されなければならない。このことを考える上で、鶴見俊輔がかつて提起した「限界芸術」概念は改めて注目に価する。鶴見は、芸術を次のように３つに分類する。

> 「今日の用語法で『芸術』と呼ばれている作品を純粋芸術（Pure Art）とよびかえることとし、この純粋芸術にくらべると俗悪なもの、非芸術的なもの、ニセモノ芸術と考えられている作品を『大衆芸術』（Popular Art）と呼ぶこととし、両者よりもさらに広大な領域で芸術と生活との境界線にあたる作品を『限界芸術』（Marginal Art）と呼ぶことにしてみよう。
>
> 純粋芸術は、専門的芸術家によってつくられ、それぞれの専門種目の作品の系列にたいして親しみをもつ専門的享受者をもつ。大衆芸術は、これもまた専門的芸術家によってつくられはするが、制作過程はむしろ企業家と専門芸術家の合作の形をとり、その享受者としては大衆をもつ。限界芸術は、非専門的芸術家によってつくられ、非専門的享受者によって享受される。[48]」

鶴見は、芸術を「純粋芸術」と「大衆芸術」そして「限界芸術」の３つに区分す

---

[47] 北田、前掲書[44]、p.171.
[48] 鶴見俊輔「芸術の発展」『講座現代芸術』第一巻、勁草書房、1960年７月（同『限界芸術』講談社学術文庫、1976年、所収、p.13）。

る。「限界芸術」は、他のふたつと異なり、芸術と生活の接点に存在し、専門家ではない者によってつくられそして享受されるというのである。子どもの生活と結びつき、そして芸術の専門家ではない子どもと教師によって創造され享受される教科外の文化活動の領域とは、まさにこの「限界芸術」の領域にほかならない[49]。しかもこの「限界芸術」は、決して価値の低いものではない。逆にそれは、そもそも芸術の起源を成し、そして芸術の発展の土台となる広大な領域を形成するものなのである。鶴見は、「純粋芸術」と「大衆芸術」の拡大と両者の分裂が顕著な時代に、この「限界芸術」に着目することによって、そこから芸術と文化の転換を展望しようとしたのである。次のような「限界芸術」の機能についての言及は、そのことを端的に示している。

> 「限界芸術の諸様式は、芸術としてのもっとも目立たぬ様式であり、芸術であるよりはむしろ他の様式に属している。この特殊な位置のゆえに、限界芸術のことを考えることは、当然、政治・労働・家族生活・社会生活・教育・宗教との関係において芸術を考えていく方法をとることとなる。芸術を純粋芸術として考えていくことが、芸術を他の活動からきりはなして非社会化・非政治化してしまうのとちがい、また芸術を大衆芸術として考えてゆくことが、芸術を他の活動に従属し奉仕するものとして過度に社会化・政治化してゆくのともちがって、芸術そのものの観点につきながら他の活動の中に入ってゆき、人間の活動全体を新しく見なおす方向をここから見出せるのではないかと思う。[50]」(傍点—引用者)

純粋芸術は近代的概念としての「美」と「芸術」の領域に隔離され、自立的で普遍的な価値を与えられて中立化されると間もなく、商品化と資本の論理に包摂されてしまった[51]。他方大衆芸術・文化は、生活の隅々にまで浸透し、快楽の中に人々を囲い込み、そして人々が率先して喜んで下から支配を支えるようなメカニズムを

---

[49] 先に取り上げた冨田博之も、学校文化活動と「限界芸術」との関連性を指摘している。しかし冨田の場合は、主に両者の領域としての共通性に対しての指摘にとどまり、「限界芸術」の芸術としての特殊な性格や機能を、十分には概念化しえなかった。そのため学校文化活動を含む「限界芸術」の歴史的、社会的意義を照し出しえていなかった(冨田前掲書[4] pp.73-79.参照)。

[50] 鶴見、前掲書[48]、p.35.

[51] 長田謙一「近代市民社会における『美的なもの』の運命と教育」東京芸術大学美学研究室編『美学・芸術学の現代的課題』玉川大学出版、1986年、参照。

生み出した[52]。それらに対して「限界芸術」は、芸術としての視点を貫きながらも、労働や生活そして教育をも含む人間活動全体の日常的状況を問い直しそして転換させる契機を創出するというのである。民衆文化がこうした働きを自らのものにしたとき、はじめてそれは真に民衆文化としての実質を獲得したことになろう。

したがって「限界芸術」としての学校文化活動が追求する芸術・文化は、普遍的な価値をもつそれらとは性格を異にするのである。そして教科外という特段の位置をもつ学校文化活動は、生活と結びつくと同時に日常の生活や教育の状況を問い直す質をもつ民衆文化の創出をめざすなかで、人間と人間との関係の変革を伴う強靱な共同の世界を生み出すことを通して、現代における人間の文化的主体性の再獲得を展望するものとして位置づけられなければならない[53]。

---

[52] 小倉利丸『アシッド・キャピタリズム』青弓社、1992年、参照。

[53] 全生研は1990年から91年にかけて『新版　学級集団づくり入門 小学校』及び『新版　学級集団づくり入門　中学校』(明治図書)を著し、「集団づくり」論の再構築を試みている。そこでは本論でも取り上げた『学級集団づくり入門　第二版』とは異なって、共同の視点が強調されている。しかし、筆者の見るかぎり、『新版』は『第二版』の何を引き継ぎ、何を転換したのかが、理論的に十分整理されたうえで理論的再溝築が行なわれているとは言えないと考えられる。それと関連して、管見の及ぶかぎりでは、学校文化活動を明示的に民衆文化の創造と結びつけて論じたものとして浅野誠「文化活動の新しい展開」(『生活指導』1991年2月号)があるが、その視点は共有できるものの、現代において学校文化活動を民衆文化の創造として構想することのもつダイナミックな意味を構造的に描きえていないと考えられる。

第4節　学校における芸術教育の性格をめぐって
―山住正己の芸術教育論の歴史的意義と課題―

はじめに

この国の戦後教育における山住正己の芸術教育分野での貢献は、主にふたつの点をあげることができる。ひとつは、芸術教育関係の教育研究運動を生み出すと同時にその発展に力を尽くしたことである。たとえば戦後初期には全体として、音楽教育、美術教育、演劇教育など芸術にかかわる教育を芸術教育と明確に規定する意識は希薄だった。その中にあって山住は、それらが芸術教育として確立する必要性を主張し、1956年の日本教職員組合第６次全国教育研究集会での情操教育から芸術教育への位置づけの転換や、教育科学研究会「芸術と教育」部会の発足に尽力した。さらに音楽教育の会の創設や、日本学校劇連盟から日本演劇教育連盟への発展（1959年）に寄与するなど、民間を中心として芸術教育分野の教育研究運動の確立と発展に大きな役割を果たしてきた。

もうひとつは、その戦後の芸術教育が依って立つべき芸術教育論を提示したことである。この国では、芸術各分野の教育論はさまざまに著されてきたが、芸術教育という包括的かつ基本的な立場から芸術教育理論を探求したものは、歴史的に見ても極めて少ない。そのことが、この国の芸術文化や芸術教育の地盤の脆弱さを表している。山住は、この芸術教育理論の数少ない論者の一人である。そしてその理論は、戦後の芸術教育が立脚すべき基本的な枠組みを示したと言える。そこで、ここではとくにその芸術教育論に注目して、その特徴や歴史的位置を確かめると同時に、現代に残されている課題について考える。

1　芸術教育存立のための基本的立脚点

「芸術教育を進歩させてきた団体あるいは個人にとって　共通の課題であったことは、第一には、子どもの成長の法則をとらえることであり、第二は、芸術そ

のものの本質に接近することであった。[1]」(傍点—引用者)

山住の芸術教育の基本的な考え方は、まずはこの言葉に集約されていると考えられる。『唱歌教育成立過程の研究』(東京大学出版、1967年)、『日本の子どもの歌』(岩波新書、1962年、園部三郎と共著)、『教育内容と日本文化』(青木書店、1977年)など、数多くの芸術教育関係の著書や論文があるが、私の見る限り、その芸術教育の考え方をもっとも端的に示しているのは「近代日本の芸術教育」(『岩波講座 現代教育学 8 芸術と教育』1960年、所収)である。その論文は、「芸術教育は、厳密な意味では戦前にはなく、戦後になって始まったというべきではないか」という象徴的な発言で始まっている。それは、「蓄積されてきた芸術教育固有の価値」と「芸術教育が追求されてきた過程」とを明らかにすることを目的に、明治以降の芸術教育の歴史を検討したものだった。その結論として示されたのが、先の指摘である。

つまり歴史的な検討を通して、一方でそれぞれ特質のある生活や文化の中で生きる子どもたちのもつ感覚・感情に合致しながら、その成長を的確に促すと同時に、他方で芸術としての価値や本質を追求することが、芸術教育が固有に存立しえるための基本となる立脚点であることを示したのである。そこに、子どもの成長と芸術固有の価値への接近との統一という、山住の芸術教育論の基本骨格を見ることができる。

2 「教育芸術」の成立とその克服に向けて

逆に言えば、明治以降の学校での芸術教育は、その固有の立脚点から逸脱した、特殊な性格を帯びていたのである。この国の音楽教育は唱歌教育に始まる。山住の芸術教育史研究の重要な功績のひとつは、この唱歌という学校音楽を生み出していった文部省直轄機関の音楽取調掛の関係資料を東京芸術大学付属図書館から発掘して、唱歌教育が成立した当初から「教育音楽」という特殊な性格をもっていたことを明らかにした点である。山住によれば、この国の芸術教育の特殊な性格とは、その教育が軽視されたということにあるのではない。それは「芸術の民族的伝統と西洋芸術の移入とのからみあいからでてくる」という[2]。

山住が明らかにした唱歌集作成をはじめとした唱歌教育成立をめぐる問題を簡潔

[1] 「近代日本の芸術教育」『岩波講座　現代教育学　8　芸術と教育』1960年、p.61.
[2] 同上、p.26.

に整理するならば、ふたつの点にまとめることができる。ひとつは、形式的な和洋折衷が行われたことである。当時の音楽文化は階級別に分かれ、宮廷の雅楽、武士階級の能楽、町人層での三味線音楽、農民層の民謡、そして子どもたちにはわらべ唄と、多様に存在した。しかし音楽取調掛は、他を排除し雅楽のみを取り上げ、そこにおける呂・律旋法と西洋の自然長・短音階とを同一視してしまうことによって、いわゆるファとシのない「ヨナ抜き音階」を生みだした。しかもそれは、雅楽の中心であった律旋法を軟弱、憂鬱、不健康として否定し、長音階とされた呂旋法のみを選択した。唱歌は、この呂旋法すなわち「ヨナ抜き長音階」に合致した曲を集め、曲とはまったく関係のない日本語の歌詞をつけることによって作成されていった。このような和洋折衷による「国楽創成」を目的に唱歌は成立していった。もうひとつの問題は、加えて文部省によって、徳性の涵養の観点から歌詞の変更や封建的な儒教道徳を説く「五常五倫の歌」などの導入が強制されたことである。たとえば最初につくられた『小学唱歌集』初編に「蛍」としてすでに載っていた「蛍の光」も、「徳性の涵養する目的の唱歌には甚不当」と、文部省の圧力によって草稿段階の歌詞が変更されたという[3]。

このように学校における音楽教育は、その成立の当初から、形式的な和洋折衷と「徳性の涵養」の観点の導入によって、多様に存在したこの国の民衆や子どもの生活の中に生きていた音楽文化から切断され、そして芸術そのものの価値からも離れ、さらに道徳教育の手段という性格を付与されることによって、「教育音楽」という特殊な性格をもつにいたった。それは音楽に限らず他の芸術教育にも共通し、それらは総じて「教育芸術」だった。このようにそもそもが「教育芸術」という特殊な性格を刻印していたことが、一方で「学校唱歌、校門を出ず」と言われるように、学校での芸術教育が子どもや人々から遊離し、他方で唱歌等が「祝日大祭日儀式」や後には国家総動員体制に利用されるなど、芸術教育が国民教化の手段となったことの淵源だということを、山住は明らかにしたのである。そして、「この『唱歌』の誕生は、また『教育音楽』という特殊な世界の形成に大きな役割をはたし、それによって教師は、この世界におしこめられ、芸術音楽そのものの価値から遮断された[4]」、「唱歌教育は、教師が善意から出発し、積極的に新しい小学唱歌を学習してそれを子どもたちに教えていこうとすればするほど、ますます芸術教育ではなくなり、国民教化へ協力するという結果になっていったのである[5]」と指摘した。それは、教育

---

[3] 唱歌教育成立の事情については、『唱歌教育成立過程の研究』および『日本の子どもの歌』を参照。
[4] 「近代日本の芸術教育」前掲書[1]、p.30.
[5] 『日本の子どもの歌』 p.56.

を袋小路に追い込んでしまう「教育芸術」の陥穽を、簡明に描出している。

芸術教育は決して政治的・道徳的価値に従属してはならず、官民を問わずにそれを侵すような兆候に対しては、それを鋭敏に察知し、断じて容認しないというのが、山住の芸術教育論の立場だが、それはこうした芸術教育に関する歴史認識に基づいていた。また同時に、その現実認識の脆弱さを認めながらも大正期の童謡運動等に着目したが、それはその運動がこの国で初めて子どもたちの生活感情や音感に応えながら本格的に芸術教育を樹立させようとしたからにほかならない。山住は、「わらべ唄という民族的伝統と日本の子どもの生活感情とを尊重することは、『赤い鳥』をはじめとする当時の童謡運動の基調となっていた[6]」と指摘し、「今日重要なことは、その後の日本の子どもたちの音楽性の発展をふまえて、この童謡運動がその出発当初において目ざした方向を再検討し、そこから学びながら新しい歌をつくっていくことであろう[7]」と語っていた。1960年代に園部三郎とともに提唱した、現代の子どもの生命力にうったえるような歌曲を集めた歌曲集とわらべ唄を含む系統的学習のための教科書による、いわゆる二本立て方式の音楽教育も、このような大正期の芸術教育運動の本旨を引き継ぎ、この国の子どもの生活感情や感覚に合致すると同時に芸術的価値に迫ることを求める芸術教育論を現実化するひとつの試みだった。

3 芸術的価値の実現を求める「芸術の教育」論

このように山住の芸術教育論の基本的な枠組みは、子どもの成長と芸術固有の価値への接近との統一だった。しかしそこで、子どもたちのもつ感覚・感情に合致しながら、その成長を的確に促すことと、芸術の価値や本質に迫ることとが、単純に二元化されていたわけではない。山住にとって、その統一の要は後者の芸術的価値への接近だった。

この点を確認するために、その文化的価値と教育的価値との関係に関する理解の仕方に着目してみたい。それは単に芸術教育論にとどまらず、科学や文化と教育との結合を主張したその教育学全体を特徴づける性格をもっている。たとえば1960年の「文化価値と教科の本質」という論文をとりあげてみたい。そこで山住は、まず「文化価値は、ただちに教育的価値ではない」と指摘しながらも、「しかしそれでは、

[6] 『日本の子どもの歌』 p.98.
[7] 同上、p.110.

教材自体の教育的価値を明確にすることは不可能であろうか」という問いを提出している。この問いは、子どもの発達に適する限りにおいて文化価値は教育的価値になりえるというような、教育的価値をもっぱら教育的関係から規定する考え方には与しえないという山住の理論的立場を表している。山住が依拠しようとするのは、次のように普遍的文化価値だった。

> 「実用性は、教育の目的との関連においては、コメニウスいらいいわれているように、教材選択の一つの原則となりうる。しかし、その場かぎりの実用性で、その後の子どもの認識の発達の可能性を制限してしまうものでは、教材として適切であるとはいえない。教材には、より普遍的な文化価値を反映させることが重要な意味をもっている[8]」

つまり、実用性や子どもの興味・関心に基づいて教材を選択する考え方は、時代の変化に左右され、ひいては子どもの発達の可能性を限定してしまうことになるというのである。そうではなく、普遍的な文化価値こそ教育的価値を保証するととらえる。そしてこのような考え方をふまえて、次のような文化価値と教育との直結や、文化価値への子どもの接近という主張が展開されるのである。

> 「子どもの学習する可能性をゆたかにするという目標からいって、条件のゆるすかぎり、組織立てられた文化価値へ子どもを接近させることが必要となる。[9]」
> （傍点―引用者）

> 「現在、教育と文化価値とを直結させることが重要な課題であるとされている意味を明確にしなければならない。（…引用者中略…）文化の各分野の新しい成果にたいして、それに対応した教科内容が無関心であることはゆるされない。ゆるされないというのは、それが子どもの成長と社会進歩にとって障害になるからである。[10]」（傍点―引用者）

山住にとって、教育と文化価値とを直結させることによって、すなわち普遍的な

---

[8]　「文化的価値と教科の本質」『岩波講座　現代教育学　2　教育学概論Ⅰ』1960年、p.200.
[9]　同上、pp.201-202.
[10]　同上、pp.210-211.

文化価値、とりわけ文化各分野の発展や社会進歩と結びついた文化価値に子どもを接近させることによってこそ、子どもの成長の可能性をゆたかに開くことができるのである。そこに、現実の教育関係に容易には制約されない超越的性格をもった理性を規範にするという、近代的思惟の枠組みを堅持しながら教育を発展させようとする姿勢を見ることができる。

このような考え方に従うならば、子どもの成長に的確に合致することと芸術の本質に接近することという先の芸術教育論を構成するふたつの要素は、決して二元的に理解されることはない。それらは、芸術的価値を志向することを通じてこそ子どもたちの成長の可能性の伸張が図られるという形で統一されるのである。その意味で、なによりも芸術的価値の実現を求める「芸術の教育」論こそ、山住の芸術教育理論の根本的性格だったと指摘することができる。

この「芸術の教育」論に立つがゆえに、山住は、生活と教育の結合の思想とつながる生活と芸術の結合を限定的にしか評価せず、また「芸術による教育」論にも与しなかった。長くなるが、次の指摘はその姿勢をよく示している。

「芸術教育の過程で生活指導を重視する考えの出現は、子どもの現実の直視という点で意味があった。しかし、生活指導が成功しただけでは芸術教育にはならなかった。その一面性の克服のために、芸術の本質への接近が要求された。芸術による教育についてもおなじことがいえる。この場合も芸術自体についての追求が不十分であったし、それどころか、多くのばあい、すでにのべたように、芸術といわれるものが特殊な教育芸術、学校芸術であった。したがって、『芸術教育』をすすめればすすめるほど、子どもを芸術から遠ざけてしまうことが多かった。(…引用者中略…) また他教科や学校行事などさまざまな教育活動のなかで芸術的方法を活用する実践もあらわれてきたが、これは一応別の問題として考える必要があろう。芸術教育軽視という一般的風潮のなかで芸術教育の役割を積極的に主張しようとするとき、ともするとおちいりがちであったのは、芸術教育万能論であった。しかし、芸術教育も科学教育など他の分野と協力してはじめて、教育目標の達成にたいして一定の役割をはたすことができるという考えは、すでに一般的である。ただし芸術教育万能論はまた、科学教育など他の学習領域が不完全なかたちでおこなわれているときにあらわれる。[11]」(傍点—引用者)

[11] 「近代日本の芸術教育」前掲書[1]、pp.6-12.

ここで山住は、３つの芸術教育の形を批判している。それらは、生活と芸術の結合、「芸術による教育」、そして教育における芸術的方法の活用の３つである。学校教育における芸術教育のあり方が本格的に議論され始めたのは、20世紀初頭のドイツでの芸術教育会議を契機にしている。そこでは、「芸術（へ）の教育」「芸術による教育」「芸術としての教育」という今日の芸術教育論を構成する基本的な考え方がすでに示されていた。「芸術（へ）の教育」論が芸術の鑑賞を通して美に対する感受能力を培うなど、なによりも人々を芸術や美に近づけることを目的にするのに対して、「芸術による教育」論は一般的には、芸術活動を通して創造力や表現能力など人格的諸能力を発達させることを主眼とする。この「芸術による教育」論は、この国では社会と教育による抑圧からの解放と子どもたちの個性と創造力の育成をめざした創造美育協会等に代表され、その論旨ゆえに芸術を通して教育全体の改造を求める性格をもっていた。それを山住は「芸術教育万能論」と規定したのである。

教育において科学的・文化的価値への接近を求める山住は、一方で芸術教育に関してはなによりも芸術的価値の追求を重視するがゆえに、当然ながら「芸術の教育」論の立場に立ち、他方で教育全体に対しては、芸術は芸術教科でというように、諸科学はそれに対応した教科の教育で追求されるのが教育の正常な姿だととらえる。したがって「芸術による教育」論は、芸術の本質への接近が不十分で、かつ「芸術教育万能論」だと批判するのである。

また教育における芸術的方法の活用とは、たとえばかつてよく見られた社会科や国語科での劇化など、学習を生きたものにするために芸術的手法を導入することを指す。山住は、それらを否定するわけではないが、それぞれの教科の目的の手段になっているため、芸術的価値の追求を目的とする本来の芸術教育とは区別するのである。

こうした山住が立つ「芸術の教育」論の系譜は、当然ながら戦前まで辿ることができる。たとえば1933年の『岩波講座　教育科学』（第20冊）に掲載された論文「芸術と教育」で、谷川徹三は次のように記していた。

> 「『芸術と教育』の問題は、結局、芸術教育の問題にいたって完結する。しかしこの芸術教育の原理は、芸術の本質的価値の認識から与えられるものにほかならぬ。（…引用者中略…）思うに、芸術教育の原理を正当に与えるものは、芸術の本質的価値であって、その第二義的な諸効果ではないのである。[12]」

この論は、古代ギリシャ以来のヨーロッパの芸術論をふまえ、とりわけ先のドイツ芸術教育会議に見られた経済的効用論や非合理主義的な側面を批判して、改めて芸術の本質的価値こそ芸術教育に正当性を与える原理であることを主張したものである。

このような谷川から山住に連なる芸術教育論は、固有の文化領域として芸術という領域が自立し、あわせて美という自律した価値規範が確立していったことを理論的基礎にした近代の芸術観を改めて確認し、それに則って芸術教育の原理を規定しようとするものである。この芸術教育論は、芸術教育は政治や道徳といった他の諸価値には従属しない芸術独自の価値にこそ立脚しなければならないということを明瞭に示す。それゆえにその論は、そうした政治的・道徳的価値の支配から脱することが歴史的な課題だった戦後の芸術教育にとって、依って立つべき理論的指針になったと言えよう。

4 芸術ではなく芸術教育固有の理論の構築へ

このような山住の芸術教育論が今日に残した最大の課題は、芸術の原理に依存するのではなく、芸術教育としての固有の理論を構築することだろう。つまり芸術ではなく芸術教育独自の理論の探求である。

山住は、1960年代後半から、芸術教育の枠をさらに広げて、美の教育を主張するようになった。それは、芸術美に限らず自然美や技術美など、芸術のみならず生活や環境全般の中に存在する美を感得することを通して、自由と本来の自己を発見し、現状に対する批判精神を拓くことを展望していた[13]。しかしこの美の教育も美的価値への接近を求めるという点で、芸術的価値に迫ることをめざす芸術教育論と、同型の論となっている。実は芸術や美への接近を求める「芸術の教育」論は、厳密に言えば芸術論や文化論はあっても固有の教育理論とはなりえていないと言えるのではないだろうか。なぜならば、それは芸術的・美的価値の実現を志向すると同時に、それを通して芸術や美の担い手を育成するものであるため、芸術の享受論や創造論およびそのための人材育成論は持ちえていても、その限りだからである。

このことを端的に示すのが、芸術の専門家養成と普通教育とを区別できない点で

---

[12]　谷川徹三「芸術と教育」『岩波講座　教育科学』（第20冊）1933年、p.11.

[13]　たとえば「美と芸術と教育」『講座　現代民主主義教育』第4巻、青木書店、1969年（『教育内容と日本文化』青木書店、1977年、所収）参照。

ある。たとえば山住は、「学校教育では、専門家がそのなかから育つという期待をすてず、しかも専門家にならない圧倒的多数の子どもに、芸術に触れる喜びをあたえていくことを目的としており、その場合、教師に、こういう『いい師匠』を得られないとしても、可能なかぎりいい教師を揃える必要がある」と指摘する[14]。山住にとっては、専門家養成と普通教育とを区別することは、教育の水準の差を広げるばかりか、後者をふたたび芸術的価値から遮断された「教育芸術」へと転落させると理解されるだろう。文化的格差や剥奪を許さず、すべての子どもたちに芸術文化の経験を保障するのは不可欠なことである。しかし芸術の専門家養成と普通教育とを同質ととらえる場合、ともすると専門的な芸術を絶対視しがちになり、それがもつ欠陥を批判する視点を確保できないのである。

今日探求されなければならないのは、専門家養成とは区別された、しかし芸術の観点を堅持しながら子どもたちが文化的主体性を獲得しえるような普通教育としての芸術教育である。それは、純粋芸術や大衆文化とも異なって、一般の人々自らが生み出しかつ享受するかたちの、そして芸術の観点につきつつ人間関係を含む社会関係や労働の質さらには既存の芸術・文化や教育のあり方をも問い直すような性格をもった芸術教育であろう[15]。

[14] 同[13]『教育内容と日本文化』p.156.

[15] 先に記した芸術教育論の諸類型の歴史的顛末や今日の芸術教育論の課題については、たとえば拙稿「学校改革運動としての芸術教育」(『演劇と教育』2003年7月号、本書第Ⅲ章第1節)を参照されたい。

第IV章

美術教育論の探求

第1節 子ども自身から生まれる真の表現の探求
—池田栄の児童画教育—

1「教科論」と「新しい生活画」の提唱の中で

(1) なによりも教師の美術教育サークルを基盤に

戦後の美術教育の活動を池田栄は創造美育協会で開始し、その後新しい絵の会の中でその活動を展開していく。しかし池田がなによりも重視し拠点にしたのは千葉の教師たちとのサークル活動である。創造美育協会への参加も、それに対する疑問も、そして新しい絵の会への接近についても、常にその千葉のサークルの教師たちとの話し合いを通して進めていった。その当時の詳細な記録は、『教師の実践記録 図画教育』(三一書房、1956年) 所収論文「集団研究組織をつくるまで」に記されている。一般の教育実践記録が刊行されることはあって、地域の教師のサークル活動の経緯を詳細に記したものは歴史的にもまれである。その意味でも、この池田の論文は注目に値する。

筆者は40年ほど前に、日本の民間教育運動を中心とした美術教育の理論と実践の成果と課題をまとめようとする作業を行った。その際、論文の最後に池田の実践と理論を取り上げ、美術教育理論と実践の発展の契機を生み出す仕事として理解し、とくに池田が絵画表現の創造過程に目を向けて、それを深く探究しようとしていることに注目した。このように美術教育を外在的にとらえるのではなく、創造過程など内在的に理解して美術教育の意味をとらえようとした池田に注目したことは間違ってはいなかったと思われる。しかし当時はまだその美術教育実践と理論の意義を不十分にしか理解できていなかった。本稿では、改めて池田の美術教育の仕事の意義を明らかにすることを試みたい[1]。

---

[1] 拙稿「戦後美術教育論の検討」『東京大学教育学部紀要』第20巻、1980年3月。

(2)「教科論」から「新しい生活画」へ

周知のように新しい絵の会では、1950年代の生活画時代を経て、1960年代には「教科論」が追求された。すなわち日本の教育全体で教育内容の科学化と系統化の必要が指摘される中で、美術教育にもそれらが求められた。この社会的要請に応えるため新しい絵の会では、美術の基礎的能力を、描写力、様々な技術を駆使して画面を構成する能力、そして鑑賞する力の３つに分節化し、教育内容も観察画、主題画、鑑賞の３分野に分け、系統化を進めた[2]。

しかし1970年代に入ると、このような「教科論」の追求が、子どもの自主性や意欲を充分に伸ばす方向になりきらずに、逆に形式的な指導になってしまったと指摘されるようになり、見直しが求められた。その中で、改めて「新しい生活画」が提唱されるようになる。そこでは、たとえば、「日常の自分自身のたとえ小さな生活にも価値を見つけ出したり子どもたちが新しい体験をする中で、人間と人間とのかかわり、人間と自然とのかかわりに感動をもって目を開いていくこと」、その中で「一人ひとりの子どもが個々の生活感情を生み出し、具体的、個別的なテーマを子ども自身が明確につくり、育てること」などが強調されるようになる[3]。すなわち、子どもたちが、日常的な生活の中に感動を持って価値を見い出す中で、一人ひとりの感じ方を大切に育て、そうした感情やイメージを表現につなげていこうという方向である。

(3) 幼児画指導画集の出版と同書のメッセージ

このような「教科論」の見直しの中で、池田は幼児を中心とした一連の美術教育指導法の著作を出版する。すなわち、『年齢別・系統的指導画集　池田栄の幼児画指導』（黎明書房、1976年）や、『幼児の絵の読みとり方・育て方』（百合出版、1978年）

---

[2]　この時期、池田も当然ながらこの「教科論」の追求の中にいたが、しかしたとえば新しい絵の会としてその実践と研究の成果をまとめた『美術の授業　第１巻　小学校低学年』（百合出版、1967年）で、「ひまわりの花」の授業例を掲載している。そこで池田は、「授業のねらい」について、「対象との直面における情感の湧出と直観像のひらめく経験を重視する」、形象化の過程では「対象に直面させて、友だちどおしの、発見のコトバを重視して明らかにする」、「『色感』を中心に対象にかかわらせ、生命感に訴えるその美しさへの感動を高める」（p.83）と記述している。すなわち形に対する認識ではなく、子どもたちの感情や感覚、子ども同士の交流、色彩に対する感覚や感情を重視しているところが注目される。

[3]　新しい絵の会事務局「〈冬期研究会報告〉教科構造の中に“生活”を―創造過程の重視―」『新しい絵の会』1977年冬号、p.12.

である。そこには、美術教育界で今日にも引き継がれてきているほどの大きな影響を与えた題材や指導法が示されていた。たとえば、「さくらのはながちってくる」「コンペイトーもよう」「あじさいのはな」などの題材に見られる〈点描による表現〉、「ドーナッツ」「ひよこさん」など〈やわらかい量感をあらわす表現〉、「おはなをつみにいったぼく」など〈生活の場所と自分の行動を結合してあらわす初歩的活動〉などが内容となっている。

これら1970年代半ばに提起された池田の美術教育教材論や指導法に込められた意味を明らかにすることが、本稿のねらいである。そこに池田の美術教育論の真髄や、今日に引き継ぐべき中心的な内容が示されていると考えるからである。

ところでこの時期に、これらの教材や指導法に関して、当然池田やその他の関係者が、それらの書籍や雑誌に解説などを掲載している。ところが興味深いことに、同じような教材や指導法に関してであるにもかかわらず、その解説や説明の仕方が池田本人においても、微妙に異なっているのである。

たとえば、先の『年齢別・系統的指導画集　池田栄の幼児画指導』には、「ご両親・先生方へ」と題する池田本人によるメッセージと、芸術教育研究所の多田信作による「解説」が載せられている。そこで池田は次のように説明している。

> 「本書を最大限に生かして使うには、系統的な内容と描画手法が変化・発展していく過程をはじめから順を追ってていねいに見ていただき、同時に、それぞれの段階で、どのような基礎的な内容を、どのような形で身につけていったかを『指導の課題と表現内容』を参照しながら理解を深めていただくのがよいと考えます。[4]」

このように池田は、タイトルにもその特徴が表れているが、本書が幼児の美術教育の内容と方法を系統的に示し、それを教師や父母に理解してもらうことを目的にしているというのである。

---

[4]　芸術教育研究所編『年齢別・系統的指導画集　池田栄の幼児画指導』黎明書房、1976年、p.150.
ただし、そのような指摘だけでなく、その後に、次のような言葉も添えている。
「しかし、以上の作業は多分に知識の面にだけ力を注いだ理解になりますので、もっと大切な面として、それぞれの作品をつくった子どもが、どのような生活のなかで目を光らせ、心を開き、新しい解釈をふくらませて自分の画面の世界をつくりだしていったか、その作者の感性や思考の働きそのものを、画像のなかに感じとっていく楽しさを見出していただきたいと願うものです。」
このようにここでは、子どもたちが絵の中に込めた思いを感じ取っていくことの大切さを指摘している。しかし本書の構成や内容を考えれば、明らかに教材と指導法の系統性を強調する形になっている。

多田信作の「解説」では、次のようにまとめられている。

「池田さんの指導の大きな流れを、かいつまんで述べてみます。
まず、題材の組み立てと指導の順序は、静から動へ、動から静へという流れになっていることがおわかりでしょう。それから、単純な形から複雑な形へ、狭い主題から広い主題へ、一つの事物からいくつかの事物の組み合わせへ、それから、点から線へ、線から面へという流れで、きめ細かく指導されていることにお気づきになるでしょう。[5]」

「このような関係を、質・量ともにより深くとらえ、本当に自分の力としていくためには、順序性をもった反復と定着が大切です。[6]」

この多田氏の指摘は、池田氏の指導には法則性ないしは規則性があるという内容である。そしてそのような法則性や規則性を持った描画方法を反復し定着させていくことによって描画能力が身についてくると語っている。

これらの多田の指摘は確かに池田が開発に精力を注いだ一面を明るみに出している。つまり池田は、「教科論」的な美術に関する認識と技術の発達の系統性とは異なる教材や指導法の法則性や系統性を確かに開拓しようとしたからである。

しかし「教科論」的な系統性とは内容的な違いがあるとは言っても、本書に込められたメッセージがやはり美術教育の内容と方法の系統性や法則性の探求を強調することにあったことは明らかである。

2 美的・芸術教育としての美術教育の探究

(1) 美的・芸術教育としての美術教育

ところが興味深いことに、池田は、今取り上げた『年齢別・系統的指導画集　池田栄の幼児画指導』が出版されたのと同じ1976年に、同じ教材や指導法を例に出しながら、ずいぶん趣の異なる論文を著している。それは数回にわたる日・ソ芸術教育シンポジウムの論集として編纂された芸術教育研究所編著『感動と認識の教育』

[5]　同[4]、p.160.
[6]　同上、p.163.

（黎明書房）所収の「子どもの描画能力の発達―色彩教育理論の導入による新しい実験的取り組みの報告―」である。本論では、なによりもこの論文での池田の主張に注目したいのである。

この論文では、池田は「教科論」的な美術教育の内容と方法を常に批判的に言及しながら論じ、３つの角度から美術教育について語っている。

ひとつ目は、美術教育を美的教育及び芸術教育として明確に位置づけることを主張しているということである。たとえば、まず次のような指摘を紹介しておきたい。

> 「子どもたちが（積極的な美しいものの価値を保障できる）イマジネイティヴな創造の活動の経験によって芸術的能力が培われるということは、子どもたちが人間として、社会の一員としての基礎となるところの―感情・知性・想像力の発達―すなわち、理性と感性の統一による美的感受性と創造的想像力の充実した人間として発達する上に、きわめて重要な意義をもっています。[7]」

これは、芸術的な能力を培うことの目的は、何よりも豊かな美的感受性や創造的想像力をもった人間を育てることにあるという指摘である。したがって美術教育の指導のあり方も、そうした美的感受性や創造的想像力を育むという視点から吟味されなければならない。以下の指摘の通りである。

> 「描画能力とは、画面のなかに捉えた現実の内容を鮮明に描きあらわす能力のことです。しかしこの能力の内容は、子どもの認識活動を積極化し、美的感受性と創造的想像力の豊かな発達を保障する美的教育の理論と方法に貫かれた指導によって、はじめて具現し発展が可能になる内容を意味しています。
>
> 能力の特性を狭い意味に捉えて一面化したり、画一化したりして、創造的な認識能力や美的価値観の発展と結びつかない些末な捉え方に陥らないように注意し合っていかなければなりません。[8]」

後段の指摘は厳しい。描画能力を、対象に対する認識力とそれを表す技術力ととらえることは、そうした描画能力を狭い意味でとらえ、その能力を一面化したり画

---

[7]　「子どもの描画能力の発達―色彩教育理論の導入による新しい実験的取り組みの報告―」芸術教育研究所編著『感動と認識の教育』黎明書房、1976年、pp.280-281.

[8]　同上、p.278.

一化してしまうことになるのであり、そのような本質から外れたような理解の仕方では目的である美的感受性や創造的想像力の発達につながっていかないと指摘しているのである。この描画能力に対する狭い技術主義的なとらえ方には、当然「教科論」における理解の仕方に対する批判が含意されている。

これらの指摘に見られるように、池田は、絵を描く能力などを育てる美術教育は、なによりも美的感受性や創造的想像力といった美的・芸術的な能力を育む美的教育及び芸術教育として明確に位置づけられなければならないと確認するのである。そして教育内容や指導法も、その基本となる視点からこそ、その是非が問われなければならないとするのである。

(2) 美的感受性や創造的想像力を育てる教材と指導法の探究

ふたつ目の点は、美術教育は何よりも美的感受性や創造的想像力を育てることを目的とすると言っても、それを理念や、ましてや精神論で終わらせてしまうのではなく、指導法に具現されなければならないと指摘していることである。

池田は、「わたしたちは、先に述べたような美術教育を遂行していくために、美術教育の典型的な指導体系の確立をめざしています。」と言明し、そこで最も強調すべき課題は「『子どもの美的感受性および創造的想像力の発達の可能性が、どのような造形学習手段によって引き出され能力化していくか』にたいする実践的究明」だと指摘している[9]。確かに池田は、必要とされる美術教育を理念として語るだけでなく、それを実際に実現しうる指導体系を求めるのである。しかしそれは、他でもない子どもたちの美的感受性や創造的想像力を育むことを目的とした形での、教材や指導法の解明なのである。この求められる指導法の探求に当たっても、次のように池田の目は厳しい。

「描画能力の発達は、正しく準備された教育体系と系統的な指導によってよりたしかな実りをあげることができます。しかしそれは必ずしも、過去の条件によって形成された法則の適用だけでは、活力に満ちた課題と実践の関係における創造的発展を志向することができません。[10]」

「表現の内容と方法の関係における表現活動の主体（表現者である子ども）と方

---

[9] 同[7]、pp.277-278.
[10] 同上、p.283.

法（その表現手段）の価値についての追求は、長期間にわたって模索の段階にとどまっていた感があります。[11]」

確かに描画能力の発達は体系的な教育内容と系統的な指導によって生み出されるのだが、従来の「教科論」の探求の中で確立されてきたような内容や方法では不可能なのであり、その意味で新しい絵の会でも、子どもが表現の主体になるような指導法はまだ模索の段階に過ぎないというのである。

このように池田は、美術教育を理念で終わらせるのではなく、最終的には教材や指導法の解明を求めるのである。したがって先に取り上げた『年齢別・系統的指導画集　池田栄の幼児画指導』での教材と指導法の探求は、そのための作業だと理解できる。すなわち、その目的は、なによりも子どもの美的感受性および創造的想像力を引き出し育むような美的教育・芸術教育としての美術教育の教材と指導法の探究だったのである。

しかしながら、そうした指導法等の探究が、同書で池田自身や多田が指摘していたような法則化や系統化を進めるような教材や指導法の解明だったかは、以下のような点をふまえると疑問である。

3 表現過程にたいする洞察から真の表現へ

(1) 子どもによる表現過程への着目

３つ目は、徹底して子どもに即して表現の過程を理解していく姿勢を表明していることである。少し長くなるが、この点に関わる池田の一連の記述を紹介したい。

①「一般に習慣化された考え方として、絵がうまくなる順序のようなものが頭にこびりついています。その基準の考え方から多くの子どもたちが『うまく描けたとかうまく描けない』という安直な見方をされてしまいます。こうして多くの場合、描画活動における子ども自身の手段が、子ども自身の生活をとおし、感覚と心の動きが積極的に高まるのではなく、手の働きが内面の動きと離れて形式的、図式的な状態に陥ってしまうという意味で、表現の直截さに欠け、心のはずみ（リズム）が希薄になってしまうために、子ども自身が表現にたいする

[11]　同[7]、p.281.

強い興味と愛着をこめることができないという状態を見受けます。[12]」

② 「筆を動かすという活動が、画面のなかに形づくられていく形象との対応のなかで、肉体の働きそのものとしての触感と運動感をとおしての事物の世界の認識活動として捉えることができるとすれば、同時に、絵の具の色は子ども自身の肌の感覚そのものとして、質量感を反映する精神活動をするという必然的な捉え方ができます。それゆえに色が同時に感情の働き、心を伝える働き（自分の思いの高まりを直截に反映する手段として）豊かな可能性をたたえていることを理解する必要があったのです。[13]」

③ 「リズムは動きであり、動きのなかに、生き生きと現実の動きをとらえ心を伝える画面の世界を形成することは基本的な重要な意味をもっています。[14]」

「本来の子ども自身の生活行動は、リズミカルな自律性そのものから発しており、リズミカルに動く現実のさまざまな現象に強い関心をもって、これをリズミカルな行動によって模倣します。そして快的な点や線や色のリズムを繰り返し活動することによって、画面にさまざまなリズムを構成する能力が築かれていきます。」[15]

①は、子どもたちが絵を描く活動をする上での最も基本的な条件を示している。すなわち、「絵がうまくなる順序」とか「うまく描けたか否か」という見方で絵を見られてしまったら、子どもたちは手の動きと内面の動きがバラバラになり、絵は率直さもリズムも失い形式的なものになり、子ども自身も表現に興味も愛着ももてなくなるというのである。

それとは逆に、生活の中で子どもたちが感覚や心の動きを高め、そうした内面の動きと表現上の手の動きがうまく結びついていくときには、率直で心のリズムも表したような表現、すなわち子ども自身による真の表現が生まれるというのである。

②では、さらに表現の具体的な局面について言及している。筆を動かす活動は、触感や運動感覚という身体感覚を通して世界と交渉しながら、それをとらえる行為な

---

[12] 同[7]、p.297.
[13] 同上、p.298.
[14] 同上
[15] 同上、p.299.

のだと指摘しているのであろう。絵の具の色が肌の感覚であるという指摘は、色彩の表現は世界に対するそれぞれの子どもの感覚や感情を極めて直接的に映し出すものであることを示している。それゆえ、描かれる色彩は、子どもたちの感情や思いを繊細かつ豊かに表すことができるのである。

したがって筆を使って絵を描くという活動は、一方で触感や運動感覚という身体に通じる感覚を通して世界と交渉しながら、自分なりの世界のとらえ方を表すと同時に、他方で色彩によってそうした世界とのかかわりの中で生まれる感情や思いを表す行為なのだと指摘されているのである。

③では、絵に表されるリズムについて言及されている。池田において、絵画表現におけるリズムが大変重視されている。③の言及に見られるように、表現において、生き生きと現実をとらえ、心を伝えるうえでリズムが重要なのだと考えられているのである。しかもその表現におけるリズムとは、現実の諸々の現象がもつリズムと子ども自身のもつリズムとが呼応し合ったものであり、そうした点や線や色に込められるリズムを繰り返すことによって、それらのリズムを多様な形で表現することができるようになるというのである。

この①②③に示されたものが、池田が理解する子どもの絵を描く活動の核心となる要素である。技術的に絵が上手くなるというような評価基準を廃して、子どもたちの感覚や感情の動きと手の動きが結びつくなかで、心のリズムも含めて子どもたちによる率直な表現、いわば子ども自身から生まれる真性な表現が生まれることを求めていく。そのために、筆で描くことつまり触感などの運動感覚を通して、世界と交渉しながら自分なりの世界のとらえ方を表すと同時に、色彩によってその過程で生まれる感情や思いを表し、さらには現実の現象のリズムと子ども自身のもつリズムとの呼応から生まれる表現のリズムを大切にするような表現が必要なのである。

(2) 子ども自身から生まれる真性な表現を求めて

このような内容を持った「子どもの描画能力の発達―色彩教育理論の導入による新しい実験的取り組みの報告―」論文に注目したとき、池田が探究した美術教育の最も中心となる内容や方向が明らかになる。すなわち、美術教育をなによりも美的感受性や創造的想像力を育む美的教育及び芸術教育として位置づける。そしてそのために世界と呼応しながら形や色を描いていく身体感覚やリズムという表現活動の最も基礎的な過程に目を向けながら、なによりも子ども自身による率直なすなわち真性な表現を求めていくことが美術教育に課されているのである。このような子どもによる真性な表現は、単に理念で終わってはならず、それを実現するための内容と方法が解明されなければならない。しかしその内容や方法も、子どもたちの表現技術の向上ではなく、なによりも美的感受性や創造的想像力等の発展を促すものでなければならない。1970年代半ば以降の池田の絵画指導の教材や指導法の開発は、このことを目的にしたものである。しかもその教材や指導法の法則性や系統性は、それが優先されてしまったら、本意ではないだろう。子どもの心と手の動きが結びついた子ども自身による真の表現が生み出されていくことこそが、最も重要なのである。教材と指導法はそれを生み出す重要な手段ではあるが、それが自己目的化してはならない。

先に紹介したが、池田は「表現活動の主体（表現者である子ども）と方法（その表現手段）の価値についての追求は、長期間にわたって模索の段階にとどまっていた」と指摘したが、彼にとってそれは単に「教科論」に対する批判だけではなく、日本の美術教育全体の課題として意識されていたと考えられる。日本の美術教育の歴史の中で、真の意味で子ども自身から生まれた真性な表現というものがどれほど実現されてきたかは、はなはだ疑わしいと池田は見ていたのではないだろうか。池田の美術教育の探究は、そうした日本の美術教育実践に対して、子どもによる真の表現を生み出す教育の方向を示し、その大きな契機を作り出したという、美術教育史上貴重な位置にあると言えよう。

第2節　発達論を基礎にした美術教育論の探求すべき課題

子どもたちの描く絵が大人のそれとは異なった特徴をもっていることが自覚されてきたという、いわゆる「子どもの絵の発見」は、早いことではない。20世紀初頭の子ども中心主義の新教育の発展と軌を一にしている。それ以降、子どもの描く絵が成長の過程で様式的に変化していくことが理解され、早くは、たとえばイギリスのトムリンソン（R. R. Tomlinson）は、1944年に著した『芸術家としての子どもたち』の中で、心理学の成果として４つの段階を示した。すなわち、第１段階＝なぐりがきの段階（２歳～３歳）、第２段階＝子どもの象徴主義の段階（３歳～８歳）、第３段階＝擬レアリズムの段階（過渡期８歳～11歳）、第４段階＝写実化（レアリゼイション）と覚醒の段階（思春期と時を同じくする）[1]。このような子どもの絵の様式の変化については、さまざまな論者が具体的な事例をもとに研究してきた。それらは、細かな違いがあるが、大枠は共通していた。その中で、欧米においてそして日本でも、そのような様式を是として議論すること自体への批判も含みながら子どもの美術的能力の発達は、そうした子どもの絵の様式の変化の分析と解釈を中心に語られてきた。

そのような中で美術教育を進める会（以下、「進める会」と略す）は、特に1970年代から美術教育において子どもたちの人格全体の発達と造形表現能力の発達とを緊密に結びつけるという特徴ある教育実践と研究を進めてきた。そして長年の間実践を重ね、それらを理論的に整理してきた教師の間で蓄積されてきた美術教育実践論が一つの水準に達してきている。このような「進める会」の造形表現能力の発達論とそれを基礎にした教育論について、改めてその成果を確認すると同時に、今後の発展のために、そうした発達論を基礎にした教育実践と理論が現代において抱えている問題点や課題を考察するのが、本節の目的である。

---

[1]　R.R.Tomlinson, *Children as Artists*, The King Penguin Books, London, 1944.（久保貞次郎訳『藝術家としての子供達』美術出版社、1951年、pp.16-17. なお、表記に当たって、旧字体を新字体に変更した。）

1 造形表現能力の発達論の成果

「進める会」の造形表現能力の発達論の構造は、1978年に確認された［造形表現能力の発達の道すじと発達の節］と題する「発達図」に端的に示されている[2]。その特徴は、以下の諸点にまとめることができる。

① 造形表現能力の発達の段階を、「造形活動の基礎能力形成期」「なぐりがきの時代」「知的リアリズム期」「視覚的・感覚的リアリズム期」「リアリズム期」と５期に分けている。実際になんらかの造形活動を示すわけでない0歳から１歳の時期も「造形活動の基礎能力形成期」と位置づけているのが、単に形に表れた造形表現だけに目を向けるわけではないというその発達論の特徴を表している。

② 発達のプロセスで、その時期にもつ能力を十分に発揮して充実させていく量的な蓄積期と、質的に大きな転換ないしは変化が生まれる質的な転換期を設定し、その転換期を「節」と呼ぶ。具体的には、描かれた図に命名していた「なぐりがきの時代」からイメージに基づいて表現できるようになる「知的リアリズム期」への転換の時期となる「３歳の節」、さらに対象に目を向け写実的・客観的に描こうとするようになる「９歳の節」、内面に目を向け葛藤を伴いながら新たな自己と世界の発見と探求を始める「思春期の節」という３つ節が設定されている。

③ これら５期によって示された造形表現能力の発達段階を軸にしたうえで、さらに、それぞれの期のもっとも中心となる活動を示した「造形活動における主導的活動」、労働能力の発達、笑顔や喃語の獲得から始まる言語能力の発達、運動感覚を含めた身体的能力の発達など、各能力の発達との対応が示されている。

このようにまとめることができる造形表現能力の発達論の成果を、まず簡単に確認しておきたい。その第１は、上記の特徴に見られるように、子どもの発達の全体像やその道筋と、造形表現活動とを結びつけて理解することに成功し、相互の関係や位置づけをとらえることができたことがあげられる。それまで美術教育論では、子どもの描画の様式の変化は理解していても、そうした描画活動にのみ目を向けて

---

[2] 「発達図」は、「進める会」の関係する冊子等に掲載されてきたが、公刊された書籍としては、美術教育を進める会編『人格の形成と美術教育』(あゆみ出版、1990～1992年) 全５巻のうち第４巻を除いて各書に掲載されている。なお、その後2016年に改訂され、その改訂版は本書第Ⅳ章第３節に添付されていると同時に、同会のホームページに掲載されている。
(https://www.susumerukai.com/%E3%83%9B%E3%83%BC%E3%83%A0/%E7%99%BA%E9%81%94%E5%9B%B3/ 2021年３月14日確認)

議論することが多く、子どもの全体的な発達とのかかわりで造形表現活動をとらえるという視点は弱かった。確かに心ある美術教育であれば当然ながら、ただ美術活動だけを見ていたわけではなく、子どもの成長を考えて教育を進めてきた。しかし子どもの成長や発達全体をそれ自体として見据えながら、それと常に関連づけながら造形表現能力や活動をとらえていったのは、「進める会」のなによりの特徴である。

第2は、それぞれの発達段階で重点的に育てる力や重視する活動を明らかにしたということである。単に造形表現活動だけを見ている場合は、視野の狭いとらえ方になってしまいがちになる。ところが、子どもたちの人間的諸能力全体の発達、ひいては人格全体の形成との関係をとらえながら、この時期にはどのような活動が重要だということを明らかにしながら、実践を積み重ねてきていることは特筆に値する。それはたとえば「造形活動における主導的活動」というとらえ方にも表れている[3]。これらの蓄積を理論的に整理すること、つまり言葉にし、文字化し、そしてそれらをさらに豊かにするということが今後の全体的な課題になっているのだろう。

2 発達論の枠組みを広げる

(1) 発達の概念と発達段階論をめぐる現況

以上の成果をふまえ、次に発達理論一般をめぐる問題との関連について検討したい。上に見たように「進める会」の造形表現能力の発達論およびそれを構造的に示した発達図は、1970年代の半ばには全体の骨格ができあがっている。そのため、そこには、その時期の日本全体の発達理論の到達段階が反映している。したがって今日から考えると、さらに異なる観点から豊かにしていかなければならない諸点を指摘することができる。

今日、その発達理論をめぐる理論的な状況は複雑である。一方では、発達段階どころか発達という概念さえも見直さなくてはいけないという議論がある。他方で、発達段階や発達の概念は極めて大切で、しっかり堅持しようと主張する人たちがいる。ひとつの例として、心理学を専門にする研究者たちが多く参加している心理科学研究会でも、発達理論をめぐってかなりの食い違いが生まれてきている。たとえば、その心理科学研究会編の『小学生の生活の心の発達』(福村出版　2009年)を見

---

[3]　これらの特徴については、たとえば拙稿「戦後美術教育論の検討——イメージと感情の発達研究へ——」『東京大学教育学部紀要』第20巻、1980年、pp.249-252、を参照。

ても、発達の概念や発達段階の堅持の立場と否定の立場の両方の論者が執筆しており、一つの本の中で対立した考え方が表されている。幼児教育や保育の中でも、同様な状況が見られる[4]。

このように複雑な状況にはあるが、筆者としては発達という概念や発達段階論に対する批判はある程度理解でき、固定的にそれらを適用することには反対である。しかし、それらを否定してしまうことにも反対であり、適切な形で生かしていきたいと考える。確かに「進める会」の発達図が作られたときの発達段階論はある改訂や修正が必要になるかもしれないが、子どもたちの成長と発達にはある種の段階があり、質的に変化していく時期があるととらえることは、子育てや教育を考えるうえで大切である。なぜならば、子どもたちの成長と発達にはやはりそれぞれ質の異なる時期ないしは段階があり、しかもその時期にふさわしい生活や活動を充実させていかないと次の段階の成長がおぼつかないという、ある種の段階性が発達の事実としてあるからである。そしてさらにそうした発達上の困難をのちに乗り越えて個性化していくということも発達の相としてとらえる必要がある。教育実践を進める上でも、このような発達の視点を理解していることは実践を充実させる糧になるはずである。

(2) 発達論の枠を広げる視点

このような発達論に対する本論の立場を示した上で、さらに議論をすすめたい。主に発達理論をめぐって歴史的に指摘されてきた課題を紹介し、発達論の枠組みを広げることを提案したい。まず当初の発達理論の幅の狭さについて言及しておきたい。1970年代前半までの心理学的な発達理論は、「進める会」だけでなく、教育科学研究会でも研究を進めたが、ピアジェなどの議論を基礎にしていた。そのため、この時期の議論は、どうしても認識の発達を中心としていた。「進める会」の発達論・発達図は、田中昌人の3つの系の発達の枠組み、つまり単純に個人の発達だけではなく、集団と社会の発達とも相互に結び合いながら総合的に発達を展望するという、非常に幅の広い枠組みを念頭に置いている[5]。しかし、実際の発達の中身を見ていくと、認識中心の発達理論の影響が色濃く表れている。

① 発達の目標像を持つ

この「発達論の枠組みを広げる」という点のひとつとして、「私たちは子どもたち

---

[4] 例えば、『現代と保育』75号(2009年11月)及び76号(2010年4月)参照。
[5] 田中昌人『講座発達保障への道　3　発達をめぐる二つの道』全国障害者問題研究会出版部、1974年、参照。

にどのような発達の目標像をもつか」ということ、つまりどのような目標像を描いて発達論を構想するかが、たいへん重要になっていると考える。1970年代の初めは全面発達論が盛んに議論され、そこでは集団や社会の発展・発達と結びつきながら人間は全面的に発達するということがひとつの理想として語られていた。そこでは、ある発達の目標像を立ててしまうことが狭い発達論になってしまうと理解されていた面がある。今後も将来的には全面発達論が改めて展開されてくることがあるのかもしれないが、しかし当面は、全面発達論だと逆に目標を明確にできずにあいまいになってしまうという問題を指摘することができる。したがって私たちは、全面的な発達を求めているのだからそれでいいのだとするのではなく、何らかの形でどのような発達の目標像を求めるのかということを議論した方がよいと考える。

② 感情・感性および自己意識の発達の視点の強調

さらに発達理論に対して、その後どのような課題が提示されてきたのか、整理しながら考えてみたい。まず1970年代後半になって指摘されてきた課題について紹介したい。それは、感情・感性および自己意識の発達の視点の強調である。それまでの認識中心の発達論に対して、発達の見方がそれでは狭いのではないかという指摘がされるようになり、一方では感情とか感性の発達の視点の重要性が主張されるようになった。それは、感情や感性という、認識や理性とは異なる人間性のもう一つの重要な側面を見落としてしまっているために、そこに注目しようということである。それと同時に、この1970年代には子どもたちの学習や生活上の意欲や能動性の低下という現象が問題になり、人間活動のエネルギー的側面は感情だと改めて確認されるようになった。このように認識だけではなくて感情や感性というものに注目しようという議論が発達論の中で起こったのである[6]。

続いて、認識や感情のそれぞれの側面の発達に注目するのは大切だが、それ以上に重要なのは、そうした人間の諸能力を全体的に調整し方向づけていくような機能ではないかという指摘もされるようになった。そこで注目されたのが自己意識である。この自己意識が、人格全体の働きの要になるととらえられたのである[7]。このように、感情・感性と自己意識の発達が発達論の中で注目されるようになったのが、1970年代後半以降である。その関心は、現在でも続いていると言ってよい。

---

[6]　例えば、波多野完治『子どもの認識と感情』岩波新書（1975年）、及び坂元忠芳『子どもの能力と学力』青木書店（1976年）などを参照。

[7]　例えば、田中孝彦「道徳性の発達と教育」『岩波講座　子どもの発達と教育5　少年期　発達段階と教育2』1979年、参照。

③ 美的感性の視点から発達図を豊かに

この感性と関わって、2010年の「進める会」の第47回全国図工・美術教育研究大会要項に掲載された梅澤啓一の発達案内図に注目したい[8]。そこで梅澤が着目しているのは、美的感性である。これまでの一般の発達理論や、「進める会」の造形表現能力の発達論でも、感性や美的感性の観点から発達を見ていくという作業は、十分に整理されていなかったため、この梅澤の問題提起は注目される。「進める会」の研究会でも、実際美しいと感じるようになる美的感性は子どもたちにいつごろから芽生えてくるのかという疑問が提出されていた。それらについて、梅澤は上記の発達案内図において理論的に考えていると思われる。しかし残念ながら、その発達案内図ははなはだ難解なものになっている。独特のディシプリンに基づく専門用語が使用され、その言葉は具体的に子どもたちのどのような姿を思い描きながら書かれているのかと考えながら読んでも、なかなか理解が及ばないところがある。したがって、今までの「進める会」の発達図を豊かにするという観点から、その図にたとえば美的感性の項目を設けて書き込んでいただくということを要望させていただきたい。それによって発達図は、ひと回り豊かになると考える。

④ 身体性への着目

次に1980年代の動向である。1979年に中村雄二郎によって『共通感覚論』(岩波書店) という著名な本が出された。この書は教育全体にも大きな影響を与えたが、学会レベルも含めて、美術教育界に果たした役割は大きいものがあった。その『共通感覚論』は美術教育の意義を根本的に明らかにしたと言われるほど、一時はその議論を土台にしなければ美術教育を語れないというほどの事態が生まれたと記憶している。

この『共通感覚論』は、感性論として重要な問題提起をしたことは確かである。それまでの発達論における人間理解は、概ね主観と客観とを分けてしまっていた。つまり外部に、自然や事物といった客観的な存在としての世界があり、それに関与する主体として、主観的な存在としての人間があるというように、自己をはじめ主体としての人間と周囲の客観的な対象とを、一旦分けた上で両者のかかわり方を考えるというように、二元的な考え方をしていた。ところが中村は、人間の五感の背後に、諸感覚を相渉りながら、それらの働き全体を司るような根源的な感覚としての共通感覚があると指摘した。そうした身体深部の、いわば感性の根源になるような

---

[8] この発達案内図は、その後「造形表現活動を媒介した感性発達のメカニズム」として『子どもと美術』No.68、2011年8月、pp.16-19に掲載。

人間感覚の部分が、人が他者とかかわったり、対象に働きかけたりする際の能動性の根源になっているというのである。そこでの対象と自己との関係は、互いに能動的であったり受動的であったりと相互的で一体的な状態として経験される。この身体の深部が活性化されなければ、人間は真に能動的にはなれないというわけである[9]。1980年代以降の子どもたちの姿を経験してきた私たちは、子どもたちがたんに元気に活発に学習し活動していれば、発達上問題なしなどと単純には考えられなくなっていた。表面的に活発であっても、実際は他者と深く交われない子どもたちを多く見かけるようになった。また不登校のように、意識とは別に身体自体が登校の方に向かっていけない子どもたちがいることも知った。このように、私たちは子どもたちの身体感覚や身体性というものに目を向ける必要性を自覚するようになってきた。そのなかで、人間の能動性を表面的に理解するのではなく、能動性の根源として深部の身体感覚に注目し、その部分が活性化しないと人間は本当には能動的にはなれないということがわかってきた。したがって、発達論の中にも、この身体性の視点を組み入れていく必要性が生まれてきた。

⑤ ドローイングや手仕事を身体性の観点から見直す

この身体性の観点は、美術教育の実践と理論との関係で言えば、ドローイングの意味づけや、手仕事の意味づけ方と直接関連してくると考えられる。たとえば多く取り組まれている対象を描写する活動だが、それらには外部の対象を正確に認識しながら主体的に作品を作り出していくことが求められる。すなわち制作する側の認識力と主体的な姿勢が強調されてきた。また幼児のドローイング、いわばなぐり描きだが、それは子どもたちのイメージの表現という面から主に理解されてきた。

しかし、そうではなくて、子どもたちがペンや鉛筆でものを描くという営みは、実は手を通しながら子どもが世界とたいへん濃密な交渉をしながら絵を描いていく活動であって、内面的に非常にアクティブな活動なのではないかと考えられる。このことを痛感したのは、近年の子どもたちが線で絵を描くのをいやがり、拒否してきているという事態に直面したことによる。子どもたちが世界と交渉することに耐えられなくなっているのではないだろうか。それほど線で絵を描くというのは緊張を伴うことであり、世界とたいへん深く能動的にかかわる活動として経験されるので

---

[9]　中村雄二郎『共通感覚論』、特に第一章及び第二章を参照。なおその共通感覚論をそのまま肯定するのではなく、批判的に検討することが是非必要だと考えるが、管見の及ぶところ今日にあっても十分なそうした研究は進んでいないと思われる。ただし美術教育研究の立場からの批判としては、拙稿「『共通感覚論』再考の視座―中村雄二郎『共通感覚論』を批判的に読む」(『美術科教育学会通信』40号、2001年3月、本書第Ⅴ章第2節掲載）を参照されたい。

ある。そうした強度な精神作用が求められるからこそ、それに耐えられないと描けなくなる。したがってドローイングということは、人間が世界とかかわる力を育む重要な意味をもった活動ではないかと、改めて見直してみたい[10]。

手仕事も同様な性格をもっている。これまで手仕事は特に労働過程として性格づけられてきた。そして労働過程は、企画し実践し成果を生み出して享受する過程として理解されてきた。そのような理解は当然間違ってはいないのだが、まだ表面的なレベルで把握されてきたと言える。労働は一般に対象的な活動と言われるように、人間が心身を傾けて外的な対象と深いかかわりをもちながら物を創り出していく営みである。したがって手仕事も、人間が素材と深い交渉と応答を繰り返して制作していくという、身体深部の能動性を培う重要な機能をもっていると考えられる。例えば中村将裕の手仕事の実践を見ても、子どもたちの身体性に深く関わる活動だと痛感する[11]。小学校の中・高学年の子どもたちが喜々として手仕事にのめり込んでいくが、そこには発達上たいへん重要な秘密が隠されていると予想される。児童期の後半という時期にものづくりに心身を傾注するという経験も、子どもたちが世界と能動的にかかわる身体性を身につけるうえで極めて重要な役割を果たしている可能性がある。

このように、認識や行動といった目に見える成長だけでなく、身体深部からの能動性というような身体性の視点から、従来の発達論の下で蓄積してきている実践の成果を検討し直してみる必要があると思われる。

⑥ 対話・コミュニケーションへの着眼

さらに1990年代以降は、もう一つの重要な視点が強調されてきた。それは、対話やコミュニケーション力への着眼である。対話とかコミュニケーションという言葉は、近年はあまりにも安易にかつ多様な意味で使用されているために十分に意図が伝わらないところがある。しかしその着眼の意図は、なによりも人と人がかかわる力をしっかりと培っていこうということである。人とものとの深い関係が人と人との関係も支えていくということは確かにある。身体性への着目はそうした側面を示している。しかし他方で、人と人とのかかわり方は独自の性格をもち、それ自体として育てていかなければならない。たとえば、人とものとの関係では、人は時に制作を進める過程で、ものに対して力や暴力を行使することがある。ところが人と人

[10] 描画活動を身体感覚を通しての世界との交渉であるという把握の下に考察する例は、管見の及ぶところたいへん少ない。希有な例として池田栄の美術教育論に着目されたい。本書第Ⅳ章第１節参照。
[11] 中村将弘「作ることの持つ意味『竹のバターナイフを作る』」『子どもと美術』No.68、2011 年 8 月。

の関係においては、それは許されないからである[12]。

子どもたちが人と人がかかわる力を身につけるということは、社会を作っていく力を培うことを意味する。子どもたちはもっと社会に参加し、人とかかわる活動を身をもって経験していかなければ、本格的な社会的な成長を遂げることはできない。家庭や地域社会の人間関係が貧しくなるほど、困難ではあるが、子どもたちの成長発達の枠組みを社会的に広げていくことが必要とされるのである。

このような観点が美術教育にも求められていると考えられる。美術の活動というとどうしても個人の作業が中心になり、内面を深く表現することに傾きがちである。そういう視点とは別に、美術そのものを通して人とかかわり、社会に参加していくような活動を開拓してもよいのではないだろうか。特に日本では1980年代以降に地域社会を場にさまざまなアート・ワークショップが実践されるようになっていることに注目したい。その他学校教育の一貫としても、たとえば兵庫県の神吉脩は、中学生が地域社会に出て、美術活動を展開するという実践を切り開いている[13]。そうした新しい可能性も生まれてきている。

⑦ 発達図を豊富化する

以上、歴史的にたどりながら発達論の枠組みを広げる視点を見てきた。認識中心の発達論の枠組みだったものに、感情・感性、自己意識、身体性、そして人と人のかかわり＝対話といった視点を加えていくという問題提起をさせていただいた。

1978年の発達図を新しい観点を含めて抜本的に作りかえていくということは、かなりの困難が予想される。それよりも、当該の発達図に暫定的にでも、感情・美的感性、人や社会とのかかわり、それからもうひとつは自己意識・自己判断・自己決定力の枠のようなものを付け加えて、それぞれの枠に、これまで蓄積してきている実践的及び理論的な知見を書き込んでいってみる。その作業によって、私たちの実践の視野も広がり、他方で発達図もずっと豊かになるのではないかと考える。

---

[12] 例えば、H.アーレントは、「政治的であるということは、ポリスで生活するということであり、ポリスで生活するということは、すべてが力（force）と暴力（violence）によらず、言葉と説得によって決定されるという意味であった。」と指摘している。彼女の議論によれば、狭義の実践領域である真の政治領域とは公共性のそれであり、それらは近代以降の理解とは異なって、力と暴力の行使が許されない人と人との間で営まれかつ成り立つのである。この実践領域は、逆に力や暴力を内属せざるを得ない制作の領域とは明確に区別されている。（H.アーレント、志水速雄訳『人間の条件』筑摩学芸文庫、1994年、p.47. Hannah Arendt, *The Human Condition*, The University of Chicago Press, 1958, second edition 2018, p.26.）

[13] 神吉脩・竹井史・栗山誠・三嶋眞人編著『学校・地域が元気になる！アートによるコミュニティ活動の実践』明治図書、2006年、参照。

先に、子どもたちの発達の目標像をもつという点について指摘した。その点についてもぜひ互いに検討をしていきたい。子どもたちは今の社会の中で、結局は自らがなんらかの選択や決定をして人生を生きていくことになる。したがって、最終的には自己選択・自己決定力を育てるというのが目標像になる、という考え方をひとつあげることができる。それらは、自我あるいは自己意識を基礎にして、自己判断・自己選択・自己決定等の力をどのように育てていくのかが、発達論上の課題になると考えられる。しかし他方で、子どもたちは社会を形成していく人間なのだから、最終的には社会形成力を育てることを発達の目標像にすることも考えられる。このようにさまざまな意見を出し合って、ぜひ発達の目標像についても議論を進める必要があると考える。

3 実践から求められている造形表現能力の発達論の課題

(1) 発達の視点を固定的な尺度にしない

発達理論の歴史的な課題を順次紹介しながら、それらを「進める会」に見られる造形表現活動の発達論に引き寄せながら、課題を検討してみた。この後は、それをふまえて、特に教育実践と関連して求められてきている課題について、簡略に数点を指摘したい。

ひとつ目は、発達の視点を子ども把握の固定的な尺度にしないことである。この点については、多くの関係者が認識しているので確認するだけでよいと考える。ともすると発達理論として緻密になればなるほど、実際の現場では、その枠組みで子どもたちを見てしまう傾向があると指摘されてきている。子どもたちが先にあるのでなく、枠組みを優先してしまい、それが尺度になって、つい望ましい発達の段階に照らし合わせて子どもをとらえてしまうことがある。このことは、特に図工・美術教育の領域だけではなく、発達論を重視する教育や保育の実践現場で全体として問題になってきた。

こうした発達の視点の固定化は、ふたつの意味で不適切だといえる。第1は、一人ひとりの子どもに即した理解がおろそかになることである。子どもたちは一人ひとり、成長が早かったり遅かったり、また発達論だけではとらえられないような複雑な成長の仕方をする。発達の視点をもつことは大切だが、多様な成長の仕方をする子どもたちを、一律な尺度からとらえてしまうならば、たいへん狭い子ども理解になってしまう。

第2は、今の時代を生きている子どもたちの姿が十分にとらえられないという問題である。社会が急速に変化している中で、子どもたちの成長の仕方に変化が表れている。固定的な尺度で見ていたら、子どもの姿が否定的にとらえられるだけで、時代の中で生きる子どもたちの成長の姿をリアルにとらえられなくなってしまう恐れがあるからである。

(2) 現代の子どもの発達の変化に実践的かつ理論的に対応する
―9歳の節をめぐって

ふたつ目の課題は、現代の子どもの発達の仕方の変化に対応した発達論の理論構築をすることである。この課題はひとつ目の指摘と連動している。例として、具体的な事象を取り上げて考えてみたい。それは、9歳の節をめぐる問題である。かつて子どもたちは9歳の節を境にしながら、写実的な絵を描くようになるといわれ、確かにそういう事実があった。ところが今日は、そのような実態はどんどん失われてきている。子どもたちは、かつてのような写実的な絵は描かなくなってきている、あるいは描けなくなってきていると言ってもよいかもしれない。この現象をどのように考えたらよいのだろうか。ぜひ9歳の節をめぐる実践的及び理論的課題として考察を進める必要がある。

そこで早速ひとつの視点を参考として紹介したい。子どもたちが写実的な絵を描けているか描けていないか、という点から検討するのは、事態を表面的にとらえてしまう危険がある。何よりも着目しなければならないのは、そこに見られる精神発達上の中身である。つまり9歳前後の時期ないしは11歳くらいという議論もあるが、そうした時期は、小学校の低・中学年くらいまでの自己中心的な感じ方・見方から脱してきて、周囲の世界に目を向けて、自分とは違う他者というものを知り、そのうえで改めて自分というものを確認し始めていくという、精神的な営みの大きな節目である。

したがって写実的な絵が描けたか描けないかが重要なのではなく、それ以上に成長の内実に注目する必要がある。自己中心性を抜け出して他者を知り、本格的に世界の中での自分というものを発見して自分なりにアイデンティティを確立するという精神的作業が大切になる。ところが子どもたちが児童期の自己中心性から抜け出せにくくなっており、自分とは異なる他者の存在を十分に自覚できなくなっているとしたら、個人の発達にとっても社会的にも見過ごすことのできない問題になる。写実的に絵が描けなくなっているという現象が、もしそうした事態の進行を表しているとしたら、由々しき事態だと言える。

そこで「進める会」での実践に目を向けたい。たとえば佐藤マチ子による『12歳の絵本』（草思社、2005年）に著された実践である。卒業を控えた時期に、子どもたち一人ひとりの声をていねいに聴きとる佐藤先生の姿勢に支えられて、子どもたちは絵本の中に心を開いて率直に表現している。小学校6年生だが写実的な絵を描いているわけではなかった。ところが多くの人々がその作品に感動するのは、絵の表面的な形は写実的になってはいないが、一人ひとりの子どもたちが精神的には深く他者を感じながら、非常にナイーブに他者との関係の中で自分を見つめてそれを表現しているからである。不安を多く抱えているけれどもしっかりと思春期に向かっていこうとしている一人ひとりの貴重な精神的な営みが率直に作品として表現されている。

ところが1978年の発達図では、こうした実践を中に組み込める枠組みにはまだなっていないと考えられる。しかし子どもに寄り添いながら、子どもたちが本当に感じ取っていることを表現していくような実践は数多く行われているのではないだろうか。発達論を豊かにしていくというのは、そうした実践の価値を見逃がさずに的確にすくい取っていけるようになることではないかと考える。

(3) 造形表現の独自の価値をとらえる

造形表現能力の発達論に基づく教育実践に求められる課題の３つ目は、子どもたちの造形表現にはそれ独自な価値があることをより深く認識して、その価値に着目し共感する気風をもっと高めていく必要があるという点である。当然多くの図工・美術教育の実践者は子どもたちの表現を大切にし、それに共感しながら教育・保育実践を進めている。しかし発達の視点をもって教育と研究に携わる場合に、当該の造形表現の活動が子どもたちの直面している成長の課題に応えているかという見方から評価をする面がある。したがってともすると、その活動が現実の子どもの発達の課題に適していれば、そこでの表現としてのよさ、豊かさ、あるいは深さというものをあまり深く問わないところがあるように思われる。子どもたちの成長と発達の課題に応えるような造形表現活動を進めることと、表現の独自な価値を大切にしていくこととの関係を美術教育論として理論的に整理していかなければならないと考える。

それと関連して、2010年の「進める会」の秋の研究会で次のような印象的な出来事があった。ある会員が「遠近法はへんでも、よい絵はあるんだよね。」とふと発言された。それに対して「そうなんだよね、そういうことってあるんだよね。」という応答があった。このやりとりは、上記の懸念とは逆に、造形表現能力の課題に応えることができていなくても表現としてよい絵はよいのだと的確にとらえて、そのことを肯定している。このようになによりも子どもたちの表現に心を通わせることが大切であることは確認したい。

造形表現能力の発達を大切にする立場から図工・美術教育を考えた場合に、子どもの発達の課題に応える活動を進めることと表現の独自な価値を大切にしていくこととは別であると切り離してしまったり、さらにはコンクールのための制作活動のようなある種の「芸術性」をひたすら求めることは、当然肯定できるものではない。なによりも私たちが理想とするのは、「子どもたちの成長や発達の課題に的確に応えられているから、表現としてもすばらしいものになっている」という姿である。つまり造形表現活動として、子どもの発達の課題に応えることと生きたすばらしい表現が生まれることとが統一されることである。もし、実際の場面で、先に指摘したような表現としてのよさという視点からの検討が十分でない面が現れたときには、それは発達論としての追究がまだ不十分な表れだと理解して、研究の方向を見直してみる必要があることを示している。

(4) 発達図を豊かにしていくための当面の課題

造形表現能力の発達論及び発達図をめぐるさまざまな課題について指摘してきた。最後に、早速取り組むことが求められる当面の課題について触れたい。

それはまず、もっとも手薄になっている9歳の節と思春期の研究に力を注ぐことである。9歳の節の実践と研究の意義については先に触れたとおりである。ここで新たに取り上げたいのは、節の設定を9歳とするのか、あるいは11歳とするのかと、設定の時期が異なる指摘がある点である。「進める会」の発達図では従来から9歳を節にし、2010年の第47回大会要項の中での新見俊昌の提案も同様だった。他方で同じ大会要項の中で梅澤啓一や福家省造は11歳に注目をしていた[14]。9歳と11歳の抱える問題は決して別個の事象なのではなく、相互に関連している。両者ともに発達上質的に転換する節であるとは厳密には規定することはできないが、それぞれ成長上何らかの重要な変化がある時期であることは確かである。見る視点によって9歳を重視することになったり11歳になったりするのだと考えられる。十分にはまだ研究できていないのだが、9歳頃というのは、子どもたちが基本的には目を外に向けて活動していく時期で、11歳頃というのはもう少し目が内に向いて、自分の内面を見つめ始めていく時期という違いがあるのではないかと考えられる。発達は

---

[14] 梅澤提案は注[8]に示した通りである。福家省造提案も「造形表現活動の発達的過程とつけたい力（模式図）」として『子どもと美術』No.68、2011年8月、pp.20-21に掲載。

螺旋的な進み方をすると指摘されるが、発達の過程で遠心性と求心性が交替する現象が見られる。梅澤は11歳の時期に美的感性が分化すると指摘しているが、これは９歳くらいまでの外界に広げていく活動経験を踏まえて美的感性的にそれを一度自己調整して分化させることを指しているのではないかと考えられる。９歳の節だけでなく思春期の研究でも、「意識を外に向けていくとき」と「内面を見つめるとき」という交互の活動に注目することによって、造形表現の発達研究がもう一歩前進するのではないかと期待したい。

思春期の研究についてだが、先にも紹介した2010年秋の研究会で、たいへん刺激的な発言があった。それは、「９・10歳までの節目をある程度クリアできていれば、それ以降の発達図は必要ないのではないか」という指摘だった。それは、９・10歳の節目で一応ある程度抽象的な思考ができるようになるということで一定の目安を設定ができる、しかしその後の成長は多様で複雑な過程をたどり、現代ではその傾向がますます進むために、発達の枠組みを明確にするのは困難であるし、そうした発達の枠組みによって限定する必要もないのではないか、後は造形表現としての豊かさを追求していけばよいのではないかという趣旨だった。これは、本節のはじめに発達の概念や発達段階の存否が論争点になっていると指摘したことと重なる論点である。他方、芸術性というのは発達という考え方に馴染まないという意味もこめられていたと受け止められる。

思春期の造形表現に関する発達研究の現段階では、こうした指摘に十分に応答できる準備は整っていないと考えられる。それは思春期の実践が進んでいないことを意味するわけではなく、逆に中学生の実際に真摯に向き合った多様な実践は蓄積されてきている。そうした思春期の造形表現と美術教育の実際を、改めて理論的な整理をすることによって、思春期の造形表現の姿と美術教育のあり方を明確にしながら、上のような発達の枠組みの不必要論も含めて思春期以降の造形表現能力の発達論のあり方について判断する必要があると思われる。

最後に、今後さらに造形表現能力の発達論を発展させていたうえで、さまざまな分野の専門家の力を借りる必要があることを指摘しておきたい。たとえば、人と社会とのかかわりとか、自己意識・自己判断力・自己決定力というような観点から発達論を豊かにするために、その面での心理学の専門家を呼ぶなど、さまざまに考えられる。

多くの課題を指摘したが、特に検討の対象とさせていただいた美術教育を進める会の発達論を含めて、造形表現能力の発達と教育の実践と理論の一層の発展を期待したい。

第3節　造形表現能力の発達の視点を軸にした美術教育論の探求

美術教育を進める会（以下、「進める会」と略す）では、1978年に作成されて以来の［造形表現能力の発達の道すじと発達の節──「発達図・案」］（以下、「発達図」と略す）を、2015年1月より本格的に再検討する作業を始めた。40年近くの間に、日本の社会と教育は大きく変貌し、その中で成長する子どもの姿もさまざまに変化してきた。さらに全体的な発達理論をめぐっても理論的な展開が見られるようになり、造形表現能力の発達と教育に関しても「進める会」内外で実践上及び理論上の蓄積が進んできた。このような全体的な発達理論をめぐる検討課題と、それらと関連する造形表現能力の発達と教育の実践と理論の成果と課題については、前節で述べたとおりである。

この前節での議論をふまえて、2015年からの「進める会」の造形表現能力の発達論とそれを構造化・図式化した「発達図」の再検討及び改訂の作業に筆者も参加した。本節の内容は、その際の問題提起であり、主にふたつの観点から成っている[1]。ひとつは、これまでの造形表現能力の発達の節をめぐる理論と実践の再吟味である。特に今日の子どもの成長と発達の変化と現状、さらに教育（保育）実践上で課題になっている点を念頭に置いて発達の節について検討する必要があると考える。ふたつ目は、造形表現能力の発達を進める上で、年齢を超えて共通に大切にするべき視点を明らかにすることである。人格形成とかかわりながら造形表現能力の発達と教育を進める上で、ひとつ目の作業で検討されるように、節目を軸にしながらそれぞれの発達段階の特徴とその育ちを促す教育（保育）のあり方については改めて確認される必要がある。しかしそれと同時に、「進める会」の実践と理論の蓄積の中で、

---

[1]　美術教育を進める会では、このような発達論と発達図の検討作業の結果、2016年8月に新たに［人格の発達と結びついた造形表現能力の発達の道筋と発達の節］―「発達図・案」を作成し公表している（たとえば、https://www.susumerukai.com/%E3%83%9B%E3%83%BC%E3%83%A0/%E7%99%BA%E9%81%94%E5%9B%B3/ 参照。2021年3月14日確認）。なお本節にも参考資料として掲載されている。

発達の過程を通じて教育（保育）実践上で共通に重視してきた視点があることが見えてきた。それらを言葉で明確に示すことによって、「進める会」の実践の性格をより構造的にとらえることができると同時に、その方向性も明確にすることができるはずだからである。

以下、これらふたつの観点について、詳しく論じていきたい。

1 発達の節をめぐる子どもの姿と大人のかかわり方の吟味と豊富化

前節で見たように、「進める会」では、子どもの造形表現能力は直線的に発展するものではなく、質的に転換しながら発達していくととらえている。その質的転換の時期を発達の節と名づけている。すなわち、第一が３歳頃の「イメージによる表現操作獲得の節」（以下、３歳の節と略す）、第二が９・10歳頃の「視覚的表現操作獲得の節」（以下、９・10歳の節と略す）、第三が思春期の節である。これら３つの節について、それぞれ検討していきたい。

(1) ３歳の節とその後の知的リアリズム期前半(図式期)をめぐって

３歳の節については、「進める会」においてもっとも実践と理論化が進み、ある程度安定した共通理解が得られている。それは、１歳過ぎの運動感覚に導かれたなぐりがきが、「みたて」そして「つもり」の活動の展開の中で、「手の働きに先導された意味づけ」から「意味に先導されたなぐりがき」へと質的に転換すると確認されてきた。そしてその時期の大人のかかわり方としては、触覚などの表面的な感覚にとどまらずに身体深部で諸感覚を統合する働きをもつ体性感覚を働かせながらものに働きかけていく喜びを経験するように、乳児期から感触あそびを重視すること、３歳の節にあっては、「絵は聴くもの」と形容されているが、描く形の発達を急がずに伝える喜びが育つようにていねいに表現を受けとめること、そしてその伝える喜びが広がるように名詞だけでなく経験したこと特に行為したことを描くのを大切にすることなどが共有されてきた。

このような理解の上に立って、特に実践的及び理論的に整理が必要になったひとつの点が４・５歳児の理解についてである。すなわち、これまで主に幼児期の造形表現能力の発達は３歳の節に目が向けられてきた。そこでの葛藤は自我形成の営みと重なる性質をもっている。ところが実際の保育実践では、３歳の節の葛藤を過ぎるとある程度安定してくるのではなく、続いて４歳児頃に子どもたちが新たな質の葛藤に直面するという事態に出会うことになる。それは、友だちと比べたり、他人の目を気にすることとして現れる。そして一方では仲間を支えにして表現活動においても思い切って世界を広げる行動をとるが、他方では仲間の評価を気にして自信を失ってしまったりする。これらの現象をどのように理解し、保育指導上どのように対応したらよいかを整理することが必要とされてきたのである。

このような葛藤は、基本的には3歳の節での自我形成をふまえ、次にその自我の中に新たにもう一人の自分が芽生えてくるという社会的自我の形成の始まりに起因していると理解することができる。したがってこうした葛藤は、子どもの成長途上で自ずと現れる現象だと言えるが、今日の競争社会の中では「上手か下手か」などの規準に縛られることによって、過度に自信を失ったり、表現自体を拒否する子どもたちが多く生まれており、社会的な現象という性格も併せもっている。

このように4歳児頃の他者の目をめぐる葛藤を、個人の成長・発達上の必然的プロセスであると同時に社会的性格ももっていると理解したうえで、保育でのかかわりを考えていく必要がある。特に、仲間との豊かな生活づくりを進めながら、4歳児にふさわしく思い切った表現ができる場をつくり出したり、日々の表現活動の中でも、子どもたちが相互に共感し認め合っていく関係を築いていくことを大切にすることが実践的にも確認されてきている。

もうひとつ幼児期の造形表現能力の形成をめぐって改めて共通理解をしておく必要があるのが、なぐりがきや図式的な絵と言われる幼児期の絵のもつ意義である。これらは、従来は子どもの描画能力の発達のプロセスに現れる形態であり、その意味は主に身体能力と認識能力の発達の観点から理解されてきた。それはつまり、肘から手首そして指への運動機能が広がり、目と手の協応が進むと同時にイメージに基づいて絵を描くことができるようになる過程を示しているというような理解の仕方である。

しかし近年、絵を描くことに抵抗を感じたり拒否する幼児が増えている。それは、一方で先に指摘したような大人や仲間の視線に縛られるという社会的な力によって生じている。しかしそれだけではこの現象は理解できない。絵を描くことに子どもたちはある種の怖さを感じているのである。このことは、人が絵を描くこと、すなわち線を使って形を描きながら世界を形づくっていくことのもつ人間にとっての根源的な意義を自覚するように求めていると考えられる。心を込めて絵を描くというのは、単に表面的な操作によってできるわけではなく、そこには対象と自己との深い相互交渉力が必要とされる。線を描きながら、対象の中に自己を開き、ただ対象の中に身を委ねるだけでは表現にならず、同時に自己の中に対象を引き取りそこから図式的であろうと自分なりのイメージを形づくり、そのイメージを画面の中に描き出して、絵の世界を展開させていくという作業を行っている。こうした作業は、既存の自分の殻を守っていてはできず、自分の殻を破り、対象と自己との間で深い能動と受動の作用を働かせる根源的な相互交渉力によって成り立つ。だからこそ、こうした身体深部を揺り動かすような対象世界との相互交渉に慣れてない子どもたちは、このような作業に抵抗感をもち怖さを感じるのである。しかしそうした相互交渉力は人間として育つ上で欠かすことのできない根源的な要素である。なぜならば、人や物に対して働きかけていく対象的活動を通してこそヒトは人間に成長できるからである。

当然ながら対象的活動は多種多様にあるが、その中でも線で描くというのは濃密な相互交渉を必要とする。したがって子どもたちが、対象とかかわりながら楽しく存分に線描で絵を描いて伝えていくというのは、世界との深い相互交渉力という人間として不可欠な根源的な力量を身につけている営みだと理解して取り組む必要がある。

(2) 9・10歳の節から小学校高学年の発達像と教育指導の見直し

9・10歳の節については、「視覚的表現操作獲得の節」と命名されているように、知的リアリズム期（知っていることを知っているように描く表現様式）から視覚的・感覚的リアリズム期（見たことを見たとおりに描こうとする表現様式）へと移行する転換期として定式化されてきた。しかしこの節をめぐる実践と理論のあり方が、今日もっとも議論が必要とされる状況になっている。

なぜならば、一方で現代の変貌する社会・文化・教育の環境の中で子どもたちの育つ姿が大きく変容してきており、他方で「進める会」の中で小学校中・高学年の子どもに応える実践が多様に蓄積されてきているにもかかわらず、理論がそれらの変化に十分に対応できなくなってきている面があるからである。

これまでの9・10歳の節から小学校高学年にかけての教育実践では、抽象的思考と写実主義と主題意識の出現をこの時期の発達的特性ととらえ、「対象に寄り添って、思いを表現する活動」（視覚的リアリズム）が特徴であると指摘されてきた。その際には特に「対象に寄り添う」ことが強調され、具体的な生活や事物に即しながら、そこに客観性や普遍性を見出していくという写実主義の表現を、主題意識をもって進めるという方向が提示されていた。

先に指摘した「進める会」における小学校中・高学年での実践の発展とは、主にふたつ挙げることができる。ひとつは、手仕事分野での実践の展開と蓄積である。

「進める会」では小学校低学年からつくってあそぶ活動を大切にして、特に小学校中学年ぐらいから子どもたちが手仕事に夢中になって取り組む実践を開拓してきた。9・10歳の節以降の発達の中にこの手仕事をどのように位置づけるかが、この時期の理論上の重要な点のひとつになっている。

結論を先取りして言えば、この手仕事の実践は、9・10歳の節の主導的な活動として、新たに「実在感のある活動への集中」とさらには「熟達を求める手仕事への集中」の二項目を加えることを提起していると言えよう。

従来、手仕事は生産活動の原初的・根幹的内容をもち、その過程で身体機能、思考過程そして実践力の形成が促されると確認されてきた。すなわち労働のもつ人間形成力である。さらにその中で9・10歳頃は、計画し見通しをもってつくることができるようになる時期だと理解されてきた。

このような手仕事の人間形成上の意義については、まったく異論を挟む必要はない。ただそれに対して、「進める会」が開拓し蓄積してきた手仕事の実践は、その手仕事のもつ発達的な意味と9・10歳の節の発達の相に関する理解の仕方をさらに大きく広げる役割を果たしてきたと言えよう。

9・10歳頃とは一般に児童期の典型的な時期である。発達を常に社会的に理解し、そして人間の発達を情動も含め自我を中心とした人格の発達の相からとらえようしたワロンは、児童期を「多価的人格」の段階と規定している[2]。つまり一般に児童期は自己の内面的な葛藤は比較的に安定し、関心を外界に向け、活動を広げ自己を外に向けて拡大していく時期である。この時期に活動を広げ、多様な環境に対応した多様な自己と出会う経験が、その後前思春期に他者の視点を発見し獲得していく上での土台になる。その際に、具体的な生活や事物に即して活動する特徴を持つ児童期の中にあっても、小学校低学年頃の児童期初期とは異なって、9・10歳頃からの子どもたちは手応えのある手仕事やものづくりに集中することによって充実感を得ることが実践的に確認されてきている。このことは、自己を外に向けて拡大していく上で、造形表現分野のこのような実在感を体感できる手仕事への集中が極めて重要な活動となることを示している。

さらに田中昌人は小学校中学年の子どもには「巧みさに対する挑戦」が見られると注目すべき指摘をしている。その際、「ただ『できるようになる』ことが求められる領域ではなく、『熟達』が可能になる領域を用意しなければ『巧みさに対する挑戦』は生じない。」とも言及している[3]。すなわち、この手仕事において、単に手応え

[2] ワロン『身体・自我・社会』ミネルヴァ書房、1983年、p.241.

や実在感のある活動にとどまるのではなく、熟達を求めるような質の手仕事への取り組みが用意されてこそ、この時期の子どもたちの成長への要求に真に応えることになるのである。

このような手仕事の実践は、一方で児童期の自己を広げることが求められる時期に実在感を感じる活動や熟達を求める活動への集中が発達上大変有益な役割を果たすことを明らかにしたという、発達理論を豊かにする重要な貢献をしたことになる。それは他方で、9・10歳の節の理解の仕方を見直すことをも求めたと言える。すなわち、具体物に即した活動から論理的思考力を使って計画し見通しをもった活動ができるようになる時期だからといって、即そうした活動を求めるのではなく、発達の質的転換期としての節にはそれにふさわしい独自な活動、例えば実在感を感じる活動や熟達を求める活動への集中が必要なことを明らかにしたのである。

「進める会」における小学校中・高学年での実践のもうひとつの発展は、視覚的リアリズムとは異なる追究をする作品群が生み出されたことである。視覚的リアリズムに移行する時期と理解される小学校中・高学年にあっても、写実的な作品を求めるのではなく、形の追究よりも作品に込める子どもの思いをなによりも大切にしようとする多くの実践が取り組まれ、その価値が共有されてきた。このような実践を、造形表現能力の発達と教育の理論の中にどのように汲み取り位置づけていくのかが、もうひとつの大きな理論的課題となっている。

そこでは、これまで「視覚的・感覚的リアリズム」と言われてきた時期の、その基本心性、そして「視覚的」という言葉に含まれている意味の見直しが求められていると考えられる。

これまで視覚的・感覚的リアリズム期とは、まだ自己中心的心性を残している知的リアリズム期を脱して、視覚的にリアルな表現をしたいという欲求が生まれ、見たことを見たとおりに描こうとする時期だと理解されてきた。たとえば、同じように水泳をしている絵であっても、1年生と4年生の絵とでは同質の力の連続ではなく、非連続的な飛躍がある。そして1年生の絵は頭の中の概念だけで描かれ、4年生の方は目に見える現実の姿に迫ろうする意欲が芽生えており、5年生ぐらいになるとイメージを構築した後、再び現実にてらして検証し、より確かなイメージの世界をつくりだしていく力が誕生してくると分析されている[4]。

---

[3] 京都教職員組合養護教員部編『子どもの発達と健康教育②』かもがわ出版、1988年(心理科学研究会『小学生の生活とこころの発達』福村出版、2009年、p.118.より転載)

[4] 美術教育を進める会編『人格の形成と美術教育2 小学生の美術教育』あゆみ出版、1991年、p.90、及び心理科学研究会前掲書、pp.107-108、参照。

このように小学校中学年頃から写実性への要求が生まれてくることは確かである。しかしたとえば、「三年生ころから芽生える、現実のリアルな再現への要求は子どもの自然な発達の方向といえます」と指摘されているが[5]、そうした写実性への要求は社会的・文化的に規定されており、事柄のひとつの側面なのではないだろうか。

先に挙げたように「進める会」では小学校高学年の実践において、写実的ではなくても子どもたちによる真実性のある表現が数多く生まれている。また一般的にこの時期に写実的とは言えないマンガやイラストレーションの制作に熱心に取り組む子どもたちの姿がしばしば見られる。つまり写実性は真実性のある表現を生むひとつの大きな要素ではあるが、逆に真実性のある表現の条件が写実性だとは言えないのが現実である。このような事実を造形表現能力の発達と教育の理論の中に組み込み、整合性のある理論をどのように作り上げていくことができるかが、差し迫った課題になっている。

ここでまた視覚的・感覚的リアリズム期の理解の仕方について結論的なことを先に提案しておきたいが、それは2点である。ひとつは、視覚的・感覚的リアリズム期の基本心性を、写実性を求めるととらえるのではなく、人や事物を他者の視点からリアルに見るようになり、そうした他者の視点に応えられるような知識や技などの文化的・身体的能力を身につけようとする心性と、広くとらえ直すことである。もうひとつは、だからこそ造形表現能力の形成で主眼に置くのは、なによりも表現しようとする目的と内容であり、「対象によりそいながら思いを込める」(傍点—筆者)ことを追究することである。この時期が単に視覚的リアリズムとは言われずに、視覚的・感覚的リアリズムと命名されてきたのは、当初からこの感覚的リアリズムの重要性に目が向けられていたからではないだろうか。

まずひとつ目の、この時期の子どもたちの基本心性についてである。小学校高学年頃になると、子どもたちは児童期の自己中心性を脱してきて、一方では現実に目を開くようになる。そこには身の周りの事物、人間、そして自分自身も含まれる。まるでこれまでの自分とは異なるもう一人の自分が他者として登場して物事を見直すように作用する。ところがもう一方で、ピアジェが形式的操作の段階と規定しているように、合理的な法則や原理を知り、それらの法則や原理を使って論理的抽象的に思考する能力が高まる。そしてたとえば論理性を適用することによって現実がより客観的に理解できるようになるというように、しばしばそれらふたつの働きが相乗的に作用することになる。

---

[5] 美術教育を進める会編、同[4]

この事情は造形表現能力においても同様である。一方で現実をリアルにとらえるようになり、他者の視点から物事を見たり自分も見られることを発見するようになる。他方で、視覚文化にも目を向け、文化的に「優れている」あるいは「魅力的」と思われる知識や方法を知り、他者の視点や期待に応えられるような能力を身につけようとする子どもたちが現れる。その文化的能力の中には、写実的な表現方法やマンガやイラストレーションの描き方が含まれる。このように造形表現能力の視覚的・感覚的リアリズム期の基本心性は、現実世界をリアルにとらえるようになると同時に、他者の視点から見られることに耐えられるような「魅力的」で「優れた」知識と技術を身につけようとするようになる、と把握することができる。したがって写実的に描くというのはその中のひとつの方法なのである。

次に、視覚的・感覚的リアリズム期を理解する上でふたつ目に求められる「対象によりそい思いを込める」という点である。実は、この時期の造形表現活動における主導的な活動とは、決して上に示した基本心性に応じる活動ではなく、この「対象によりそい思いを込める」活動である。この時期の子どもたちが、もっとも求めるのは、自分自身もそして周囲の仲間も納得できる真実性のある表現である。確かに、基本心性にあるように見た目に「うまい」作品に魅力を感じることが多くあるわけだが、しかし心の中でもっとも求めているのは何よりも自分自身で納得できる真実性のある表現なのである。ところがそのような真実性のある表現に出会うことがない場合には、容易にうわべの「うまさ」に心をうばわれてしまうのである。したがって、何よりも重視しなければならないのは、技術的な「うまさ」をめざすのではなく、そのときもっている力を駆使しながら、対象に対して自らの思いを込めて制作することを通して、真実性のある表現と出会うことである。そのような経験を通して、子どもたちは思いを込めた真実性のある表現の価値を発見し、そうした表現の意義を理解していくことになるだろう。

このように9・10歳の節を中心とした小学校中・高学年の時期の発達と教育のとらえ方については、これまで開拓し蓄積してきた実践をふまえ、自己を拡大する時期としての9・10歳の節の独自性を認識し、その後の視覚的・感覚的リアリズムも単に視覚的にリアルに描くようになると理解するようなとらえ方の枠を広げることが求められる。そして、実在感のある活動や熟達を求める手仕事への集中、さらにこの時期全体で対象に寄り添いながらもなによりも思いを込めて表現していくことを主導的な活動と確認する必要がある。

(3) 思春期の節の内容の充実に向けて

思春期の節については、教育実践上は長年の蓄積があるにもかかわらず、発達図においてはその成果がほとんど反映されずに今日に至ってしまっている。従来の発達図では、この時期の主導的な活動として「象徴的表現、抽象的表現の展開」と「視覚的感覚的リアリズムの充実」が示され、その他は「内面世界の表現」と「芸術史との出会い」の二項が示されているに過ぎなかった。

そこで今回の発達図の再検討作業では、ひとつにはそうした「進める会」思春期部会で実践的に確認してきた成果を反映させること、ふたつ目には現代の変化する思春期・青年期にふさわしい発達像や教育課題を提案することを試みたい。

たとえば「進める会」の思春期の美術教育の考え方をまとめた『人格の形成と美術教育５　思春期の美術教育』では、「芸術とはもともと自己の人間性の本質を自分でつきつめるものでしょうが、ここではその原型が素朴に可能になります」「内面的にも社会的にも、アイデンティティ、つまり人間存在の中心に向かわせることが、造形表現を燃え立たせる根源であって、技巧はこの場合もはや枝葉です」と指摘され、「思春期とはかくして『内面化と自省化』が原動力となる時代」と記されている。すなわち思春期は、人間性や人間存在そのものを問おうとするようになり、それが造形表現の動機になっていく、したがって内面を見つめたりすることが表現の原動力になるととらえている。また実際の制作においても、物体等の対象のとらえ方が構造的になり深くなるとともに、主題性が強くなると指摘されている[6]。

思春期とは一般に、自己の内面を見つめ、それと対話するなど、内面の葛藤を通して自己を探求していく時期だと理解されている。そしてそれが同時に表現の原動力になるとともに、その表現が思春期の成長を促すのである。したがって、美術教育実践において、内面を見つめながら主題やテーマを追究することが特に重視されてきた。

これらをふまえ、「進める会」でのこれまでの検討の議論を通じて発達図にいくつかの事項を追加することが提案されてきた。ひとつは、節の名称を付与することである。従来は単に思春期の節とされるだけで、他の節とは異なって内容を示す名称は付けられてこなかった。それに対して新たに「人格的表現操作獲得の節」という名が提案された。それは、思春期の葛藤を通して内面世界と外的世界の両面にわたって統合的にとらえながら自己を探求するようになり、同時にそのような質を

---

[6]　美術教育を進める会編『人格の形成と美術教育５　思春期の美術教育』あゆみ出版、1992年、pp.39-47.

伴った表現が可能になる時期だからである。

さらに主導的な活動としても、「対象によりそい思いを込める活動」が引き続くと同時に、表現しようとする思いが主になりながら、それをさまざまな表現形態や方法で探っていくという「思いを形に込める」活動も新たに本格的に加えることとした。そして実際には、「静かな写生」と言われるような、対象と深く対話するような具象的表現の深化と、他方で抽象的表現の展開が進められることになる。

ところが、このような思春期の理解が基本になるが、現代を生きる子ども・青年の成長の仕方やそれに対応した教育実践に変化が見られるようになり、美術教育においても新たな変化が求められてきている。

それは主に思春期・青年期の自己探求のあり方の変化に関わっている。これまで思春期の自己探求のあり方は内面的な葛藤と探求を中心に考えられてきたわけだが、その営みにますます困難な面が見られるようになってきている。その中で示されてきているひとつは、思春期・青年期で改めてファンタジーの力に着目しようという方向である。現実の人間関係上の葛藤にあまりにも困難なことが多く見られるようになり、それに直接に直面させるのは適切ではないと判断し、憧れや理想を大切にし、空想的・象徴的な表現も駆使して制作していくなかで成長の契機をつくりだそうという実践が生まれている。このような取り組みの重要性はこれまでも指摘されてきたが、改めて強調されてきている。

思春期・青年期の自己探求の変化の中でのもうひとつの方向は、内面的葛藤とは異なって、さまざまな社会的な行為・行動を通して自己探求するという思春期・青年期像も必要になってきていることである。これはふたつの側面を持っている。ひとつは、そもそもが社会的存在であり、かつ大人として社会の形成者になることが求められる子ども・青年は、知的探求をすれば自動的にそれが達成されるのではなく、一定の責任を課された社会的な経験を通してこそ本格的に社会の形成者として成長できるからである。もうひとつの面は、現代の子ども・青年がその生育上の困難さの中で、近代社会特有の内面的な葛藤を通して自己探求するという営みが難しくなり、身体性を伴うさまざまな行為や行動を通しながらでなければ自己を探求していくことができない事態が生じているからである。

その中で、学校行事の中で美術を通して社会的なメッセージを発信していく、中学生が美術の活動を通して地域社会に参加していく、高校生が改めて身体全体の感覚を働かせて現代美術的な制作をする、などの取り組みなどが開拓されてきている。

こうして思春期・青年期の造形表現能力の発達と教育をめぐっては、「対象によりそい思いを込める活動」を深化させると同時に、「思いを形に込める」活動も追究するようにし、青年期には「個別に真実性のある表現・享受の追究」が可能になるように進めることが求められる。その際に、何よりも内面との対話を通してテーマ性を追求することが重視される必要がある。さらには現代の子ども・青年の育ちの変化の中で、内面に向かう表現と同時に、外（社会）に向かう表現も併せて開拓していくことが求められてきている。

2 発達の過程を通じて共通に重視する視点

今回の発達図の検討作業を進める中で、これまで記してきたように発達の節を中心にそれぞれの発達過程での子どもの姿と教育実践の課題について改めて吟味し明らかにしていくことの必要性が明確になっていったが、もう一方で人格の発達と造形表現能力の発達を結びつけてとらえていくという全体的観点だけでなく、より具体的に発達の過程全体を通じて一貫して重視してきた諸点も認識されてきた。

それらは、①「対象に働きかけ形を生み出す根源的喜びの経験」を大切にする、②「表現の真実性の追究」、③「表現における対話性の発展」を重視する、の３点である。これまで明らかにされてきた造形表現能力の発達の道筋と各発達の節の諸特徴とそれぞれの教育（保育）実践上の課題に加えて、これら発達の過程全体で共通に重視する視点が明確に示されることで、造形表現能力の形成に当たって何を大切にしなければならないかが鮮明になり、発達図とそれのみならず美術教育のあり方自体をより構造的にすることができる。

これらの３点が抽出された根拠を明らかにしていきたい。まず第１の「対象に働きかけ形を生み出す根源的喜びの経験」を大切にするという点についてである。そもそも「進める会」は、1970年代の発達図の作成の時から、造形表現能力の意義やその発達の道すじを、人間にとっての労働の意義や労働過程の成立・展開と重ねながらとらえてきた。したがって教育実践においても、感触あそびから始まり、さまざまなつくってあそぶ活動、さらに手仕事の活動を、美術教育界の中でも先駆的に取り組んできた。こうした労働過程の本源的な要素とは、対象に働きかけ形をつくりだしながら価値を生み出していくという対象的活動である。この対象的活動を通して人は生産物だけでなく芸術作品をつくっていくことになる。そして人類史的に見れば、こうした労働という対象的活動を通してヒトは人間になることができるのである。したがってこのように対象的活動によって対象に働きかけ形を生み出すことに対する根源的喜びを経験し蓄積していくことは、造形表現能力の形成上、それのみならず人格形成全体にとって極めて重要なのである。

第2の「表現の真実性の追究」についてであるが、それは「進める会」において幼児期から青年期に至るまで、造形表現活動とそこで生まれる表現を実際に評価する上での決定的な視点になっている。すなわち、3歳の節前後のなぐりがきが生きたなぐりがきになっているか、知的リアリズムの時期の伝えたいお話を描いた絵が本当に伝わるものになっているか、9・10歳の節や視覚的・感覚的リアリズムの時期の子どもの表現が形だけを追求したものではなく思いがしっかりと込められているか、などに注目し、そのような質を持った表現や作品を大切にしてきた。そこで働いている評価の視点とは、造形表現の発達の道筋に合致した様式の絵を描いているかどうかという外形上の形態を規準にしたものではない。なによりも子どもの生きた感覚・感情・認識が率直に表現されているかどうかを問うているのである。したがってここで言う真実性とは、外形上の形態としての適切性ではなく、子どもにとって生きた表現になっているかどうかという内容的な真実性なのである。

今回の発達図の検討作業の中で新たに大人との関わりや指導上の留意点を記入する欄が設けられ、そこにたとえば3歳の節前後に「形を急がず、伝える喜びを育てる」、また視覚的感覚的リアリズム期には「その時持っている力を駆使して思いを込める」という記述が挿入された。これらの記述に込められたねらいも、単に造形表現能力の発達の道筋にふさわしい表現様式の獲得を優先するのではなく、内容的な真実性に目を向けようとするところにある。発達過程で獲得される形態上の様式は、真実性のある表現を支えるものである。しかしそうした表現様式の獲得がなければ真実性のある表現が生まれないわけではなく、表現の真実性の観点から言えば様式の獲得はひとつの条件あるいは支えである。

真実性のある表現かどうか、あるいはどの程度真実性があるかという判断は、美的判断にかかわるため、すべてを言葉によって論理的に説明しきることはできない。それゆえ、子どもの造形表現活動を支える保育者、教師、保護者などの大人たちが、子どもの作品を前にして、互いにその表現を楽しみ、そこに込められた子どもたちの思いを読みとりあうなど、子どもの表現を見る目を深く耕していくような営みが大切にされなければならない。

第3の「表現における対話性の発展」を重視することについても、「進める会」では、乳児期での大人による子どもの受容、幼児期での大人と子どもの相互関係の形成から大人を介した子ども同士の相互関係の形成、そして児童期のあそび仲間を経て大人から距離をおいた子ども集団の形成、さらに思春期から青年期にかけての親密な友人関係の成立と目的をもった自立的若者集団の形成など、成長過程での人間関係の質的発展を認識し、それらを造形表現活動を支える力として確認して実践を進めてきた（2016年「発達図・案」参照）。実際に、大人が子どもの表現をていねいに受けとめ共感していくこと、子ども同士が互いの表現に共感していくことを実践的に大切にしてきた。これらを見ても、「進める会」では人間関係の質的発展に応じながら表現にかかわる人間同士の対話的関係を一貫して重視してきた。

表現における対話性には、ふたつの側面がある。ひとつは、今見たように大人と子ども、あるいは子ども同士の対話関係が表現活動を支えるという側面である。そうした表現をめぐる人間相互の関係は、表現を支えると同時に表現の内容と質にも影響を与えている。そのため、人間同士の関係は表現活動の成立に重要な意味を持っていることになる。

表現における対話性のもうひとつの側面とは、表現自体が対話であるという点である。従来は芸術の創造は、二項間の一方向的な関係で考えられることが多かった。たとえば芸術模倣論や反映論では理念や現実が作品に映し出されると理解された。また近代的な芸術観では作者の思想や感情が作品に表わされると考えられてきた。ところが近年はそのようなとらえ方の狭さや一面性がさまざまに指摘されてきている。たとえば、ロシアの文化哲学者M．バフチンは、言葉とはすべて、語り手（作者）、聞き手（読者）、対象（主人公）の三者の社会的相互作用の表現であり、産物であると語った[7]。それをふまえれば、造形表現とは、作り手と観る者と対象との交流や相互作用からなり、そうした交流を表しているのである。実際に私たち自らが制作をする場面を思い浮かべてみても、そこでは作者としての自分と作ろうとしている対象との間での対話、さらにその作品を見るであろう鑑賞者との対話という絶えることのない相互交流の中で作品は作られていく。したがって造形表現とは、作者と対象と多様な他者との対話を表わしており、あるいはその産物なのである。

さらに、事象の美しさや作品の「よさ」をとらえる美的判断の理解も進んでいる。従来、美的判断とは主観的で個人的なものであり、他者が立ち入ることのできない領域として理解されてきた。ところがこの美的感覚や判断とは、単に主観的で個人的なものなのではなく、そこには他者の立場に立ってあらゆる人の見方を考慮する共通感覚が働いていると指摘されるようになっている[8]。たとえば、目の前のバラの花を美しいと判断する際には、その花を見るであろうさまざまな他者の立場に

---

[7] M. バフチン「生活の言葉と詩の言葉（1926）」『ミハイル・バフチン著作集①　フロイト主義』新時代社、1979年、p.239、参照。

[8] Hannah Arendt, *The Crisis in Culture*, in *Between Past and Future*, Penguin Books, 1968, pp.221-224.（ハンナ・アーレント、引田隆也・齋藤純一訳「文化の危機―その社会的・政治的意義」『過去と未来の間』みすず書房、1994年、pp.299-303. 参照。）

立ってその人々も同様に感じるだろうと考えて判断しているというのである。ところでこの他者の立場に立って物事を見る働きをする共通感覚こそ、人と人の間を結び他者と世界を共有することを可能にする感覚である。美的感覚・判断は、表現するときも作品を観るときにも働いている。したがって、そのような美的感覚・判断を働かせ合うことは、人々を孤立させていくのとはまったく違って、人と人の、そして子ども同士の共同性の感覚を土台のところで形成していると言えるのである。

このように表現における対話性には、人間同士の対話・相互関係が子どもたちの表現活動を支えるという面と、表現自体が対話的性格を持つという面のふたつの面をもち、それぞれが表現が成り立つ重要な要素になっていると同時に、子ども同士をはじめとした人間同士の共同性を根っこのところで培っているのである。

以上のように「進める会」で造形表現能力の発達過程を通じて共通に重視されてきた視点として3点が抽出された。実はこの3点というのは、決して「進める会」だけに固有のものではなく、たとえば古代ギリシャ時代には人間活動を構成する領域として、真理を探究する〈理論〉、生産物や作品を生み出す〈制作〉、人間同士の関係から政治領域や社会を形成する〈実践〉の3つが設定されていたが[9]、その領域とも通じるものであり、たいへん普遍的性格を持っている。逆に考えれば、そうした普遍的な能力の形成に造形表現は大きく関与する性格を持っていることを示した形になった。改めて造形表現能力の形成とそれを支える保育・教育の意義を確認して本節のまとめとしたい。

---

[9] とりあえず、出隆『アリストテレス哲学入門』(岩波書店、1972年、pp.29-34)を参照していただきたい。

■参考■

[人格の発達と結びついた造形表現能力の発達の道筋と発達の節]-「発達図・案」
―平和で民主的な社会の形成者として―

美術教育を進める会 2016年8月試案

	運動感覚の生理的成熟期	運動感覚による表現操作	イメージによる表現操作 (表現意欲)	(表現意識)	(表現意志)	(表現の思想の成立と深化)
外界に働きかける 人間の活動	→ [実践]	→外界に働きかけ変化させるよろこび → [実践]ー[生産物の獲得]	外界に働きかけつくりだすよろこび → [発想]ー[実践]ー[生産物の獲得] (具体に即した活動)→(実感のある活動)		→計画性を持ってものに働きかけて作り上げていく能力の獲得 [発想]ー[計画]ー[実践]ー[生産物の獲得] →美的感性の分化	
	対象に働きかけ形を生み出す根源的喜びの経験					
造形表現活動における「主導的な活動」	**手を使って直接ものに働きかける活動** (にぎる・ひっぱる・つつく・やぶる) ・感じわける力の形成 ・運動機能の成熟、発達 ねがえり、ハイハイ、立つ	**なぐりがきからみたて、つもり活動の展開** ・手や道具を使って素材に働きかけ変化させる活動	**イメージによる表現活動の展開** ・自由なイメージで ・物語りのイメージで ・生活経験のイメージで 多様な道具との出会い つくってあそぶ活動の展開	**対象によりそい思いを込める活動**→ ・実感のある活動への集中 ・観察の仕事の始まり ・熟達を求める手仕事への集中	・他者の視点を取り入れながら自分が表したい思いを確かに表現しようとする	思いを形に込める→ 象徴的表現 抽象的表現の展開 具象的表現の深化 / **個別に真実性のある表現・享受の追求**
	表現の真実性の追求					
造形表現活動を支える力 言語	笑顔 喃語 指さし	話しことばのはじまり / 話しことばの獲得	話しことばの一応の完成 / 話しことばの駆使 / 書き言葉の始まり 内言の成立	内言の充実 / 書き言葉の一応の完成	書き言葉の展開 / 論理的思考力を使い始める	文学的体験の芽生え
身体	手の働きの発生 運動感覚は中心部(全身)からの末端部(手・足・指)へ発達	目と手の協応の成立	左右の手の協応	身体調整能力の一応の完成 手の機能の充実	性への覚醒と体の成熟	
人間関係	大人による子どもの受容関係	大人と子どもの相互関係の形成(三項関係など) / 大人を介した子ども同士の相互関係の形成	あそび仲間の形成	大人から距離をおいた子ども集団の形成	親密な友人関係の成立 目的をもった自立的若者集団の形成	自他の違いをふまえた対話関係成立
自我		自我の芽生え / 自我の形成	社会的自我の開始 (自制心・自己調整)		友人およびもう一人の自分との対話・葛藤と自我の再編成 / 行動を通して自己探求	納得できる自己の形成
	表現における対話性の発展					
		線描を通した対象世界との相互交渉力の形成				

造形表現能力の「発達の道筋」と「発達の節」

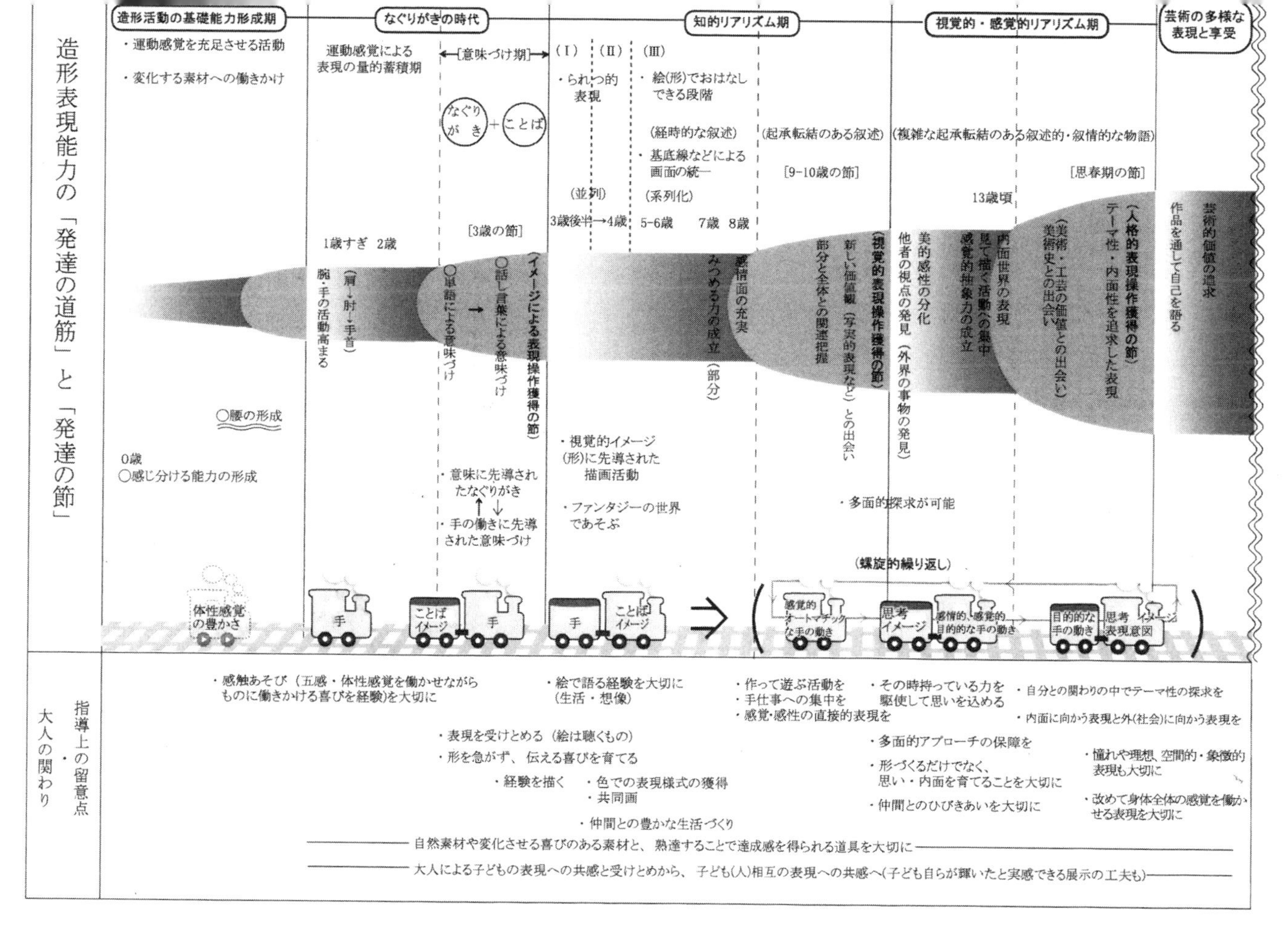

第V章

芸術教育論の基礎概念の再考

第1節 「表現」と「模倣」の原理に見られる芸術の真理性の根拠と性格

—多元的な芸術原理に基づく芸術教育理論のための基礎作業として—

本節のねらいは、芸術教育論の基礎となっている芸術の諸概念、とくに芸術を成立させている原理的な諸概念を問い直す作業をすることにある。このような作業が、現代に必要とされる芸術教育論の理論的枠組みを構想する上での、重要な基礎作業になると考えるからである。

芸術とは、西洋で言えば古代ギリシャ以来中世まで技術としてとらえられていたものが、近代になって独自の文化領域として見なされるようになり、さらにそれは美という固有の価値をもつと規定されてきた。

しかしながら、既に現代では単に美的価値のみで芸術を語ることは困難になっている。それだけでなく歴史的に見てもさまざまな原理的な作用や機能によって芸術は成立してきた。そうした芸術を成立させてきた原理的な諸概念に立ち戻って、芸術とさらには芸術教育のあり方を見直してみることは必須の作業だと考えられる。そうした諸概念の中で、古代から近代以前の長くは「模倣」(ミメーシス mimēsis, imitation) の原理が支配的であり、近代になって「表現」(expression) が主要な原理に代わった〔1〕。しかし同時に、それらと平行して制作という原理も芸術を成立させる根源を成していたはずである。さらに20世紀に入ると、新たに異化 (остранение, Verfremdung, alienation)〔2〕あるいは対話 (dialogue)〔3〕という原理も広がってきたと言ってよい。

---

〔1〕 今日の芸術論や芸術教育論においては、後述するように「表現」という用語には近代芸術思想に特有の観念が含まれ、また「模倣」にもプラトン以来の特有の観念が刻印されて使用されている。したがって本論では、それらの用語が特にそうした特徴を持っている場合には括弧をつけて表記した。

〔2〕 異化の原理については、ロシアのヴィクトル・ボリソヴィチ・シクロフスキー (Виктор Болисович Шкловский) や、ドイツのベルトルト・ブレヒト (Bertolt Brecht) を参照。

〔3〕 対話の原理については、なによりもロシアのミハイル・ミハイロビッチ・バフチン (Михаил Михайлович Бахтин, Mikhail Mikhaĭlovich Bakhtin) を参照。なおH.アーレントが美的判断を契機に着目している共通感覚も、この対話の文脈につなぐことができると考えられる(本書第Ⅱ章第1節などを参照)。

本節では、その中で近代までの主要な原理を構成した「表現」と「模倣」に焦点を当てて、それらの概念が根源的に持つ意味と限界を明らかにすることを試みたい。その作業を通して、芸術教育論の理論構成のための重要な示唆を導き出すことができると思われる。

1「表現」に基づく芸術教育論の意義と困難

(1) 近現代の芸術と芸術教育を基礎づける「表現」

「芸術教育とは、子どもたちが思想や感情などを表現したり、表現された作品を鑑賞や享受することを通して、その感覚や感性を培い、人間性豊かな人格を育む教育的な営為である。」

今日このように芸術教育を定義するならば、個々の細部に対する異論は存在するだろうが、まったくの誤りだとは指摘されることなく、一定の同意を得ることができるのではないだろうか。留意しておきたいのは、このような定義の仕方が「表現」の原理を基礎にして成り立っているということと、そうした芸術教育の理解の仕方が一般化していることである。

もとよりこの「表現」を基礎にした芸術教育論は、学校教育を中心に子どもたちを対象にした芸術教育が広範に進められるようになった20世紀の新教育のなかでの芸術教育論の基本発想になっている。たとえば美術教育分野を見ても、「児童画の発見」に寄与したF.チゼック、自由主義及び創造主義の芸術教育を広げるうえで多大な貢献をしたH.リード、児童画の心理学的研究を基に発達段階に応じた指導法の確立を図ったV. ローウェンフェルドなど、子どもたちの個性、創造性、そして感覚・感性を尊重するような今日の美術教育を確立するうえで大きな足跡を残した人々の芸術教育論もこの範疇の内にある。またこの国の美術教育を見ても、大正期自由画教育運動以来、自然主義、創造主義、生活リアリズム、教科としての科学性や学問性、心理学的な発達論等に基づくさまざまな主張と実践が重ねられてきたが、「表現」を基礎にするという点では概ね共通していたと指摘できる。

このように現代の芸術教育を特徴づけるのが「表現」の原理なのだが、それがあまりにも一般化しているがゆえに、現時点において改めてこの「表現」のもつ歴史的性格を確認し、併せてその論理に基づく芸術教育論の歴史的位置を見定めておく必要があろう。

そもそも「表現としての芸術」というように、芸術的行為を「表現」と理解するようになったのは概ね18世紀末のロマン主義以降であり、それが広く認められるようになったのは、B．クローチェやR．G．コリングウッドの美学や芸術論に代表されるように、20世紀になってからである。このことは、18世紀に「芸術」が他の文化領域とは異なる美的価値という独自の価値をもつ領域として明確に自立し、同時に職人とは一線を画した芸術家が登場したことと軌を一にしている。そしてそれらの淵源はルネッサンスにあった。したがって近代において自立した「芸術」と「表現」概念とは密接な関係にあり、この近代に成立した「芸術」を特徴づける性格が「表現」だったと言ってよい。

ではこの近代的な「表現としての芸術」とは、どのような内実をもっているのかを、その代表的な議論と言われるコリングウッドの『芸術の原理』（1938年）を取り上げて確認しておきたい。コリングウッドが本書を著した意図は、なによりも「固有の芸術（art proper）」[4]とは何かを明らかにすることだった。「固有の芸術というものがいかなる種類の技術でもないということになると、それは再現的（representative）なものであるはずがない」という言葉に示されているように、彼は芸術から技術や再現との関連を断ち切ろうとする。つまり、目的と手段を区別したうえで目的の下に手段を置くことをもっとも特徴とする技術や、外的な対象を前提とする再現や模倣の作用との関係を断ち切れない曖昧さを残している芸術の考え方と明確に区別することによって、芸術の独自な意味を明らかにしようとしたのである。このような作業を通して彼が示した結論は、次のような記述に表れている。

> 「自ら想像的経験や活動を創り出すことによって、私たちは自らの情緒（emotions）を表現する（express）。そしてこのことが私たちが芸術と呼ぶものなのである。[5]」
> 「美的経験、あるいは芸術活動とは人の情緒を表現するという経験である。そしてこれらの情緒を表現するものが、無頓着に言語とか芸術とか呼ばれているが、総体として想像的活動ということになる。これが固有の芸術なのである。[6]」

すなわちコリングウッドは、「固有の芸術」とは、人の情緒や感情といった内面的

---

[4] R．G．コリングウッド『芸術の原理』勁草書房、P.48（R.G.Collingwood, *The Principles of Art*, Oxford Univ.Press,1938,p.42.）。なお、邦訳を参照するにあたって必要に応じて訳を一部変更した。以下同様。

[5] 同上、p.164.（Ibid.,p.151.）

[6] 同上、p.301.（Ibid.,p.275.）

なものを表現する想像的な活動、あるいはそうした想像的な活動を通して情緒等を表現したものだと定義したのである。言い換えれば、表現とは人間の情緒を表すことであり、芸術とはその情緒の表現ということになる。

つまりコリングウッドに典型的に示されているように、近代の芸術論においては、芸術とは「表現」なのであり、その「表現」とは情緒をはじめとした人間の内面的なものを表すことだと理解されていたのである。しかもその「表現としての芸術」の考え方は、技術とは性格を明らかに区別され、かつ模倣の論理や作用をも否定したところに成り立っていたということを確認しておきたい。

(2) 広義の表現概念

このような「表現」や芸術の理解の仕方に対しては、当然ながら異論が提出されている。その例として、ここでは佐々木健一の著した『美学辞典』の「表現」の項を取り上げたい。本書は、美学上の諸基礎概念を定義、学説史、そして自説の3つの部分から構成して解説するという、辞典としてはていねいな編集になっている。そのなかで佐々木は、表現を「目に見えないもの、観念的なものに対して、目に見える形を与えること、もしくはその目に見える形そのものをいう」と定義し、次のようなコメントを加えている。

> 「芸術家の情緒や精神的個性の表れを指して『表現』とする考えは、広く見られるものだが、近代的な、特にクローチェやコリングウッドのいわゆる新観念論の美学において顕著になったものであり、表現の基本的な意味ではない。それは、右の定義のなかの『目に見えないもの』の内容を、芸術家の精神的個性に限定した結果得られる概念であって、ひとつの派生形態とみることができる。[7]」

このように佐々木は、表現とは「目に見えないもの」すなわち無形なものを有形化するのが基本的な意味であって、情緒などの人間の内面性の表れを表現と理解するのは近代特有の観念であって、そのように理解された「表現」は本来の表現の派生形態にすぎないと指摘する。近代的な「表現」の理解の仕方を「派生形態」と否定的に評価するところに、佐々木の理論的立場が示されている。

確かに表現（expression）は、ラテン語の exprimo を語源として、その原義は

---

[7] 佐々木健一「表現」『美学辞典』東京大学出版会、1995 年、pp.53-54.

「外に押し出す」である。そしてその表現を「内なるものの外化」と解されるようになるのも18世紀末から19世紀以降にかけてなのである。そのことをふまえて佐々木は、この「内なるものの外化」という近代的な「表現」概念を否定し、まず「無形なものの有形化」あるいは「隠れていたものの外化」を表現の基本的な意味として措定するのである。

このように近代的な「表現」概念を否定するということは、実は同時に芸術を「表現」ととらえる「表現としての芸術」という芸術観には与しないという立場をも示している。たとえば、佐々木は表現の本質的意味をさらに明らかにしようと試みるなかで、近代の「表現」概念が形成され始める当初、「いかにもそのものらしい」という存在感として、「表現もしくは表情は、再現的な模倣を完全なものにするための契機として、その中に調和的に包摂されていた」ことに着目する[8]。つまり「隠れていた無形なものを有形化する」ことのみならず、その「有形化」に「生き生きした実在感」を持たせるところに、表現の本質的な意味を見出そうとするのである。すなわち佐々木にとって、表現とは「生き生きした実在感」など芸術にそれにふさわしい質を加える働きなのである。このことは、表現とは芸術を芸術として成立させるうえでの付随的な契機や要素にすぎないと理解していることを示している。

こうした佐々木の論が、近代の「表現」概念が歴史的に限定されたものであることを示し、表現の広義の意味を改めて確認させるものであることは認められよう。しかしながら、表現概念に人間の内面性の契機を入れることを認めず、しかも「表現としての芸術」という芸術の理解の仕方も是としないというのは、二重の意味で近代芸術概念を否定していることになるのだが、それはこの近代芸術概念には与しないという佐々木自身の芸術理論上の立場を表明しているにすぎない。その立場は、先の佐々木の記述に示唆されていたように、その表現概念を模倣の論理と同義のまたはそれと矛盾なく両立する概念とするところに端的に示されているのだが、模倣の論理については後述するのでここではそれを指摘するにとどめておきたい。

この佐々木の解説に示されていたように、近代の「表現」概念は歴史的な産物にすぎず、表現という用語はより広い意味を有していることを確認しておきたい。ただし現に近代において特有の「表現」という芸術の観念が成立し広範なものになったという事実を否定することはできない。しかもそれらは、単に19世紀前後に生まれたというのではなく、ルネッサンス以降の芸術の性格の大きな転換の必然的な帰結だと言ってよい。佐々木自身も論証し得ていないのだが、実はその「無形なもの

---

[8]　佐々木前掲書[7]、pp.56-60．参照。

の有形化」あるいは「隠れていたものの外化」という広義の表現概念すら、普遍的なものではなく、芸術が技術から独立しはじめ人間自身による主体的行為として自覚されてくるこの近代的芸術成立のプロセスで初めて自覚されてきたとも予想されるのである[9]。

(3) 近代科学の発生による知の転換

ここで、このルネッサンスを契機に展開されていく近代の芸術の特質が明らかにされなければならない。だがその前にまず、成立してきた近代科学がもたらした意味について確認しておきたい。なぜならば、技術の領域から新たな質をもって生成されてくる近代の芸術が、その近代科学の発生と軌を一にしていたと指摘され、この事情が変様された技術としての芸術に特有の性質をもたらしたと考えられるからである。

近代科学は古代ギリシャ以来の思惟の枠組みと内容を根本的に覆したが、J.ハバーマスはその近代科学が理論にもたらした変化について次のように指摘している。

> 「理論は（論理的斉合性のほかに）真理性の新しい基準として、『われわれは対象を製作しうるかぎりでのみ対象を認識する』という技術家的確信を獲得する。だが技術家の姿勢で研究が推進されていくうちに、技術的態度そのものも変様するのである。この近代科学の特徴をなしている技術家的確信は、修練を通して素材をこなす古典的手職人の相対的確実性とは、くらべものにならない。[10]」

このように近代科学を特徴づけるのは、その技術的性格である。しかしハバーマスは、そうした性格をもった近代科学が生まれる過程で、技術自体も変様するというのである。これは近代以降の工学を主に指していると思われるが、芸術も無関係ではない。

また近代科学発生の思想的根源や深層をとらえようと論究を重ねた科学哲学者の

---

[9] 例えば美学者の今道友信も、模倣に替わって芸術の新しい理念となるのが、「個人的イマージュの開花、内的自我の現象的世界への発露、すなわちexpression（表現）」であり、それは表現の原語の歴史にも対応すると指摘している。すなわちそうした原語は古典ギリシャのみならず古典ラテン文献にも見あたらず、アウグスティヌス以後のラテン語においても模写ないしは模倣と同義に使用され、「要するにこの言葉の意味のメタフォリカルな転化は近世に起源をもつといふことは確かである」と言及している（『美の位相と芸術』東京大学出版会、1971年、pp.189-190.）。

[10] J．ハバーマス『理論と実践』未来社、p.39.（J.Habermas,*Theorie und Praxis*, Suhrkamp,1971,S.66.）

下村寅太郎も、近代科学による思惟の転換を次のように的確に指摘していた。

>「近代の市民社会においては、さらに、ギリシャ的な対話的思惟も中世的な内的瞑想的思惟もともに無力とされ、もっぱら力である如き、力となる如き思惟が真の思惟として要求される。近代の『科学』はかかる力をもった知識として成立した。単なる言説的なあるいは単に瞑想的な理性に対して、計算し、予見し、工作することを特色とする理性が成立する。[11]」

この指摘に端的に示されているように、近代科学の知は、古代ギリシャや中世の思惟の枠組みにとっては到底想定できないような転換をもたらしたのである。古代ギリシャでは人間の精神活動は大きく3つに大別されていた。それらはつまり、「中世の瞑想的思惟」と言われるところに繋がるような、有るがままに観察（傍観）し真理を追求する観想的な理論知（エピステーメー＝認識）と、「対話的思惟」と言及されている「人間のする事柄」としての政治の領域に働く実践知（フロネーシス＝思慮）と、さらに制作や生産にかかわる技術知（テクネー＝技術）である。そして特徴的なことは、その各々が独自の領域と性格をもつと自覚されていたことと、それゆえにそれぞれの領分を越えることは許されなかったことである[12]。

だが、近代科学は知の性格を大きく転換させた。下村は上記の指摘をふまえて、近代科学を「力をもった知識」あるいは「工作知、作る『力』をもつ知」と端的に性格づけている[13]。このような指摘は、近代科学の技術的性格に言及した先のハバーマスの議論と同趣旨の発言だと理解できる。ハバーマスや下村が言おうとしているのは、近代科学を単に客観化的認識としてとらえてはならないということである。近代科学は確かに、自然を客体としてとらえ、それらを観察、分析、解剖することによって、その合理的法則性や必然性を明らかにしようとする。しかしそのような客観化は、それ自体が目的なのではなく、何よりも自然が作り出すのと同様な仕方で自然を人為的に製作する技術を獲得するという志向性に貫かれているのである。だからこそハバーマスは、近代科学の真理性の基準が「対象を製作しうるかぎりでのみ対象を認識する」という技術家的確信だと言及したのであり、また下村は「工

---

[11] 下村寅太郎『レオナルド・ダ・ヴィンチ』勁草書房、1961年、p.15.

[12] 古代ギリシャの思想については、出隆『アリストテレス哲学入門』（岩波書店、1972年）、および藤本卓「〈制作〉と〈実践〉――その(二)」『高校生活指導』91号（1987年7月、なお『藤本卓教育論集』鳥影社、2021年に所収）等を参照。

[13] 下村前掲書、p.18.

作知」と形容したのである。

加えて重要なのは、このような技術的性格ゆえに、その知が「力」を内在させている点である。技術は、対象に働きかけ製作物や生産物を作り出すためには「力」を行使しなければならないために、当然にも「力」の論理を内属させている。下村は明示していないが、その「力」とは暴力（violence）としての力だと言ってよい[14]。したがって自然を人為的に製作ないしは再構成しようとする近代科学も、目的の下に事物に力を行使し働きかけ作り出すという技術的性格をもつがゆえに、必然的に「力」を内在させているのである。

つまり近代科学とは、「力」を内属させた技術的性格をもった知なのである。ここにおいて理論知の性格は大きく転換したのである。中世までの思惟の枠組みでは、理論知が「力」を内にもった技術的性格を有するなどということは、到底認められない事柄だったのである。

だが近代科学がもたらしたのは、単に理論知の性格を変えただけではなかった。それが人間活動のすべてを支配する知になるに至ったのである。先に指摘したように、古代ギリシャでは３つに大別された人間活動は、それぞれが独自の性格をもつと同時に、働く領域も区別されていた。しかし理論知に加え、ともに技術的性格や「力」とは無縁だったはずの政治という人間同士の間の事柄に働く実践知も、「力」を内属させた技術的性格をもった知としての近代科学（＝近代政治学）に取って代わられ、他方で技術知自体もそのような性格をもつように変様されていったのである。こうして人間活動のほとんどすべての領域を近代科学が支配する事態が生まれた[15]。

(4) 近代芸術の特質

ただ本稿で何よりも注目したいのは、このような近代科学の生成にあたって、技術の領域から新たに生まれつつあった芸術が決定的な役割を果たしたのではないかということである。そしてそのことが近代芸術特有の性格をもたらしたことである。

実は先に取り上げた下村は、近代科学をその発生の根源に立ち返って問い直そうとしたのだが、結論として彼が示したのは、近代科学の生成を主導したのはレオナルド・ダ・ヴィンチを筆頭とするルネッサンスの芸術だということだったのである。

---

[14] H. アーレントは「暴力の要素は、制作、製造、生産の活動様式すべて、つまり人間が人間を相手とする場合の主要な活動様式である行為や言論と異なり、人間が自然に直接立ち向かう活動様式すべてに、否応なくつきまとう」と指摘している（『過去と未来の間』未来社、1994年、p.151. H.Arendt, *Beween Past and Future*, Penguin books,1977,p.111.）

[15] ハバーマス前掲書[10]、及び藤本前掲論文[12] 参照。

ルネッサンスの芸術が近代科学に影響を受けたのではなく、近代科学と近代芸術とは根を同じくする。しかもそれのみならず、「近代の科学はまさにかかる芸術から成立する」と[16]、その芸術の方が前者の科学の成立に根本的な契機を与えたというのである。

その典型として取り上げているレオナルド・ダ・ヴィンチについて、下村は次のように指摘している。

> 「レオナルドは、まず画家であることによって、画家であることを通して、自然の精密な観察に向い、観察から分析、解剖に立ち入り、存在する自然だけでなく生成する自然の考察に入る機会と端緒を捉えたということが出来る。ルネッサンスの芸術は観察と実験の芸術である。近世の自然科学の成立はルネッサンスのこの芸術にその動機を負うている。(…引用者中略…) 近代科学の成立過程に関してはこの自然観察への転向こそもっとも重大な根本契機である。[17]」

下村の立場は、人間の思惟を優先すること、つまりまず自然の法則性や必然性についての認識が生まれたことが近代自然科学が成立した契機だと考えるのとは異なる。人間の自然に対する態度の変化こそ起源だと理解するのである。自然を観察し、そしてそれを分析、解剖することによって、その合理的なメカニズムや法則を見出し、かつそれを知的に再構成するという態度が生まれたことが近代科学の成立の基盤になったととらえる。だがそうした態度を生み出したのは、なによりも被造物の中に法則的なるものを認識し、芸術作品の中にその被造物の根源的形態を作り出そうとしたダ・ヴィンチを筆頭とするルネッサンスの芸術だ、と指摘するのである。

確かにその『手記』などを見れば、次のような指摘がある。

> 「『絵画』は『彫刻』よりも大きな知的論究を要し、より偉大なる技術乃至脅威に属する。というわけは、必要に従って画家の知性は自然の知性そのものに変らざるをえず、かつ自然法則によって必然的に生ぜしめられたもろもろの現象の原因を芸術を以て解釈することによって、その自然と芸術との間の通訳者たらざるをえないからである。[18]」

---

[16] 下村前掲書[11]、p.60.

[17] 同上、p.76.

[18] 『レオナルド・ダ・ヴィンチの手記』上、岩波文庫、1954年、p.208.

そこでは絵画が知的活動であると語られているが、同時に単に対象から離れて知的にのみ自然の法則が認識できるわけではなく、芸術による自然の再構成を通してこそはじめて自然の法則性や必然性を認識することができるという自覚が示されているのである。

このような姿勢に注目するからこそ、下村は、ダ・ヴィンチに見られるのは「絵画制作における知性的契機、さらに積極的に知性的構成の自覚である。さらにより重大なことは、絵画において、芸術家によって、近代的な自然の発見、認識の基盤がつくられたことである」と語るのである[19]。それゆえに下村は、ダ・ヴィンチを芸術家でありかつ科学者であるというように、ふたつの性格をパラレルにおくことを容認せず、「レオナルドは芸術家であることによって、よく科学者となり得た」と主張するのである[20]。つまりルネッサンスの時代に画家が科学者になることが求められたのではなく、画家であるがゆえに科学者になりえたのである。

このように生成しつつある芸術が近代科学成立の契機になったということは、そのような芸術が、一方では理論知をはじめとしたさまざまな知の性格の根本的な転換を引き起こしていった導因になり、他方で技術としての自らの性格をも大きく変更させたがゆえにそれが可能だったという二重の意味を含んでいることを示している。つまり変様した技術としての芸術は、「力」を内属させた技術的性格をもった知である近代科学と、そもそも知の性質として同質だったのである。しばしばダ・ヴィンチについて、たとえば「絵画が精神的活動であり、科学であることを立証することによって、絵画が尊敬すべきものであることを示そうと心を砕くのである」と評価されてきた[21]。しかしこのような評価は表層的である。近代の絵画や芸術が外在的に「精神的活動」や「科学」になったのではなく、内在的にそれを求めたのであり、しかもそうした「精神的活動」や「科学」は上記のように「力」を内に含んだ技術的性格をもっていたのである。したがってこの芸術における「精神的活動」や「科学」の強調や尊重は、その背後に自然に対する人間の「力」の目覚めと自覚を伴っていたのである。このことを近代芸術の根源的な性格を示すものとして確認しておく必要があろう。

こうしてダ・ヴィンチは、絵画に従来のような「技芸」ではなく、その上位に位置する「学芸」の地位を要求した。つまり芸術に対して、それまでのような創造的ではない「手の仕事」や「自然の模倣」としての技術ではなく、学問であることを

---

[19]　下村前掲書[11]、p.68.
[20]　同上、p.63.
[21]　ケネス・クラーク『レオナルド・ダ・ヴィンチ』(1939年) 法政大学出版、1974年、p.108.

求めたのだが、その帰結を見ておかなければならない。それに関して下村は次のようにまとめている。

「ここで我々にとって問題なのは、言語を中心とした『学芸』の外に『手の仕事』である造形芸術が学芸とされる思想そのものの意義である。これまで造形芸術は単に物の形を模倣するものと考えられていたのが今や新しい芸術と解されるようになることは、造形が単に模倣ではなく再現・創作であること、自由な人間の自由な営み——精神的な形成と解されることである。それは言語の外に造形が思想の表現とされることでもある。これは芸術の思想性への接近と同時に思想の芸術性への接近でもある。[22]」

つまり造形が、「手の仕事」としての技術から学としての芸術へと変様したということは、それが人間精神の自立性や自由に基づく活動として理解されるようになったことを意味するのである。そしてそれにともなって芸術を存立させる論理も、模倣から「表現」へと転換するのである。なぜならば模倣の論理は人間自身による創造の契機の否定を含意するがゆえに、個としての人間の析出とそれを尊重しようとする思惟を背景にした人間精神の自由を求める思潮に適合した芸術の主要な論理には成りえず、自由な人間による創造的制作ないしは思想を表すものに適した芸術の論理として「表現」の論理が生まれ、それに取って代わられるのである。ここにまさに、人間個人の思想や感情等の「表現」として芸術をとらえていった近代芸術の起源をみることができる。しかし先に指摘したように、この近代の人間性の自立性と自由の思想は、自然に対する人間の「力」の自覚と表裏の関係にあったのである。

(5) 近代芸術が孕む問題性

このように「表現」の論理を基軸にした近代芸術は、確かに近代の人間精神の自由と尊重の思想に基づいて成り立ってきた。しかしそのことが同時に根本的な限界や問題性を孕んでいたとも言えるのである。そのひとつは、芸術が主観化したことである。

「要するに『芸術は天才の技である』ということの意味は次のようなことにほかならない。すなわち芸術における美についてもまた、その判断の原理、したがっ

[22] 下村前掲書[11]、pp.21-22.

てその概念と認識の基準となるのは、合目的性の原理以外にはないのであって、われわれの認識能力の戯れのうちに見られる自由の感情に適っているかどうかということなのである。自然における美も、芸術における美も同じひとつのアプリオリな原理、つまり主観性にのみ基づく原理をもっているのである。[23]」

これはH-G.ガダマーによるカントの美学に対する批判の一節である。近代美学は、美に関する認識論と天才の技に収斂する創造論というふたつの根をもって構成されてくるのだが、カントの美学もその点では同様である。カントにおいて、天才とは「芸術に規則を与える才能（自然の賜物）」であり[24]、それは美的対象としての芸術を産出し、美学的理念を表現する能力である。しかしそうした天才も、なによりも美を判定する能力としての趣味に従わなければならないのである。芸術は美的対象であり、快をもたらすがゆえに合目的、つまり目的に合致していると言える。しかし芸術が合目的的である、すなわち芸術が芸術であるのは、道徳などとは異なって何らかの規則や概念に基づいているわけではなく、その基準は自由の感情を基礎にするというのである[25]。美を判定する趣味も、「一切の利害関心をはなれて、気に入るか気に入らないかによって判定する能力」と定義されているように[26]、快不快の感情に基づく。このようにカントにおいては、美も芸術も徹底して主観性を原理としているのである。

カントの美学が主観性を原理としていることは周知のことである。ガダマーの指摘の重要な点は、そのカントの主観性を原理とする美や芸術のとらえ方を批判し、併せてカントを筆頭とする近代の美学や芸術を構成する論理を芸術を主観化するものと否定したところにある。後に論究するようにカントの美的判断力の考え方については、単に美と芸術の主観化と批判して終わらせるどころのものではない。その点ではガダマーのカント評価には与することはできない。しかし近代の美学や芸術の論理が主観主義化したという批判は当を得ていると言わざるをえない。近代の「表現」の論理はそのことをまさに象徴しているのである。

---

[23]　H-G.ガダマー『真理と方法Ⅰ』法政大学出版、p.79.（本書は1960年の出版以来増補を重ねており、邦訳は1975年出版の第四版を使用しているが、筆者は下記のように第五版を参照した。H-G.Gadamer,*Wahrheit und Methode*,5. Auflage 1986, J.C.B.Mohr (Paul Siebek)Tübingen, S.61）

[24]　I.カント『判断力批判（上）』岩波文庫、46節（I.Kant, *Kritik der Urteilskraft*, § 46）

[25]　これらのカントの天才、芸術、美、趣味等の概念とそれらの関係については、同上書44～50節を参照した。

[26]　同上、16節

次のようなガダマーの批判に目を向けておきたい。

「カントによる美学の新たな基礎づけは、根本的な主観化を内包しており、こうして真に一時代を画することになったのである。その結果、自然科学的認識以外のあらゆる理論的認識は信をおかれず、精神科学の自己反省においても、自然科学の方法論に依存せざるをえなくなってしまった。しかし同時に、『芸術的契機』、『感情』、そして『感情移入』といった補助機能を供給することによって、この依存を容易にしたのである。[27]」

哲学的解釈学の新たな展開を試みるガダマーの基本的関心は、自然科学に真理が独占されてしまったことを批判して、それとは異なる精神科学・人文科学固有の真理のあり方を探求することにある。そのような視点が上記の指摘にも表れている。そしてガダマーにとって、芸術作品とは近代科学の支配を越えた精神科学固有の真理を内包しているのである。ところがカントに見られるような芸術の制作と享受の主観化は、芸術の理解を狭隘化させ、芸術に内包された真理の認識を不可能にしてしまうと考えるのである。しかし上記のガダマーの指摘で重要なのは、カントにとどまらず、これまで見てきたような近代科学と同類の知性によって自然を人為的に再構成しようとするルネッサンス以降の芸術から、その進展の中でロマン主義を経てコリングウッドなどに見られる情緒や感情の表現としての芸術というとらえ方に至るまでの近代の芸術概念総体が、他者を喪失するような主観化に陥っているということなのである

このように「表現」としての芸術と特徴づけられる近代芸術と、そうした芸術観に基づく芸術教育が、必然的に他者を喪失して主観主義化する性質を持っているとすれば、そうした陥穽に入り込むことのない芸術と芸術教育の論理が求められるのである。

ところでガダマーの場合は、このような主観化してしまっている近代的な芸術観に替わるものとして、改めて「模倣」（ミメーシス）の論理の復権を主張することになる。

「すなわち表現、模倣、記号を内に含んでいる一つの普遍的で美的な範疇を提案すべきであるということになれば、私はミメーシスという最古の概念、すなわ

---

[27] ガダマー前掲書[23]、p.59.（Gadamer,ibd.,S.47）

ちそれをもっては秩序の呈示以外のいかなるものの呈示も意味されていない概念を話の糸口にしたいと思う。[28]」

このようにガダマーは近代芸術批判の上に立って、改めて芸術を論理づける概念として表現でも記号でもなく、ミメーシスとしての「模倣」の概念に着目する。

しかし「表現」の論理に替えて再び「模倣」の論理を対置する以前に、実は「表現」の論理自体がすでに「模倣」の論理と臍の緒を断ち切れていないのである。そのことが、「表現」の論理が孕んでいる根本的な限界や問題性のもうひとつの事柄なのである。

2「模倣」論の呪縛と陥穽

(1)「模倣」論から離脱できない「表現」論

近代の「表現としての芸術」という芸術の理解の仕方は、前述のコリングウッドの芸術のとらえ方に端的に示されていたように、古代から中世までの芸術の支配的原理でありさらに18世紀まで支配的な影響を与えた「模倣」の論理を否定するところに成り立っていた。先に取り上げたように、表現を「模倣」と一体のものとしてとらえようとする佐々木健一が、人間の情緒や精神的個性の表れを「表現」ととらえるのは表現の派生形態にすぎないと批判したり、ガダマーが主観主義化した近代芸術の論理に対して「模倣」論を対置したことが、このことを逆の面から物語っていた。

しかし私たちがここで注目しなければならないのは、このように「模倣」の論理に取って代わったはずの、さらに言えばそれの否定の上に成り立っていたはずの「表現」の論理について、その内部に立ち入った場合に、この「表現」の論理が「模倣」の論理を断ち切れていないばかりか、それと深く結びついていることなのである。

たとえば、オランダの代表的な古典学者で、プラトンの芸術模倣説の再解釈と復権を求めたヴェルデニウスは、19世紀ロマン主義以降顕著になったプラトン美学批判に反批判する。すなわち、プラトン批判論者は、真の芸術は現存する実在の模写ではなく、「表現」の自発的性格こそ芸術の価値を保障するものであり、したがって

---

[28] H-G.ガダマー『哲学・芸術・言語』未来社、1977年、p.183.

「表現」の代わりに「模倣」を芸術の中心にすえたプラトンの美学は非難されるべきであるとするが、そうした議論は多くの困難を生じさせると批判したのである。特に難点として指摘したのは、たとえ「表現」の論理に基づいて芸術の自律性を主張しようとも、芸術の質を問う際には芸術外の超越的な真理に類する観念に依拠せざるをえないのであって、そもそも自律性の主張は矛盾しているという点だった。これに関して、次のように指摘している。

「私たちが一つの芸術作品を『深みがある』と言ったり、『浅薄だ』と言ったりするとき、また、ある芸術家に一定程度の『洞察力』があるとみなすとき、私たちはプラトンの忠告に従っているように思われる。この場合、私たちは、想像力の領域を超越する、真理の観念に類似した一つの規準を用いている。芸術的真理は、科学的真理とちょうど同じように、内的な整合性に限定されえないのであり、芸術それ自身ではないなにか他のものへの関わりを必ず含んでいる。[29]」（傍点―引用者）

つまり芸術を「表現」であると規定したとしても、私たちが芸術作品について「深みがある」とか「優れている」といったような芸術作品の質について言及するときには、すでにプラトンの「模倣」論に従っていることになるというのである。なぜならばその場合には、芸術の自律性の主張と矛盾することになる超越的な真理や実在の観念を念頭に置いたうえで、それを規準に芸術を評価しているからなのである。したがってこのヴェルデニウスの議論によれば、芸術における「表現」理論は、内部に矛盾を内包し、「模倣」論の否定のうえに成り立っているようにみえて、実はそれから自由になっていないどころか、その「模倣」論が深く浸透しているのである。

私たちにとって重要なのは、芸術教育論にとって、このように「表現」論、そしてそれのみならず芸術総体がそもそも「模倣」論に縛られていることがどのような影響をもたらしているのかということなのだが、それを考察する前に、芸術における「模倣」論の特質とそれがもつ陥穽について見ておきたい。

(2) 芸術＝「模倣」論の論脈と特質

芸術の原理を「模倣」とするのは、プラトンに由来すると言われる。しかしこの

[29] W. J. ヴェルデニウス『ミメーシス――プラトンの芸術模倣説とその現代的意味』(1949年) 未来社、1984年、p.43.

「模倣」論をめぐる議論を歴史的に見た場合に、事情は少し複雑である。たとえば「結局プラトンでは、『ミメーシス』が『欺瞞アパテー』と受取られたのに対して、アリストテレスでは、『ミメーシス』は、単なる『真似・模倣』の意味を越え、最終的には、世界内存在する人間の生と行為と出来事の『普遍的』真実・真相・真理を、『具体的かつ構成的に本質呈示する』働きとして積極的に意味づけられたと言ってよい」という言及もある[30]。つまりそれは、プラトンは「模倣」を否定的に評価したのに対して、アリストテレスは「模倣」を単なる模写というレベルを超えて「普遍的真理の呈示」と理解して積極的に評価したと指摘しているのである。

確かにアリストテレスは『詩学』(ポイエーティケー)のなかで、「叙事詩の創作、悲劇の創作、さらに喜劇、ディテュランボスの創作、笛や竪琴などの音楽の大部分、これらを全体として一括する規定を与えるならば、模倣にほかならない」と語り[31]、いわば芸術を全体として「模倣」の行為と規定した。そしてさらにアリストテレスは、その芸術論について言及されるときには必ずと言ってよいほど引き合いに出されるのだが、その内実について、「創作家(詩人)の仕事は実際に起こった出来事を語るのではなく、起こるであろうような出来事を、すなわち、もっともな成行きまたは必然不可避の仕方で起こりうる可能事を語ることだ」と指摘したうえで[32]、創作家(詩人)と歴史家とを比較して、次のように述べた。

> 「歴史家は実際に起こった出来事を語るのに対して、創作家(詩人)は起こるであろうような出来事を語る、という点にある。このゆえにまた、創作(詩作)は歴史とくらべて、より哲学的であり、価値の多いものでもある。なぜなら、創作(詩作)が語るのはむしろ普遍的なことがらであり、他方、歴史が語るのは個別的なことがらだからである。[33]」

「模倣」を「普遍的真理の呈示」と意味づけたというアリストテレス評価は、このように詩などの創作を「起こるであろうような出来事」など「普遍的」な事柄を語るという点で哲学に近い営みだとするアリストテレスの発言を根拠にしている。

---

[30] 渡邉二郎『芸術の哲学』放送大学教育振興会、1993年、p.46.

[31] アリストテレス『詩学』1447 a(藤沢令夫訳「詩学」『世界の名著8　アリストテレス』中央公論社、1979年、および松本仁助・岡道男訳「アリストテレース『詩学』」『アリストテレース詩学・ホラーティウス詩論』岩波文庫、1997年を参照。)

[32] 同上　1451 a

[33] 同上　1451 b

しかし、このアリストテレスの「模倣」論の起源はプラトンにある。だが同じように芸術を「模倣」ととらえるにもかかわらず、上記のようにプラトンに関しては「模倣」を否定的に扱っていると言及されるのは、当のプラトンの記述に「模倣」に関する二面的な理解と評価が見られるからである。これは、プラトンに見られる芸術思想を、写実主義ととらえるか、それとも理想主義（イデアリズム）と理解するかの違いとして現れる。

このプラトンの「模倣」に関する二面的な理解と評価について、しばしばそれにかかわって取り上げられ、かつその「主著中の主著[34]」とも言われる、『国家』（ポリテイア）に即して見ておきたい。この『国家』では、一方で、その最終の十巻で「詩（創作）の中で真似ることを機能とする限りのものは、決してこれを受け入れない[35]」「それをあのとき、われわれの国から追いだしたのは正当な処置であった[36]」と、芸術理論史上有名な「詩人追放論」が語られている。その理由は、詩人や画家は「真理とくらべて低劣なものを作り出す」とともに、「魂の低劣な部分を呼び覚まして育て、これを強力にすることによって理知的な部分を滅ぼしてしまう」からだという[37]。なぜ「真理とくらべて低劣」なのかと言えば、対象を真似て描写することによって成り立っている詩人や画家は、「本性（実在）から遠ざかること第三番目の作品を生み出す者」だからであるとされる[38]。

これを説明するにあたってプラトンは、寝椅子のイデアと、大工の作品としての寝椅子と、画家の作品としての寝椅子を例に挙げる。そして大工は寝椅子のイデア（理念・本質）に基づいて実際の寝椅子をつくるが、画家はそのようにイデアを「模倣」した実際の寝椅子をさらに「模倣」することによって作品をつくるがゆえに、二段階もイデアから遠ざかっていることになるというのである[39]。だから「第三番目の作品を生み出す者」だとされるのである。

このような議論を見るならば、プラトンは、芸術における「模倣」を実際に存在する事物や事柄を模写することと理解し、それゆえにそのような「模倣」の行為や産物を理念や真理からほど遠い低劣な「欺瞞」と否定的に評価していることになる。

ところが他方で、この対話編の中でも、それと異なる見解が散見されるのである。

---

[34]　藤沢令夫「『国家』解説」 プラトン『国家』下巻　岩波文庫、1979年、p.432.
[35]　プラトン『国家』 595A
[36]　同上　607B
[37]　同上　605B
[38]　同上　597E
[39]　同上　597A-E　参照。

それは、例えば次のような発言に見られる。

> 「それなら君は、次のような画家についてどう思うかね。――すなわち、その画家は、もっとも美しい人間とはどのような人間であるかという、その模範となる像を描き、あらゆる点にわたって欠けるところなく、それを画として完成したのだが、その場合彼は、そのような人間が現実に存在しうるということを証明できないからといって、画家としての能力をそれだけで低く評価されるだろうか？[40]」

この件は、プラトンの言う理想的な国家が実際に実現可能であることを証明できなくても、その理想の価値が失われることはないといったプラトン流の理念を絶対視する議論を導く譬え話として語られたものである。そこでは、画家は現実に存在することを証明できないような理想的な美しさをもった人間をイメージしそして描くことができるのだと指摘されている。その他にも「ちょうど画家がするように、もっとも真実なものへと目を向けて、つねにそれと関連させ、できるだけ正確にそれを観る」という発言も見られる[41]。これらの発言に着目するならば、もう一方でプラトンは、画家が単に実際の対象を模写するのみならず、理念を直接に「模倣」する、すなわち真理としての絶対的な理念をとらえ描写（「模倣」）する存在だとも理解していることになる。

したがって、このような二面性をもったプラトンの発言のうちで、どちらに重きを置いて解釈するかによって、プラトンの芸術論評価は分かれるのである。たとえば、哲学者こそ真理を知る存在だとして、その哲学者による国家の統治を構想したプラトンの全体的意図を是として受け取ろうとする藤沢令夫は、そのような哲学と芸術とが区別されるのは当然であり、さもなければ芸術にとってもその独自性が失われると語る。そして「画家や詩人の仕事としてのミーメーシスの対象が、直接イデアではなく、特定の感覚像であるとすれば、作品中に描かれるものが対象の本質それ自体（イデア）から『遠ざかること第三番目』にあるという、プラトンの序列づけは、原則的に動かないと言わねばならぬ」と指摘する[42]。他方で先のヴェルデニウスは、プラトンの議論のうちに積極的なイデアの「模倣」論を読みとろうとす

---

[40]　同上　472D

[41]　同上　484C

[42]　藤沢令夫「補注　B　いわゆる『詩人追放論』について」前掲プラトン『国家』下巻、p.420-421.

る。ただしヴェルデニウスの場合は、「模倣」を対象の模写とする写実主義的解釈とイデアの直接的反映とするイデアリズム的理解という、対立しあうふたつの見解のどちらにも与せず、次のように芸術家の媒介性を組み込んだイデアの間接的反映論こそプラトンの真の思想だと主張する。

> 「芸術は事物の本性との間接的な関係をもっている。この関係の強さは、芸術家が中間の水準、すなわち視覚的実在、のより高い諸相を明らかにすることにどの程度成功しているかにかかっている。このように、模倣は、階位的実在観に照らしてみるとき、芸術における写実主義と理想主義との和解をもたらすことができるのである。[43]」

このようにヴェルデニウスは、理念がどの程度芸術に反映されるかは、それを媒介する芸術家自身にかかっていると間接的反映論を唱え、それによって写実主義とイデアリズムを統合しようとするのである。

だが、プラトンの芸術論の解釈としてどのような理解が正しいのかというような、プラトンに関する訓古学は本論の任ではなく、また主要な関心事でもない。私たちにとって重要なのは、プラトンが芸術を「模倣」ととらえ、しかも芸術をその思想全体を特徴づけるイデアリズムの枠組みの中に組み込むことによって、芸術を理念や真理を認識する営みとして理解する契機を作り出したということは確かだという点である。このような発想がアリストテレスを経て、そして芸術を真理を扱うべき領域である学問に高めようとしたダ・ヴィンチも含めて、現代にまで連綿と影響を与え続けてきたのである。

したがって先にも少し触れたように、たとえ「表現」の自律性を主張しようとも、芸術の質を問おうとする場合には「プラトンの忠告に従っている」とヴェルデニウスが指摘したのは、「模倣」の論理に従っていることを指しているのである。なぜならばヴェルデニウスによれば、芸術の質を問う場合には必然的に芸術外在的な理念や真理を規準にせざるをえないが、そうした理念や真理と芸術との関係を担うのは、その真理等の反映としての「模倣」の論理にほかならないからである。

敷衍すれば、芸術を何らかの真理認識と結びつけて理解しようとした場合には、必然的にこの「模倣」論を受容し、その論理に組み込まれざるをえないのである[44]。たとえば、精神科学固有の真理を探究しようとするガダマーが、近代芸術観を否定

---

[43] ヴェルデニウス、前掲書[29]、p.28.

して「ミメーシス」の復権を主張したのは論の必然だったと言ってよいが、それはこの事情を端的に示していた。

したがって、先にガダマーによって主観主義と批判された近代の美学や芸術理論も実は、何らかの理念や真理を想定しているという点で、上記の議論の枠内にあると言ってよい。さらに他の文化領域とは切断された自律した美の領域や次元を基点に社会と人間の蘇生を展望しようとする社会理論や人間論・教育論にも同様な指摘をすることができよう[45]。

---

[44] 「表現」論などの近代芸術観を批判し芸術模倣説を唱える論者の中には、例えば山崎正和のように、イデア論的枠組みの否定を含みながら模倣の重要性を論じる者も見られる。山崎は「行動の模倣」論を主張し、その模倣が、目的志向性に偏重した近代以降の人間に、改めて人間行動の基盤になる行動の多義的な全体を包み込む気分やリズムという「動機」を回復させると論じる。そこには、ポスト・モダン論の行為論を彷彿させるものがある。プラトンルートの「模倣」論の呪縛を解き、新たな模倣概念を検討する際には、この山崎の模倣論は批判的にではあるが必ず俎上にあげられるべき議論であろう（山崎正和『演技する精神』中央公論社、1983年）。

[45] このような議論を代表するものとして、まず挙げられるのが18世紀末のF．シラーであろう。シラーは、カントに触発されてその道徳（自由）論を美を媒介にロマン主義的に展開させ、仮象としての美に理性と感性の分裂した現実を克服する人間性の理想と自由を展望すると同時に、そこに理想の国を見ようとした（Friedrich Schiller, *Über die ästhetishe Erziehung des Menscheh in einer Reihe von Briefen,1793-95, Friedrich Schiller Sämtliche Werke Band V*,Carl Hanser Verlag,München,1984.「人間の美的教育について─連続書簡」などを参照。石原達二訳『美学芸術論集』冨山房（1977年）、浜田正秀訳『美的教育』玉川大学出版部（1982年）に収録）。

現代の社会理論の中にも、このような現実と一線を画した自律した美の領域に着目しようとする理論的傾向が見られる。フランクフルト学派のT．W．アドルノやH．マルクーゼなどの議論もそのひとつである。たとえばマルクーゼは、1960年代にはいわゆる「市民」文化を「現状肯定的文化」と形容し、内面的な見かけの自由をつくりだすことによって、大衆の不満を抑え、現実の物質的・精神的貧困を隠蔽する一方で、仮象としての美の中に理想として現実において満たされない人間の諸欲求が貯えられていると、それを両義的にとらえたが、最終的にはそれは実際の欲求充足の実現によって止揚または精算されなければならないと語っていた（Herbert Marcuse, *Über den affirmativen Charakter den Kultur, in Kultur und Gesellschaft I* ,Suhrkamp, 1965.「文化の現状肯定的性格について」『文化と社会　上』せりか書房、1969年、参照）。

しかしマルクーゼは、1970年代に入って、上記の両義性の後者の面に注目し、既存の社会関係から自律した芸術・美的形式が支配的な意識や日常的な経験をくつがえすと、芸術や美の次元の現代の社会関係における積極的意義を強調した論を展開するようになる。たとえば、次のような記述がテーゼとして示されている。

「芸術のラディカルな性質、つまり、既成の現実への告発、解放の美しいイメージ（美しい仮象）の喚起は、芸術がその社会的決定を超越し、所与の言説と行為の世界の圧倒的な現実を保持しつつもそこから自己を解放する次元にこそ、基礎を置いている。そこにおいて芸術が創出する領域は、芸術に固有な経験の転倒が可能になる領域であり、芸術によって形成された世界は、所与の現実においては抑圧され歪曲されている一現実として認められるのである。この経験は、通常は否定されたり、およそ耳にしえなかった真理の名において所与の現実を爆破してしまうような極端な状況（愛と死、罪と過ち、さらに喜悦、幸福、達成）において頂点に達する。芸術作品の内的論理は、支配的な社会的諸制度に組み込

(3)「模倣」論の恣意性と陥穽

ところでここで私たちがなによりも目を向けなければならないのは、模倣を真理認識と不可分な作用とするのは、実は模倣の特殊な理解に過ぎないということである。たとえば、プラトンに限らず、当時のギリシャにおいては、全体として芸術を「ミメーシス」の働きと見る考え方は、広く受け入れられていたという。しかしその際、「ミメーシス」とは、一般的にはやはり「真似（copy）や模倣（imitate）」といった再現的な意味で用いられていたが、それだけでなく「表現を与える」作用という広い意味でも使用されていたという解釈もあると指摘されている[46]。

このように「ミメーシス」が広義の意味を持っていたとするならば、それにあえて理念や真理を認識する論理を組み込んでいったのは、やはりプラトンの意図的な作為によるということになろう。

西欧近代文明に内在する知と権力のシステムの由来を抉り出す作業を進める政治思想家関曠野は、古代ギリシャを代表する思想家としてのプラトン像の解体作業の中で、「実際プラトンは『イデアの形而上学者』というより、認識論上および美学上の一切の模写説の創始者なのである。そして、ミメーシス概念の始祖プラトンのこの対話編（『クラテュロス』…引用者注）における議論からして、我々は模写説のいかがわしい素性を知ることができる」と指摘する[47]。関は、この模倣論とは、直観によって〈知る者〉と〈知られる対象〉とが完全に一致融合することを仮定するにもかかわらず、他方で一切の人知は理念の不完全な写像でしかないと見なすように、矛盾した説なのであり、「二律背反的な観念でしかありえない」と言及する。しかしさらに重要なことには、このように論としてそもそも矛盾しているだけでなく、そ

まれている合理性や感性をものともしない、別の理性、別の感性の発現をもって終結する。」(Herbert Marcuse, *The Aesthetic Dimension*, Beacon Press,1978,pp.6-7.『美的次元』河出書房新社、1981年、pp.15-16.)

ここに示されているように、マルクーゼは、所与の現実を超越し、徹底して自律しているがゆえに、美の次元は虚構や仮象であっても、既成の現実を転倒させる別の真なる現実を示し、そこに真理が表されているととらえるのである。

また論の必然として、マルクーゼも、現実の再現としての模倣は否定するが、「模倣とは、疎隔(estrangement) を通じての、すなわち意識の転覆を通じての描写である」(Ibid., p.45. 同上、p.49.)と、「模倣」論自体には与するのである。

このように所与の現実を超越し自律した美の領域や次元に着目する議論は、そこに真理を見ることと不可分な関係にある。またこうした美の領域や、さらにマルクーゼに見られたestrangementという語が、実体論的に想定されていることにも目を向けておく必要があろう。

[**46**] 渡邉前掲書[**30**]、pp.46-47、参照。

[**47**] 関曠野『プラトンと資本主義』北斗出版、1982年、p.220.

れは「極めて政治的な機能を持つ」というのである。つまりそのイデア論では、理念を認識する程度には差があることを前提としている。したがって「模写説の下においては、我々は必ず『正しく完全な』認識をもつエリートと、『不完全な』認識しかもちえない『大衆』との知的な格差や序列の存在、そして前者による後者の支配の正当性という思想にゆきつくからである」と指摘するのである。

このように理念認識の完全性の度合いを根拠にした支配の論理に導くというこのイデア論とそれと結合した「模倣」論に込められた政治的意図とは、さらに言えば、「言語の否定」によるポリスの民主制の転覆なのである。民主制ポリスは、その統治原理を暴力から対話、説得、論争といった言論に換え、「言語の主権」によって成り立っていた。この人々に平等に与えられた言論の行使によって、人々は語り、判断を相互的に評価し、決定した。このような「言語の主権」が機能するポリスの民主制を頽廃と混乱と描き出し、人間同士の間の事柄であるはず政治領域に対してその外部に存在する理念の論理を持ち出すことによって、自らの言葉を絶対的なものとする立法者による支配を企て、その民主制の転覆を図ったのが、貴族イデオローグとしてのプラトンにほかならない。したがってその超越的で絶対的な理念を想定し、その真理に服すことを求めるイデア論と「模倣」論には、民主制を瓦解させるという極めて政治的意味あいが込められていたのである[48]。

H.アーレントも「プラトンが理性を政治の領域の支配者にしようとした動機は、もっぱら政治的なものであった[49]」と関の議論と同様な指摘をするとともに、イデア論の政治的機能についてより明瞭に語っている。それはプラトンによって、当初の観照されるべき真理としての理念が、人間の行動の尺度に転換されたことに由来する。アーレントは、件の理念と「模倣」の関係を論じた寝椅子の議論を例に出して、次のように指摘している。

> 「ベッド一般の『イデア』が、作られる個々のベッドすべてを有用なものとする基準であり、かつその有用性を判断させる基準であるのと同一の意味で、プラトンのイデアは政治的・道徳的な行動と判断のゆるぎなき『絶対的』基準となっている。[50]」

---

[48] 関前掲書[47]、p.221、参照。

[49] H. Arendt, *What Is Authority?* in *Between Past and Future*, Penguin books, 1977, p.107.(H.アーレント「権威とは何か」『過去と未来の間』みすず書房、1994年、p.145)

[50] Ibid., p.110.(同上、p.149)

このように理念とは、単に観照によって探求されるべき事物の真の存在というだけのものではない。一切の事物から超越して、職人の技術や制作の基準となるのと同様に、「模倣」論と一体になったプラトン的理念は、絶対的な基準や尺度として人間の行動と判断を支配するという機能を果たすために導入されたのである。

プラトンが理念に託した経緯を、アーレントは次のように記している。

> 「プラトンが説得では人々を導くのに不十分として、暴力という外的な手段を用いずに人々を強制できるものを探し始めたのは、ソクラテス死後であった。かれは探求を始めてすぐさま、真理すなわちわれわれが自明と見なす諸真理こそ人々を強制すること、また、この真理による強制は、効力を発揮するのに暴力を必要としないにもかかわらず、説得や論議よりも強力であることを発見したに違いない。[51]」

「政治的であることは、ポリスで生活するということであり、ポリスで生活するということは、すべてが力と暴力によらず、言葉と説得によって決定されるという意味であった[52]」というポリス市民の常識を覆して、人間同士の間の事柄としての政治領域に、その領域に内在的に由来することのない外在的な理念や真理の論理を導入することによって、あからさまな暴力支配とは質を異にするかたちではあるが、人間を強制し支配する仕掛けを生み出す理論的装置こそ、イデア論と「模倣」論だったのである。したがってアーレントは、「強制的な権力 (the compelling power) を宿しているのは、人格でも不平等でもなく、哲学者が観てとるイデアであるのは、確かである」と語るのである[53]。

[**51**]　Ibid., p.107. (同[**49**]、p.146)

なおここで指摘されているソクラテスの死についてだが、確かにソクラテスはアテナイ民主制下で「青年を腐敗せしめかつ国家の信ずる神々を信ぜずして他の新しき神霊を信ずる」という理由で裁判にかけられ刑死した。このソクラテス裁判は通例、衆愚の徒としてのアテナイ市民によって、賢者としてのソクラテスが死刑に処せられた、と理解されていることが多い。しかしそのような解釈は、ポリス民主制の転覆を企図したプラトンが記した『ソクラテスの弁明』が真実として信じられたことに端を発している。このような一面的な理解を脱して、ポリス市民の立場から事柄を理解して、ソクラテスがいかにポリスを成り立たせる基本的な思想文化に反し、かつそれを破壊するものであったかという視点から論究する文献も見られるようになっている。イジドア・F. ストーン『ソクラテス裁判』(1988年) 法政大学出版局、1994年。関曠野、前掲書、参照。

[**52**]　H.Arendt, *The Human Condition*, The University of Chicago Press, 1958, p.26. (H. アーレント『人間の条件』ちくま学芸文庫、1994年、p.47)

[**53**]　H. Arendt, op. cit., p.109. (H. アーレント、前掲書[**49**]、p.148)

このように芸術は真理を認識し提示する性格をもつという自覚は、「模倣」論を媒介にして成立する。このことは芸術を成り立たせる基本的な論理やその機能を結局は真理認識に一元化させてしまうことを示している。さらにこのように芸術を真理認識と結合させることは、人間活動がそれぞれの領域にふさわしいさまざまな性格の異なった認識や知によって営まれなければならないにもかかわらず、その活動全体を真理認識という理論知によって一元的に支配するという構造が生み出されたことと軌を一にし、それを先導し強化するものにほかならない。それのみならず、真理認識としての芸術は、真理による人間の強制と支配というメカニズムに埋め込まれた、内面に浸透する隠れた「強制的な権力」としての性格をもつことになるのである。

(4) 多元的な芸術原理から成り立つ芸術教育論へ

ここまで述べてきたように、現代の芸術教育を全体として規定する「表現」の論理は、近代芸術の成立を起源としていた。その近代芸術は、客観化的認識のみならず「力」を内属した技術的知としての近代科学の生成の起点となることによって、それ自体も同類の変様した技術知的性格をもつにいたった[54]。同時に「手の仕事」や「自然の模倣」の否定の上に成り立つ近代芸術は、必然的に自由な人間による創造的な制作や思想を表すに適した芸術の原理として「表現」の論理を伴いそして発展させていったのである。

しかしこの「表現」の論理は、他者を喪失し主観主義化する性質を内包すると同時に、実は否定したはずの「模倣」の論理に深く浸潤されていたのである。古代ギリシャから18世紀まで芸術を支配したこの論理は、真理の認識の程度によって芸術の質を測るのみならず、真理による人間の強制と支配という性格を内在させていたのである。

以上のように、現代においても多大な影響力をもつ「表現」と「模倣」の論理ないし原理が内包する性格を検討してきた。そうした考察をふまえて、芸術教育論を構想するときに、どのような視点が得られるのかを、簡単に指摘しておきたい。

それは、なによりも「模倣」の論理とつながった「表現」の論理だけを原理とするような、一元的な原理に基づく芸術や芸術教育の考え方から離脱することである。

---

[54] このような学的性格をもった技術知と理解されるようになったことが、芸術家養成を工房からアカデミーへと転換させた決定的な要因でもあった。N. ペヴスナーによれば、美術家が公衆から離れてしまったのはなによりもこのアカデミーの成立による。N. ペヴスナー『美術アカデミーの歴史』(1940年) 中央大学出版部、1974年、参照。

本節の初めに指摘したが、芸術を成立させる原理には、その他にも、制作の原理、さらには異化や対話の原理が想定される。そうした多元的な原理を基に、それぞれの原理から生まれる芸術活動や作品がポリフォニックに展開される芸術教育論を構想することが求められる。

そうした多元的な芸術教育実践や理論の中では、「表現」あるいはより広義な表現による芸術活動や作品は、他の原理との緊張を伴った対照の中で、その原理がもつ芸術固有の真理の探究という特有な価値を発揮することができると考えられる。

本書においても、こうした多元的な原理に基づく芸術教育論については、第Ⅱ章第１節の平和のための教育としての芸術教育の構想、同章第３節のコロナ禍に向き合う芸術教育の展望、さらに第Ⅳ章第３節の造形表現能力の発達を視点とした美術教育の構想の発想などに生かされている。

またそうした構想をふまえた新たな表現への着目については、人間的自然の保存と結びついた自然性を生かした表現や、非専門家である人々の率直で真性な表現の可能について、第Ⅰ章第３節、第Ⅱ章第２節、及び第Ⅳ章第１節において言及している。そうした連関の中でこれらの論を検討していただきたい。

第2節 「共通感覚論」再考の視座
―中村雄二郎『共通感覚論』を批判的に読む―

1 中村雄二郎の共通感覚論の2つの問題点

共通感覚論については、中村雄二郎『共通感覚論』(岩波書店、1979年) がとくに著名である。それは、近代思想の中で表に現れてこなかった「共通感覚」(common sense) に光を当て、一方でこの「共通感覚」が、社会のなかで人々が共通 (コモン) にもつ、まっとうな判断力 (センス) を意味する「常識」と理解されてきたことを批判し、そもそもそれは、アリストテレスに発する人間の五感 (視覚、聴覚、嗅覚、味覚、触覚) に相渉りつつそれらを統合して働く総合的で全体的な感得力 (センス)、とりわけ触覚に代表される体性感覚による諸感覚の統合の働きであることを明らかにした。そして他方で、この「諸感覚の体性感覚的統合」としての「共通感覚」への着目が、自明性の根柢に批判の目を向け、視覚の優位と支配を特徴とする近代的思惟の枠組みをはじめ、知覚、身体、アンデンティティ、言語、時間や空間、制度等の現代の人間や芸術が抱える諸問題を根源的に問い直し、現代における知の組み換えを可能にするなによりの契機になると主張した。

このような中村の共通感覚論は、一般の思想界のみならず美術教育界にも少なからぬインパクトを与えた。たとえば、美術教育を意義づけ、実践を方向づけていく際に、視覚の優位を批判し触覚に代表される「体性感覚的統合」を強調するこの共通感覚論を典拠にする例が少なからず見られる。しかしだからこそ、美術・芸術教育のあり方を改めて探求するうえで、中村の共通感覚論に疑いの目を向けておくことも必要だろう。

この共通感覚論が抱える問題点として、少なくとも次の2点は指摘できるだろう。ひとつは、中村も全否定しているわけではないが、「共通感覚」における「常識」概念に連なる系譜を否定的にとらえることによって、「共通感覚」を「体性感覚的統合」に局限化したことである。それと関連してくるが、ふたつ目には、このような「共通感覚」に着眼することが「現代における知の組み換えの何よりの手がかりになる」

と定位したことに見られるように、「知」およびその「組み換え」の契機を一元化させてしまったことである。これはのちの『臨床の知とは何か』(岩波新書、1992年) などにおいて、普遍主義・論理主義・客観主義を構成原理とする「近代科学の知」に対して「臨床の知」を対置させていった議論へと連なっている。

2 社会哲学分野での共通感覚への着目の動向

中村の共通感覚論とは異なる道筋で「共通感覚」に着眼する議論は、主に社会哲学分野で進められてきた。それはたとえば、知念英行『カントの社会哲学』(未来社、1988年)、水野邦彦『美的感性と社会的感性』(晃洋書房、1996年)、牧野英二『遠近法主義の哲学』(弘文堂、1996年) などが挙げられよう。実はこれらはすべて、カントの『実践理性批判』ではなく『判断力批判』にその本来の政治哲学を見出したH.アーレントの議論を契機にしている (邦訳を記せば、『カント政治哲学の講義』法政大学出版、1987年、および『過去と未来の間』みすず書房、1994年、など)。アーレントによれば、カントの『判断力批判』の新しさは、「事柄を自ら自身の視点からだけでなく、そこに居合わせるあらゆる人のパースペクティヴで見る能力」すなわちフロネーシス (思慮) の根源にある古代ギリシャ以来の「共通感覚」を、趣味の現象のうちに発見したことだという。

ここでは、カントの『判断力批判』に関する内外の研究の到達点にも目を配りつつ、そのカントの「共通感覚」概念をもっとも詳しく分析している水野邦彦の著作を取り上げておきたい。その書は、第Ⅰ部「カント美学」、第Ⅱ部「美的感性の系譜」と、2部構成になっている。第Ⅱ部では、トマス・リード、唯物論、ギュイヨー、アドルノなどの美の理論が取り上げられている。そして「社会的視点を念頭に置きつつ美学史を再度ふりかえり、社会的美学を哲学的に構想しはじめることが本書のテーマである」と記されているように、それは総じて美的感性が単なる主観の枠内にとどまることなく社会的性格をもち社会的感性へと連なっていくことを探求したものである。この書の作業の中心になっているのが、第Ⅰ部でのカントの美学と市民社会論の検討からその社会的感性論を導き出そうとする試みであり、しかもその中核を成すのが第四章「カント美学の成立—趣味判断の普遍妥当性と〈共通感覚〉—」と第五章「〈共通感覚〉とセンスス・コムニス」でのカントの「共通感覚」概念の分析なのである。

カントによる趣味判断の第一のモメントは、「あらゆる利害関心をはなれて、気に入るか気に入らないかによって対象あるいは表象様式を判定する」というものである。これは、しばしば趣味判断の「無関心性」として特徴づけられ語られてきた。しかし問題は第二のモメントである。そこでは「あらゆる利害関心から隔たっているという意識をともなった趣味判断には、客観の上に据えられた普遍性をはなれた、すべての人に対する妥当性の要求が属する、つまり、趣味判断には主観的普遍性の要求が結びついている」と指摘されていた。これはたとえば、「この花はバラだ」という判断がバラという花の概念によって客観的に普遍妥当性が示されるのとは異なって、「この花は美しい」という判断は主観的な趣味判断にもかかわらず、「誰もが気に入る根拠を含みもって」おり「普遍的同意」を求めているという事例にかかわる。問題の所在は、主観的であることと、普遍的妥当性及び普遍的伝達可能性との間には当然ながらパラドックスがあるにもかかわらず、カントが一言で「主観的普遍性」と言い抜いてしまうことの根拠である。すなわち主観性と普遍性ないしは普遍的伝達可能性とを架橋しうる契機である。カントの別の文言によれば、「我々は、趣味とは、我々の［感覚に似た］感情をある与えられた表象において［知覚においてではなく］、概念の媒介によることなく普遍的に伝達可能にするようなものについての、判断能力である、とさえ定義しうるかもしれない」という指摘を支える根拠である。

実はそこにかの「共通感覚」の働きが想定されているのである。そこでの「共通感覚」とは、「自分の判断を総体的人間理性と比較するために、反省において他のあらゆる人間の表象の仕方を思想のうちで（ア・プリオリに）顧慮するような判定能力」としてのそれである。これは、先のアーレントの定義づけと重なっている。したがって、そのような「共通感覚」の働きによって主観性と普遍的伝達可能性は架橋されるのである。逆に言えば、趣味判断は単なる主観的なものではなく、そこには自己と他の人々すなわち社会とを根源的なところで結びつける「共通感覚」が不可欠に作用しているのである。

だがカントの『判断力批判』には、「共通感覚」に類する用語が多様にしかもそれぞれの使い分けが非常にわかりにくい形で使用されている。それらは、〈Gemeinsinn〉、〈sensus communis〉、〈gemeinschaftlicher Sinn〉、〈gemeiner Verstand〉、〈gemeiner Menschenverstand〉などである。水野はカントに即してこれらの用語を分類し、それらの概念を明確にすることによって、趣味判断すなわち美的感性が社会的感性へと連なる構造を明らかにしようと試みたのである。

水野の結論を言えば、『判断力批判』では、「共通感覚」を表す言葉としてはもっぱら〈Gemeinsinn〉が用いられ、それが「概念を媒介することなく」「感情による」という趣味判断固有の「主観的原理」を根拠づけるという。そしてラテン語で「共通感覚」を意味するセンスス・コムニス〈sensus communis〉と「共同体感覚」と訳しうる〈gemeinschaftlicher Sinn〉は、カントにおいては等しいものとして使用され、それがまさに上記の「他のあらゆる人間の表象の仕方を思想のうちで（ア・プリオリに）顧慮するような判定能力」をもつのであり、水野はそれを「共同体を志向する感覚」として解釈している。だがこの共同体感覚は、趣味の領域だけでなく、認識や道徳の領域においても認められ人間の表象の全範囲にわたる包括的な感覚だという。したがって趣味判断を支える〈Gemeinsinn〉としての「共通感覚」は、この「共同体感覚」に含み込まれて働くというのである。さらに〈gemeiner Verstand〉と〈gemeiner Menschenverstand〉の両者も同義であり、それらは「人間の中に認められる最小限の常識」を意味し、ネガティヴなものとして使用されているという。いわば通俗化した「常識」である。

このような水野の整理によれば、趣味判断には、「常識」ではなく、〈sensus communis〉や〈gemeinschaftlicher Sinn〉といった「共同体感覚」に包括された〈Gemeinsinn〉としての「共通感覚」が働いていることになる。そのことによって趣味判断は、水野の言うように「共同体を志向する」と言明できるかどうかはさらなる検討が必要だが、少なくとも人間が他者と織りなす社会、アーレントに言わせれば「公的世界」を形成する基底的な契機を内包していることになるのである。

カントの『判断力批判』における「共通感覚」に類する用語の多様性については、すでにアーレントも指摘し、少なくとも「常識」と「共同体感覚」を腑分けしていたことは確かであるが、水野のように３つに明確に分類しているわけではない。そのようにはっきりと区分けできるかどうかは、さらに詳細な検討が求められるだろう。しかしここで改めて中村の議論に立ち戻るならば、中村が整理したように「共通感覚」を「常識」と「体性感覚的統合」の２種類によって区分けしてしまうことは、単純すぎる図式だと指摘できるだろう。「共通感覚」には、他者と世界を共有することを可能にする基底的感覚という重要な機能が存在しているのである。中村によるならば、そうした「共通感覚」は結局は「常識」の系譜に連なるものとして否定的に論じられてしまっている。しかし社会形成の基底的感覚としての「共通感覚」は、単に「常識」に連なると切り捨てられてしかるべき類のものとは言えないのである。

3 他者と世界を共有する基底的感覚としての共通感覚への着眼

ところで共通感覚論として見たときに、上記の水野の議論に大きく欠落しているのは、中村の共通感覚論との関係を全く問わずに語っている点である。これまでの議論からわかるように、共通感覚論として何よりも重要な論点は、「常識」と「体性感覚的統合」との区別ではなく、「他者と世界を共有することを可能にする基底的感覚」としての「共通感覚」と「体性感覚的統合」としての「共通感覚」との関係なのである。中村の場合は、アリストテレスに基づきながら、後者がすべての根源なのだ、と主張していることになる。

だがアーレントの『過去と未来の間』の、次の件を見てみたい。

> 「ギリシャ人はこの能力(判断する能力＝事柄をあらゆる人のパースペクティブで見る能力…引用者注) をフロネーシスすなわち洞察力と呼び、それを政治家の第一の徳あるいは卓越と見なし、哲学者の知恵から区別した。この判断する洞察力と思弁的な思考の違いは、前者はわれわれが共通感覚と通常呼ぶものに根ざすのに対して、後者は絶えずこの共通感覚を超越する点にある。[1]」(傍点…引用者)

ここでまず確認しておきたいのは、古代ギリシャでは、アリストテレスも踏襲しているが、人間の活動をテオーリア(理論)、プラクシス(行為・実践)、ポイエーシス(制作)の３領域に明確に区別し、そしてそれぞれに働く権能も、特に理論知としてのエピステーメー(認識)、実践知としてのフロネーシス(思慮・洞察力)、技術知としてのテクネー(技能)とに分けていたことである[2]。そこでアーレントが指摘したのは、「共通感覚」は、観想的な理論知やものに対して力を行使する技能とも異なって、人間の間の事柄ゆえに暴力を行使してはならずに説得と対話によって「公的世界」を形成する実践領域の知にこそ働いているのだということである。つまり実践知こそ「共通感覚」に根ざしているのである。さらに興味深いのは、上の件にアーレントが付した、次のような注である。

「アリストテレスは、考え抜いた上で、政治家の洞察力を哲学者の知恵に対置し

---

[1] Hannah Arendt, *The Crisis in Culture*, in *Between Past and Future*, Penguin Books, 1968, p.221. (ハンナ・アーレント、引田隆也・齋藤純一訳「文化の危機—その社会的・政治的意義」『過去と未来の間』みすず書房、1994年、p.299.)

[2] 例えば、藤本卓「〈制作〉と〈実践〉—その(1)〜(3)—」『高校生活指導』86・91・92号(1986年7月、1987年7月、同年11月。『藤本卓教育論集』鳥影社、2021年所収)、及び出隆『アリストテレス哲学入門』岩波書店、1972年、pp.29-34を参照。

ている（『ニコマコス倫理学』第6巻）が、おそらく、政治的著作でしばしばそうしているように、アテナイのポリスにおける一般的な意見に従ったのであろう。[3]」

ここでの「対置」の原文は「set against」である。つまりアーレントによれば、アリストテレスは政治学に関しては自らの意に反して、古代ギリシャの一般的な思惟に従って、実践知を理論知と敵対的にすら位置づけているというのである。ここにアーレントの、実践知は理論知と明確に区別されなければならないという古代ギリシャで共有されていた見識を覆そうとしたアリストテレスへの批判が込められている。なぜならばアリストテレスは本来、プラトンを引き継ぎ、理論知をこそ技能や実践知に対して最上位に位置づけていたからである。そのように理論知を、たとえば「公的世界」を成り立たせる「人間のする事柄」に独自に必要とされる実践知と混淆させたり、あるいはその実践知よりも優位に置こうとすることは、古代ギリシャの人々の共有の見識からは許されないことだったのである。

ここでアーレントの指摘に基づいて改めて確認すれば、古代ギリシャにおいては、「共通感覚」は何よりも実践領域や実践知において働くものであり、その実践領域や実践知の独自性や固有性を侵してはならないという理解があったということである。その枠組みを理論知の優位という視点から根底から覆そうとした人物こそプラトンやアリストテレスだったのであり、その延長線上に曲折は経ているが「近代科学の知」が存在してくるのである。

したがって中村が、アリストテレスを起点にしながら「共通感覚」を「体性感覚的統合」に局限し、さらにその上に立って「臨床の知」というものを対置したということは、たとえ「現代における知の組み換え」という理由を付そうとも、「知」をも一元化しているということを示しているのである。それは結局、「実践」や「制作」の独自性や固有性を侵し、学的認識（エピステーメー）の優位と支配を求めるという、アリストテレスが犯した誤りを再び繰り返すことになるのである。

ただし、「体性感覚的統合」としての「共通感覚」の存在を全否定する必要はあるまい。以上の理解の上に立って改めて共通感覚論をめぐる理論的課題を確認するならば、理論知のように真理に関わるのとは違って蓋然的性格をもつために不当に低位に置かれてきた実践知の固有性を確立し、「知」を理論知にのみ一元化することなく、共通感覚はまずなによりも実践領域や実践知の基部においてこそ働くことを自

[3] H. Arendt, op. cit., pp.296-297.（アーレント、前掲書[1]、p.400.）

覚しつつ、「他者と世界を共有することを可能にする基底的感覚」としての「共通感覚」と「体性感覚的統合」としての「共通感覚」との関係性や相互性を探求することだろう。

さらに芸術教育論により引き寄せるならば、これまで「制作」や「技能」の分野とされ、他方で結局は理論知と結びつけられてきた（その中にはF.シラーのみならずH.リードなども含まれるといってよい）ような芸術活動に対する理解を問い直し、実践領域や実践知との関連でその性格や意味を探るという、新たな理論的な課題が見えてくるのである。これは、芸術的活動のコミュニケーション的さらには対話的性格の理論的解明に不可欠な作業だろう[4]。

[4]　この実践領域で働く共通感覚の機能に着目して、芸術教育を意義づけたり、芸術教育論に生かしたものとして、本書第Ⅱ章第１節や第Ⅳ章第３節の諸論がある。併せて検討されたい。

第3節 芸術教育学の「学」としての固有性と可能性

1 美術・芸術教育学の現況とその位置

本節は、美術教育学ないしは芸術教育学というものが、自立した学問として成立しうるのか、そしてもし成立するとすればそれをめぐる困難や課題はどこにあるのか、などについて試論として提出しようとするものである。

ここではまず、美術教育学、そしてさらにそれを包括した形での芸術教育学を、教育学の一領域であり、しかもその教育学を構成するひとつである教科教育学の一分野であると位置づけておきたい。後述するように、美術・芸術教育学を教育学ととらえること自体に対しても、さらにそれを教科教育学のひとつと位置づけることにも、異論があることは周知の通りである。確かに美術教育学は美術科教育学で包摂されうるものではない。しかも我が国の教科教育学の成立は、学校への近代教科の導入を起点に、とりわけ1960年代以降の教科教育の科学的研究の進展、そして直接には教員養成系大学・学部を通しての教員の目的的、計画的養成制度の整備に起因している。したがって学校の既存の教科を前提に成り立つ教科教育学の形態は、極めて歴史的に限定されたものであり、教科の在り方が根源的に問われている今日、その存在は流動的である。

しかし我が国で美術教育理論や芸術教育理論を原理的に論じようとした試みを歴史的に見た場合、たとえば戦前には、とくに大正期から昭和初期にかけて、佐々木吉三郎『教育的美学』全3巻（1911～12年）、阿部重孝『芸術教育』（1922年）、関衛『芸術教育大観』（1923年）、春山作樹『芸術教育論』（1931年）などを散見することができる。しかし戦後は、1950年代から60年代はじめにかけて周郷博や山住正己らの仕事がある程度存在し、他方芸術各分野の教育論は持続的に出版されてきたものの、こと美術教育論やとりわけ芸術教育論を包括的原理的に論じようとするものはその後80年代になるまで、十分には試みられない状況が続いてきた。しかし80年代以降、山本正男『美術教育学への道』（1981年、玉川大学出版部）、山本正男監修

『美術教育学研究』全四巻（1984～85年、玉川大学出版部）、大勝恵一郎・鈴木寛男監修『美術教育学概論』（1984年、黎明書房）、石川毅他『美学／芸術教育学』（1985年、勁草書房）、石川毅『芸術教育学への道』（1992年、勁草書房）、宮脇理・花篤實編著『美術教育学』（1997年、建帛社）など、数多く著されてきた。このような傾向は、美術教育や芸術教育の学問的な立脚点や課題を確認したり、それを理論的に体系化する必要が強く自覚されてきたことを示していると言えようが、それを促した背景として先の教科教育学の成立と進展があることは見逃せない。したがって、教科教育学としての美術教育学は、確かに歴史的に限定された形態として存在はしているが、同時にその学問的な確立を求める試みを促したことは確かである。しかしこのような美術教育学ないしは芸術教育学の包括的原理的研究がさまざまに試みられてきた現段階において、改めてそれらを見直しつつ、学問的確立と結びついたその理論的課題を明確にしていく作業も求められていると思われる。本論も、その作業の一端に加わろうとするものである。

だがこのことをふまえながらも、本論で美術・芸術教育学を教育学の一領域と捉え、さらにそれらを教科教育学の一分野と位置づけるところから議論を進めようとするのは、そのことによって美術・芸術教育学の学問上固有の位置や困難をより浮き出させることができるのではないかと考えられるからである。さらに言えば、美術・芸術教育学は、教育学一般の学問的未熟さと、教科教育学のもつ矛盾という、ふたつの困難を抱えており、それらを意識化できるならば、この美術・芸術教育学の学問として固有な位置や課題をある程度明確にでき、そしてその学問的確立へのひとつの方向性を見出せるのではないかと考えられるのである。

2 教育学が抱える困難や課題と美術・芸術教育学

(1) 教育学の学問としての現段階

先に美術・芸術教育学が未だ自立した学問領域として確立していないのではないかと指摘したが、実は教育学そのものがそのような段階にあると言える。したがって教育学の学問的な現段階を問うことによって、その面から美術・芸術教育学の学問的に抱える困難と課題の一端も明らかになるのではないかと思われる。

戦後日本の教育学の営みは、総じて社会や教育の現実から遊離していた戦前の思弁的な講壇教育学の在り方を批判し、日本の子どもと社会や教育の現実と結びつきつつ、かつ学問的であるような教育学の創造を求めるものだった。しかし現実とかかわる教育研究という前者の面はある程度進められてきたと言えようが、後者にあるような教育学が固有のカテゴリーとディシプリンを持った自立した学問領域として確立してきたかと問えば否と言わざるをえない。

戦後日本の教育学者の中で、教育学の学問性に関して一貫して問題意識をもって研究活動を進めた一人として中内敏夫を挙げることができる。その中内は、これまでの教育学の知見をふまえて、教育に対する見方や考え方の全体的枠組みをつくることを意図した『教育学第一歩』において、次のように指摘している。

> 「教育学は必要性はたっぷりというものの、学問としては未熟な段階にあるといわざるをえない。それは、教育学が、哲学、心理学、政治学、社会学など隣接の諸学に対してその固有の研究対象を設定することにながく成功しなかったことによる。それゆえ、固有の研究方法もまたもちえなかったことによる。[1]」

つまり中内も、教育学は自立した学問としては確立していない未熟な段階にあるというのである。その原因として、上記にも言及があるが、さらに次のようにも指摘する。

> 「実践優位のこの制作の学の研究方法の核心は、教育実践の発展が拓いてくる世界を照らし出し、これを認識と伝達可能なものとしてとりだしてくる概念装置を発明することのうちにあることを忘れてはならない。[2]」

ここで中内は、古代ギリシャ以来の概念を使用して、教育学を観照の学としてのテオリアではなく、制作（ポイエシス）の学としている。学知や理論学と結合したテオリアではないとしたのは中内の見識であろう。しかし教育を、人間関係行為であるプラクシスと関連させることが可能なはずの「実践の優位」と特徴づけているにもかかわらず、それを事物に働きかけて作品をつくりだす営みであるはずの制作（ポイエシス）と規定したうえで、教育学を制作の学としているのだが、実はこのこと自体が教育概念をめぐる論争的課題のひとつである[3]。しかしそれはさておいて、中内は教育学が学問として未熟である原因として、長い間固有の研究対象を設定しえず、さらに固有の研究方法、とりわけその核心である独自の概念装置をもち

---

[1]　中内敏夫『教育学第一歩』岩波書店、1998年、p.36.
[2]　同上

えていないと指摘するのである。

つまり古くから教育論なるものは存在しても、それらの多くは宗教論、政治・経済学、家訓・家政論、学問論などの一部として語られてきた。そして18世紀末に教育学が成立しても、教育論をそのような形で論じる発想は今日にも引き継がれている。しかも哲学、心理学、社会学などの隣接諸科学においても教育は研究対象になり、それら諸科学の研究方法や概念装置に基づいて教育は研究され論じられてきているのである。したがって若い学問である教育学は、それ独自に扱うべき研究対象を長らく設定しえず、とりわけ研究方法や分析の概念装置に至っては今日まで固有のそれを確立できずにいるのである。

(2)「教育」概念の再審

教育学一般がこのような段階にあるとすれば、美術・芸術教育学も同様な課題を背負っていると言ってよい。しかも今日、事情はさらに複雑である。なぜならば研究対象となる「教育」の概念自体が根元のところから問い直される必要に迫られているからである。

実は上記の中内が教育学の固有の研究対象として念頭に置いていたのは、近代において成立する「教育」だった。つまり18世紀に「発達」という概念が成立し、その「発達」への介入のしごととして「教育」という概念は確立した。したがって「教育」という行為や概念は、人類が古くからおこなってきた教え、育てる営みと同義ではなく、近代に固有に成立し自覚されてきたものである。ところが今日、教育学の研究対象としての「教育」自体が、根本的な再審の俎上にある。そのことはすなわち、教育学の確立どころか、その根本的な枠組みそのものが問い直されざるをえなくなっていることを意味する。

1970年代以来「学校」という制度や「教育」という行為への疑念が深くなり、それらの概念の洗い直しが求められてきた。そうした作業は、日本の教育病理の深まりに直面し、かつたとえばＩ.イリッチ『脱学校の社会』(1970年、東京創元社)などの多くの著作に触発されながら進められてきた。そしてその概念の再審作業の進展

[3] 教育という営みをポイエシス(Poiesis)ととらえるかプラクシス(Praxis)と位置づけるかは、それによって教育概念が根本から問い直されてしまう性格をもつ本源的で現代的な論争課題である。この点についてはさしあたり、藤本卓「制作と実践　その(一)〜(三)」『高校生活指導』86号(1986年7月)、91号(1987年7月)、92号(1987年11月)、参照(『藤本卓教育論集』鳥影社、2021年所収)。

なお、芸術教育においてもこの問題は無関係ではない。たとえば芸術教育をポイエシスと理解してよいかどうかが、1910年代の阿部重孝と佐々木吉三郎との間の論争の重要な論点のひとつだった(阿部重孝「教育は果たして芸術なるか」『教育学術界』第31巻第2号、1915年4月、などを参照)。

は、近代に成立する「学校」や「教育」が、その本来の性格がゆがむ形で現代に病理的な姿で現出しているのではなく、その権力性や抑圧性は、それ本来が有する言わば生理的作用であることを示してきた。

その結果当然にも、今日一般的にも、また研究者間においても、教育概念に対する動揺とも言ってよいほどの大きなくいちがいが生じている。たとえば、その根本において問い直しが迫られているにもかかわらず、近代「学校」「教育」を前提とした「教育」概念をもって教育を語ったり、あるいはそれが疑われていることを自覚しながらもあえてそれを使用する場合があり、他方で「学校」や「教育」を否定的にとらえるがゆえに、教育と学習との区別をなくし、両者を同義にとらえたりまたは学習を軸に両者の調和を想定して論じる場合がしばしば見られる。これは、美術・芸術教育研究者間でも同様である[4]。

したがってこうした動揺の中で、この教育概念の再審作業がどのような地点まで到達しているのかを確認しておくことは、教育学の研究を進めるうえで不可欠であろう。

たとえば寺崎弘昭は教育史の領域から「教育」という概念の問い直しを精力的に進めた。寺崎は、近代に「発明」される「教育」が〈力〉(Power＝権力)の行使を前提としていることを明らかにすると同時に[5]、「教育」という概念がそもそも〈育〉で表されていたものを〈教〉が凌駕し変質させていく過程を経て成立することを示している[6]。つまり教育(education)は広義には、引き出すこと〈産〉、養い太らせる〈育〉、しつける〈訓〉、教える〈教〉の4つの営みからなるが、本来〈education〉は〈産〉と〈育〉を指し、〈訓〉や〈教〉はそれぞれ〈institution〉や〈instruction〉という別の語があてられていたのである。ところが17世紀以降、とくに18世紀を通じて、学校が「教育」の場としての地位を獲得していくプロセスのなかで、〈訓〉と〈教〉が〈産〉や〈育〉を凌駕し、「教育」の支配的な意味へと踊り出てきたというのである。寺崎はこうした過程を確認したうえで、近代の「学校」や「教育」に自縛されたまま学校＝教育否定論に与するではなく、かつての産育の地平から新たな教育を生み出すこと、とりわけ「異なる世代がその営みにおいてそれぞれのライ

---

[4] これはあまりにもしばしば見られるので、例示すること自体躊躇されるが、あえて身近な例を挙げれば、たとえば『美育文化』誌での鼎談「戦後美術教育における“創造主義”の再検討」(1997年10月号)での、教育主体のとらえ方の違いを参照。

[5] 寺崎弘昭「教育関係構造史研究入門—教育における力・関係・ハビトウス—」『東京大学教育学部紀要』第32巻、1992年、参照。

[6] 寺崎弘昭「Ⅱ教育と学校の歴史」藤田英典他『教育学入門』岩波書店、1997年、参照。

フ・クライシスをそれぞれにワタルことを可能にする、生命のリズムに添ったライフ・サイクル間関係行為」としての教育概念を提案する[7]。

確かにこのように、近代「学校」や「教育」が本質にもつ〈力〉の行使という性格を深く自覚し、それを相対化しながら教育の在り方を模索する必要が切に求められている。しかし上記の議論をめぐる大きな論点は、世代間関係から教育を考える際に、そこに働く何らかの「力」というものを想定していないことである。近代「学校」や「教育」を相対化し、教育を人類の存続の基底を成す世代更新の視野から見直すことは、その教育という営みの本源に立ち返って考察することができる有効な視点である。こうした視点は、当然ながら従来の教育研究でもある程度念頭には置かれてはいたが、それを主眼に据えることは十分には試みられていなかったからである。ところで寺崎の場合は世代間関係から新たに教育を考えると言っても、それは「ライフ・クライシスをそれぞれにワタル」ということを主眼にしている。つまり人々が人生のそれぞれの段階で直面する危機を、世代を越えた他者との関係を通して乗り越えながら、人生を歩んでいくことをイメージし、そこに教育という営みを見ようとするのである。だがその場合に、世代間に生起する緊張や葛藤を主題化しえていないと見える。実はそこにこそ教育の本質をとらえる鍵がある。

同様に世代更新の観点から教育を見直そうとする論者に藤本卓がいる。そこで最も目が向けられているのが、世代間の緊張と統一の問題なのである。藤本によれば、「登校拒否・不登校」問題や「いじめ」問題をはじめとして近年の子ども・青年に関わる問題の本質は、一般的に理解されているような同世代内関係のトラブルではない。それは「子ども・若者世界に対しての大人社会の手出し（配慮）の不足にではなく、手出し（侵襲）の過剰にある」ように、子ども・青年への管理の高度化と周到化、より本質的には正常な世代間関係を崩し去った「縦（世代間）関係のコンフリクト」と読み取られるべきなのである[8]。つまり今日の教育問題の根を、人間社会の存続を危うくするレベルにまで達している、先行世代と後続世代間の関係のもつれに見るのである。したがって藤本は、子ども・若者の〈世代の自治〉を内包し、かつスムーズでありえない世代間の対立や相克をはらんだ文化の継承と世代更新の営みを再建することの展望のうちに、改めて教育の原理を見ようとするのである。

藤本は直接には生活指導論として論じているのだが、次のような教育の原理的な見地に注目してみたい。

---

[7] 同[6] pp.118－119

[8] 藤本卓「子ども青年の自治権を本気で考える」『高校生活指導』133号、1997年6月、参照。

「一言で煎じ詰めるなら、それは『子どもたち・若者たちは、大人に『教育』されることのみによっては育たない』という事実を痛切に自覚した〈教育論〉―あくまで『学習論』ではなく―であると考えます。すなわち、子ども・若者を大人とする途として、『彼ら／彼女らを明確に大人と区別しつつ、同時に、嘘でなく大人扱いする』という生きた矛盾を、(…引用者中略…) 自覚的方法とするのです。[9]」

この発言は、自らも指摘しているように一見矛盾している。つまり、子どもたちは「教育」されるだけでは育たないことを自覚した教育論、すなわち子どもを大人と明確に区別しつつ本当に大人扱いすることを自覚的方法とする教育論が必要だというのである。それはあくまで学習論ではないというのである。実は、この一見矛盾した言説のうちに、藤本の教育に対する識見が示されている。

つまり教育という営みが最広義に世代交代を導く世代間関係行為であるとすれば、世代間の対立や相克といった緊張は避けられない。いやむしろ緊張のない世代間関係から成る社会こそ、崩壊の危機にあると言ってよい。とするならば先行世代（大人世代）は、自覚的にせよ、無自覚であっても、後続世代に対して「組織された社会力」として相対していることになる。後続世代はその「組織された社会力」との対立や相克を乗り越えて世代交代していかなければならない。このような世代交代によってはじめて、人間社会を存続させうる尋常なかたちでの世代更新は遂行されるのである。つまり「組織された社会力」に相対するという緊張がなければならないし、かつその「力」に駆逐されてもならないのである。教育という営みは、否定しようにも必然的にそうした「社会力」を背景にしている。したがって求められるのは、先行世代が後続世代にそのような「力」を行使することが、後続世代によるその「力」の反転をも生み出すような仕掛けを内属させた教育関係を構築することなのである[10]。

支配としての「学校」「教育」の性格を深く自覚したうえで、〈力〉の浸透を容認する「教育論」にも、逆に世代間の区別や緊張を主題化しえず、結局は教育の否定を内在した学習論としての「教育論」にも与しないスタンスが求められるのである。

---

[9] 同[8] p.67

[10] 藤本卓「〈世代の自治〉の再発見へ」『高校生活指導』135号、1997年12月、参照（前掲[3]『藤本卓教育論集』所収）。その他、関曠野『教育、死と抗う生命』（太郎次郎社、1995年6月）、H.アーレント「教育の危機」『過去と未来の間』（みすず書房、1994年）も参照されたい。

「力」の行使が「力」の反転を生み出すことを明確に方法的に構造化した教育と教育論の探求こそ、今日の教育学がなによりも自覚しなければならない課題なのである[11]。

教育学の一領域としての美術・芸術教育学は、このような教育学の現段階と無縁ではない。それどころか今日の教育学が抱える困難と課題を深く共有し、そしてそれに独自な形でコミットするところから、美術・芸術教育の確かな発展と美術・芸術教育学の深化と学的確立の途のひとつが拓けるのでなかろうか[12]。

3 芸術と教育の間に位置する美術・芸術教育学の可能性

(1) 教科教育学の抱える二重の困難

次に美術・芸術教育学を教科教育学の一分野として位置づけた場合に見えてくる、その性格、困難、そして可能性について考えてみたい。

先に指摘したように、今日のような学校の教科は、19世紀に確立した学問の分類を基盤として成立する。それが現在のような教科教育学が成り立ってくる起点ではあるが、しかしその直接の契機は、1960年代以降の教科教育の科学的研究の発展と、さらには我が国における教員養成系大学・学部を通しての目的的・計画的教員養成制度の整備だと言ってよい。

ここでとくに目を向けたいのは、教科教育における学問や文化と教育との関連である。この点に関わって今日の教科教育について、主に2点指摘できる。ひとつは、教科教育の研究が60年代の「教育の現代化」と結びついて発展したことと関連して、自然科学や人文科学さらには芸術や技術といった、諸科学や文化の成果をいかに教え、そして子どもたちの学習を促すかという教授の研究が中心になっていることで

[11] 本稿で論じたのとは異なる角度からの作業として、支配としての「学校」「教育」に対抗し、さらに「脱学校論」「対応理論」「再生産論」に対しても批判的な、M.アップル（Michael Apple）やH.ジルー（Henry Giroux）らの文化政治学を土台にした批判的教育理論も注目される。それらは、学校を、階級や人種や性にかかわる文化的ヘゲモニーをめぐる政治的実践の場ととらえる。しかしこうした議論に基づく教育実践も、支配に対抗する教育にはなりえても、その内部に「世代間の緊張と統一」に関しての自覚的な理論が含まれていなければ、それ自体が子どもにとって抑圧になることは注意しておきたい。

[12] 美術・芸術教育学の側からこの課題に迫る作業として、たとえばH.リードが「社会と個人の統合」にかかわる重要問題として芸術教育を扱っている点を、理論的に深化させていくことなども挙げられるだろう。（植村鷹千代・水沢行策訳『芸術による教育』美術出版社［1975年］、または宮脇理・岩崎清・直江俊雄訳、フィルムアート社刊［2001年］、参照）

ある。もうひとつは、ところが今日各教科の背景になっている諸学問や文化のあり方が根本のところから問われてきており、教科の存立の仕方自体が再検討されなければならない事態に直面していることである。現在、近代的な生産・生活様式と、それを促した近代科学技術の在り方が問われているのみならず、自然科学と人文科学の各体系自体も揺らいでいることを見ても、それは明らかであろう。

これまでも教科教育学は、その対応する学問や文化、および教育研究や教育学一般のそれぞれとの関連が、理論的に十分には整理されていないと指摘されてきた。上記のような事態が加わるとすれば、教育学全体も同様だが、とりわけ学問や文化と教育の間に位置する教科教育学は、さらに二重の困難に直面していることになる。つまり、現実の教育病理の深刻化とそれに伴う近代「学校」や「教育」への疑念の深まりの中で、一方の立脚点であるはずの教育なるものおよび教育学が根底において問い直されており、他方で自らの成立の基盤である学問や文化のあり方も問われ揺らいでいるという、二重の困難である。

美術・芸術教育学においても事情は同じである。近代において他の文化領域から自立した芸術は、「純粋芸術」として囲い込まれ権威化し、同時に大衆的な芸術も含めて商品化した。そしてこうした近代の市民芸術に対抗した現代美術・芸術も、「アヴァンギャルドは、芸術を生活実践に移行させるという意味において、自律的芸術の止揚を志向する。この止揚は実際には果たされなかった。それはまた、市民社会の中では、自律的芸術の偽りの使用という形態によって以外には、おそらく果たされえないだろう[13]」とP.ビュルガー（Peter Burger）が指摘するまでもなく、ある意味で「挫折」し、芸術のあり方をめぐる苦闘が続いている。

それでは教科教育学の内に、こうした二重の困難に対する契機は見いだせないのであろうか。とくに注目してみたいのは、その諸学問や文化と教育との関係である。

かつて大田堯は、「人間を人間たらしめる教育の過程」を学習者の成長の過程、文化財の伝達の過程、そして教師の指導の方法的過程の3つの側面からとらえたが、その第２の側面について次のように語っていた。

「人類が自然や社会から自由になるための長い努力の過程で蓄積したもろもろの文化諸価値を、それぞれの諸価値のもつ固有のシステムに矛盾しないように（つまり、自然科学であれば、それがもつ論理構造を勝手にゆがめたりしない

---

[13] Peter Burger : *Theorie der Avantgarde*, suhrkamp 1974, s.72-73（浅井健二郎訳『アヴァンギャルドの理論』ありな書房、1987年、p.77、参照）

で)、むしろそれぞれの価値の発展につながるようなものとして(つまりますます人を自由なものとすることをめざして)、これを被教育者につたえる過程である。[14]」

子どもたちに文化諸価値を伝える場合に、それらがもつ固有の構造を軽視して、その単なる断片を伝えたり、あるいはそうした構造などを歪曲するような伝え方をしてはならないというのである。たとえ学校教育のなかでも、各学問や文化の諸価値の構造に矛盾しないように伝えるということは、単に知識や技術などを習得するにとどまらず、伝えられたものを再構成することによって、そうした構造、すなわちその学問・文化が成り立っている仕組みを自らのものにすることができるようにすることを意味する。そこでは、それぞれの学問や文化の全体的な構造と教育とを相互に応答させるような質が教科教育に求められるのである。

さらに注目すべきは、単にそうした構造や仕組みをそのままに習得するだけでなく、「人間を自由なものにする」方向、つまり人間社会の進むべき方向という価値的な視点と関連させながら、それぞれの文化価値が発展することにつながるような伝え方が求められると指摘していることである。このような伝える過程が生まれるためには、そうした構造などを批判的に対象化する作業が不可欠である。

したがって大田の議論によれば、文化的価値の伝達過程とは、単に知識や技術の教授で終わるのではなく、各学問・文化の構造と教育との相互の応答をつくりだし、さらにそうした教育のプロセスのなかでそれらの構造自体に対しても批判的に対象化できるような過程であるべきなのである。これをより簡潔に記せば、教科の教育は、その過程のなかで一方では教育の質をただし、同時にそれを通じて学問や文化の構造やあり方をも問うような質を要求されているということである[15]。

これを先の教科教育学が抱える二重の困難と重ねるならば、興味深い意味をもっていることになる。つまり一方で教育なるものが根底において問い直されざるをえず、他方で背景となる学問や文化の存立の仕方が見直されざるをえないという二重の困難のなかで、まさにそれに対応するように、教科教育というものは本来、その過程を通じて、一方で教育の質をただし、他方でその学問や文化のあり方をも問うことができるのである。それを研究する教科教育学の固有の意義や位置は、そこに

[14] 大田堯「教育の課程と方法」『岩波講座　現代教育学』第2巻、1960年、p.230.

[15] このような大田の意図するところは、たとえば既成の観念や概念を対象化し見直す「概念くだき」という日本の教育の歴史のなかで蓄積されてきた概念を、一般的に使用される生活と教育の結合という文脈で使わずに、この議論の後の「教科指導の方法」という項で用いていることにも、よく現れている。

あると言えないだろうか。

(2) 芸術教育研究と芸術教育学

このような教科教育学一般のもつ性格と美術・芸術教育学との関係を問わなければならないが、その前に美術・芸術教育学を教育学の一領域ととらえたり、また教科教育学の一分野と理解することとは、明確に異なる主張をしている議論について検討しておきたい。筆者も美術・芸術教育学を教育学であるとは理解するが、教科教育学でなければならないとまでは考えていない。なぜならば先に指摘したように、教科教育学は歴史的に限定された形態であり、流動的だからである。しかし教科教育学と位置づけてみるのは、それが美術・芸術教育学の固有の性格や位置を鮮明にするのに役立つと考えるからである。

美術・芸術教育学を教育学や教科教育学とは性格づけない見解として山本正男と石川毅の議論を取り上げておきたい。たとえば山本正男は『美術教育学への道』において、美術と人間形成とを関連させるとらえ方には３通りあるとして、第１が人間形成に重点を置く立場、第２が美術することに中心を置く立場と分類する。そして第１の立場は人間形成の手段として美術を使うことになってしまい、第２の立場は人間形成につながるかどうか疑問であると、両者を退ける。それらに代わって、第３の立場として、美術することと人間形成の双方を共通の理念で統合していく立場を提出するのである。具体的には次のように語っている。

> 「美と呼ばれる人間性の価値の理念に支えられた芸術・美術の表現活動は、本質的にも構造的にも人間形成の活動と重なっています。こういう意味で、美術教育は根源的に『美術することの人間学』をふまえるべきであると思うわけです。[16]」

美術することと人間形成の両者を統合する理念とは美の理念なのである。そこには、芸術や美術は当然ながら美の理念に基づき、かつ人間形成についても人間学の立場からそれを支えそしてその目的となるものとして美的理念を置くことができるがゆえに、ともに美の理念によって統合されるべきであるという考え方が示されている。したがって美術教育学は人間学の内に位置づけられるのであろう。山本のこのような思想には、否定的な様相を示す現代の芸術と人間に対する、芸術学者とし

---

[16]　山本正男『美術教育学への道』玉川大学出版部、1981 年、p.42.

ての危機意識を読みとることができる。

石川毅の議論は、芸術教育学の学問としての性格やその確立の方途を徹底して模索しようとするところに特徴がある。石川も芸術教育学のさまざまな考え方を検討したうえで、まずは「芸術教育学とは、人間の生成問題を対象とする技術学と定義することができる」と設定する[17]。しかしこの限りでは、芸術教育学は教育学そのものと同義である。だが当然ながらさらに踏み込んで議論が展開される。石川にとって、芸術教育と教育一般とは、本質的に性格を異にするのである。「教育の教授学が教育の自由を奪うとすれば、教育に先験的自由を付与するのが芸術教育であり、その術が芸術教育の教授である」と指摘される[18]。これはつまり、教育とは外部から与えられた目的に従う技術であるために自由を奪う性格をもつが、芸術教育は芸術である限り自己内在的な合目的性に従うために先験的な自由を有するという議論である。ここに見られるように、芸術教育は教育と結びつけられるよりも、芸術と結合されて理解されているのである。したがって芸術教育学は次のように性格づけられることになる。

> 「芸術教育学と美学とは学問としての成立要件において重なり、その対象の美的価値性において重なるが、さらに方法的にも、両者は目的論にかかわる点において共通する。[19]」

つまり芸術教育学は、教育学ではなく、美学と共通の枠組みをもつものとして理解されるのである。ともに美的価値を対象として、自己内在的な合目的性に従うからである。しかしこのような理解も、芸術教育を教育と対立させ芸術と結びつけたことに起因していると考えられる。

山本と石川の両者の議論に共通する特徴を指摘することができる。すなわちともに美の理念、美的価値、合目的性といった、主に美学や哲学のカテゴリーに基づいて美術・芸術教育並びに美術・芸術教育学を性格づけていると言ってよい。

このような理解が提出されているなかで、改めて美術・芸術教育学の学問的性格を考えるうえで、教育学を含めた各学問の総合性という点を検討してみることも有効である。それにかかわって、堀尾輝久は次のように述べている。

---

[17] 石川毅「芸術教育学」『美学／芸術教育学』、勁草書房、1985年、p.168.
[18] 同上、p.201.
[19] 同上、p.178.

「従来、学問分野の総合化は諸学の王者たる哲学の任務とされてきた。しかし、神ならぬ哲学者は、それをなすことはできなかった。逆に諸科学がこの哲学的総合の課題を、各分野で引き受ける姿勢のなかで、換言すれば、各分野が哲学的課題を引き受け、その学問と人間全体との関連を問い続けることのなかで、すなわち、各分野が自らも総合的人間学たらんとする努力を続けることによってしか、総合的人間学の建設は不可能であろう。(…引用者中略…) 人間の総合的把握の課題は、関連諸科学が、その固有の方法を通して、独自の課題を遂行することなしには、その総合化はかけ声に終わろう。[20]」

諸学問の細分化のなかで、総合的理解が必要とされる人間把握を契機に諸学問の総合化が求められる。しかしその作業はひとつの学問に任されるのではなく、当然哲学や美学も含め政治学、社会学、心理学、精神医学などの関連諸科学のそれぞれが、その学問と人間全体との関連を問い続けつつ、その固有の視点や方法を通して、他の諸科学の知見を総合するなかで遂行されるというのである。当然教育学も、その固有の方法で、総合的人間科学としての課題を担うことになる。

したがって人間学のひとつとして、このような総合化が求められる哲学や美学が、その固有の視点や方法をもって、人間形成や教育を研究し論じることは、学として当然なことである。だがその場合に、先に取り上げた中内敏夫が次のように記していることには留意する必要があろう。

「教育学という学問は、教育問題に関する知見とその研究方法のひとつである。教育研究は、教育学の独占物ではない。」
「教育はいろいろの学問によって研究されてよいから、教育研究は多元的でよいが、教育学となると統合の概念装置をつくる努力が必要となる。[21]」

このように中内によれば、教育の研究は教育学のみが担うのではなく、多くの学問によって行われるものなのである。したがってそれぞれの学問が、その固有の視点や方法の下に教育研究をすることになる。だがそれは教育研究であって、教育学ではないのである。教育学には、他の学問と異なる独自の方法や概念装置が必要とされるからである。しかしそうした固有の方法や概念装置はまだ確定されてはいない

---

[20] 堀尾輝久『人間形成と教育』岩波書店、1991年、p.28.
[21] 中内、前掲書[1]、p. vi、およびp.34.

ことは、先に検討したとおりである。

したがって哲学や美学をはじめとした諸学問が教育を研究したり、あるいはその学問の視点や方法に基づいて教育を研究することは当然あるのだが、それは教育研究であっても教育学ではないことになる。そのため、たとえば哲学や美学のカテゴリーに基づいた美術・芸術教育の研究は、研究ではあっても教育学としての美術・芸術教育学ではないということになろう。

(3) 美術・芸術教育学の固有の位置

ここで改めて、教育の過程を通じて、一方で教育の質をただし、他方でその学問や文化のあり方をも問うことができるという、教科教育が本来もつ性格と、美術・芸術教育との関係を検討してみたい。結論を先取りして言えば、美術・芸術教育は、文化内容としてもつ芸術という性格上、他の教科教育では及ばないほどラディカルに（根源的に）このような機能を果たすことができるのである。

戦後日本の芸術教育に、子どもたちの個性や創造力を育成したり、芸術固有の能力を培うことのみならず、本来上記に類する働きをすることが期待されていたことが、改めて確認されてきている。たとえば創造美育協会の久保貞次郎は、「こうして創造美育の運動は重大な任務を負わされるにたちいたった。一つは子どもの幸福を守るための責任であり、もう一つは、日本画壇への反省を促すという仕事である。(…中略…) 第二の仕事の内容はこれからだんだん明らかにされてくるだろう。画家たちが子どもの絵の見方に、彼ら大人の弱点を発揮しているのに気づいた僕達は、子どもの絵から出発して、日本の画壇の低劣さを批判するのに進んでいかなければならない」と語っていた[22]。美術批評なども含めたこのような久保の議論を評して、山木朝彦は次のように指摘する。

> 「児童画と前衛的な芸術を個性という観点から同時に論じる久保の立場はきわめて単純なものと受け取られかねないが、子どもの造形表現の現状から見て日本の美術状況の批判に至る『公衆とぼくら』などの批評の戦略は巧みである。そこには、子どもが描いた図画の中に純粋な芸術性を認めるプリミティヴィズムに属する楽観的な美術教育思潮ではない、文化批判のための戦略として選び取られた方法論的な児童画礼賛の姿勢が浮かび上がるのである。[23]」

---

[22]　久保貞次郎『子どもの創造力』黎明書房、1956 年、p.57-58.

[23]　山木朝彦「美術と教育を結ぶ基底としての子ども論」宮脇理・花篤實編著『美術教育学』建帛社、1997 年、p.41.

久保などの児童画礼賛の姿勢は、ひいてはその美術教育論もと言ってよかろうが、文化批判のための戦略だというのである。そして山木は、北川民次や久保貞次郎などの創美の論客は「児童画の価値を問うことを通じて、現代日本の教育と芸術を支える教師や芸術家の精神的な貧困を厳しく問い糺したのであった」と指摘するのである[24]。

こうした山木の指摘にあるように、創美などの美術教育運動は、一方で日本の支配的な教育の現状を批判し、子どもの自由で創造的な成長を図ろうとすると同時に、他方で美術の状況、さらには社会と文化のあり方を問いただそうするものだった。

しかしこのような美術・芸術教育のスタンスは、芸術という性格を考えても、特殊なことだとは言えない。たとえば鶴見俊輔は、「非専門的芸術家によってつくられ、非専門的享受者によって享受される」と規定した「限界芸術」の機能に触れて、次のように記していた。

> 「限界芸術のことを考えることは、当然に、政治・労働・家族生活・社会生活・教育・宗教との関係において芸術を考えてゆく方法をとることとなる。芸術を純粋芸術として考えてゆくことが、芸術を他の活動からきりはなして非社会化・非政治化してしまうのとちがい、また芸術を大衆芸術として考えてゆくことが、芸術を他の活動に従属し奉仕するものとして過度に社会化・政治化してゆくのともちがって、芸術そのものの観点につきながら他の活動の中に入ってゆき、人間活動全体を新しく見直す方向をここから見いだせるのではないかと思う。[25]」

この「限界芸術」が芸術のひとつの機能だとすれば、芸術とは、当然ながら教育も含めて政治、労働、生活などさまざまな人間の活動とかかわりながら、人間の活動全体を見直していく働きをすることになる。芸術の専門家ではない者の、とりわけ子どもの芸術活動は、まさにこの「限界芸術」と言える。

したがって美術・芸術教育は、こうした芸術の機能を働かせるような教育の過程を通すことができるからこそ、「教育」のあり方を根本からただし、翻って現状の芸術のみならず、社会や文化そして生活といった人間の諸活動を新たに問い直していくという、ラディカルな働きをするのである。芸術教育をこのように考える思想は、

---

[24]　同[23]、p.44.

[25]　鶴見俊輔「芸術の発展」『講座　現代芸術Ⅰ』勁草書房、1960年、pp.224-225.

H.リードをはじめとして、さまざまな芸術教育思想の根源にあったものだったのではないだろうか。

これは、すでに教科教育の枠をすでに超えている。なぜならばこのような芸術教育の働きは、芸術教科さらには学校という枠も超えて、それらも含めた教育の全過程におよぶものだからである。それは形としてのみならず、機能さらに運動としての美術・芸術教育と言ってよい。そこに、美術・芸術教育のラディカルな固有の位置と役割がある。

このように芸術教育を広くとらえながら、その営みを研究する美術・芸術教育学は、当然ながら諸学問の知見を取り入れ総合することが求められるとともに、そのような作業を通して学問としてとりわけ教育学の一領域として固有の位置を築きつつ、学としての確立が図られていくのではないだろうか。

あとがき

まえがきにおいて、本書全体に貫かれる視点として、広義の「芸術による教育」思想とポリフォニーとしての芸術教育論という２点を挙げた。

筆者が芸術教育論を専門にしていこうと考えたのは、1978年度の修士論文を戦後日本の美術教育論をテーマに執筆したことを契機にしていた。それ以来40年以上も主に芸術教育について考えてきた。当初は、感情論や感性論、さらには美学や芸術記号論をベースに芸術教育論を構想できないか模索した。しかししばしば研究会で芸術教育分野の実践家の方々と議論する中で、そうした視点からは現代の芸術教育実践の指針となるような有益で有効な実践的教育論は生み出すことができないと感じ、なかなか道が開けなかった。

そうした中で、30歳を過ぎてから、小野二郎、鶴見俊輔、そしてウイリアム・モリスと出会い、彼らを通してハーバート・リードを読むことになり、30代半ばに広義の「芸術による教育」思想という発想に行き着いていった。このような通過の仕方をしたことによって、一般のハーバート・リードの読み方とは異なる迫り方になったと思われる。その過程で、戦後の演劇教育の発展の中心になった冨田博之氏も、1960年の段階で同趣旨の発言をしているのを発見し、たいへん勇気づけられたことを記憶している。その後、芸術教育やさまざまな教育問題を考える上でも、この広義の「芸術による教育」思想の視点が思考の起点になっていった。その成果の一端を本書に収録させていただいた。

しかしその後、この広義の「芸術による教育」思想を軸にした芸術教育論を深化させるためには、より芸術の原理に立ち入った芸術活動論や芸術教育論の必要を感じ、模索を始めた。そのとき同時に、1980年代から日本では、従来の一方向的な講習ではなく、双方向的なアート・ワークショップが徐々に取り組まれはじめ、1990年代には盛んに展開されるようになっていった。筆者も1996年に三重大学に着任したあと、当時は地域に開かれた美術館づくりを盛んに進めていた三重県立美術館の取り組みに学生とともに参加して、多くのことを学ぶことができた。そうした経験をふまえて、一定の芸術の原理に立脚した芸術教育論を探っていき、その方向をつかむことができた。

ところがそのように見出していった芸術教育論については、現実に子どもたちと真摯に向きあいながら教育実践を進める心ある芸術教育の実践家たちにはあまり好意的には受け止められなかった。そうした優れた経験を重ねてきている実践家の心に響かないような理論は、不十分なことは確かである。そのような事態に直面し、改めて様々な芸術活動や教育実践を詳細に検討していく中で、実は各々が異なる芸術の原理をベースにしていることが理解されてきた。そのようにある原理が主要に機能することによって、それぞれが内実のある特徴的な芸術教育実践となっていた。しかし同時に、そのように一定の芸術の原理を土台にすることによって、長所となる価値や特徴が生み出されるとともに、他方で必然的に 短所も併せ持っていた。このような芸術教育実践の状況に接して、しばらくは、そのそれぞれの教育実践にていねいに寄り添いながら、その長所に光を当てることによって、その意義を明らかにする作業を進めた。その結果、芸術教育論としては、分裂したものになった。

こうした理論として分裂しまとまりがない状態を克服する契機になったのが、2015 年から造形表現能力の発達論に基づく美術教育論の改訂作業に参加したことだった。その発達論に基づく美術教育実践には、芸術の原理としてはひとつに統一できない多元的な原理が相互に働いていることを発見した。それは、美術を通しての、真性性の探究、制作の持つ人間形成上の根源性、そして対話性、といった３つの原理的な志向である。つまりひとつの芸術の原理に統一するのではなく、逆に多元的な原理が緊張感を持ちながら相互に作用することによって実りのある芸術教育が成立していくことに気づくことができた。こうしたポリフォニー（多声性）としての芸術教育論の構想は、本書をまとめていく中で、ますます明確に自覚されるようになった。以上が、本書が含意する芸術教育論のコンセプトの成立経緯である。

以下が、本書に収録された論考の初出一覧である。収録に当たって、そのほとんどに大幅な加筆及び修正を行った。上に記した本書の成立経緯を反映して、収録された全 16 本の内、2010 年以降の 10 年間に執筆したものが半数を占める一方で、1990年代のものも３本入っている。ただし、全体にはまとまりのある構成になっていると思われる。

【初出一覧】

第Ⅰ章

第１節 「学校教育におけるアートの可能性」『季刊人間と教育』No.76、2012 年 12 月。

第２節 「戦後日本芸術教育理論への一視角―創造美育運動の思想的射程―」『美術

教育学—美術科教育学会誌—』第12号、1991年3月。

第3節　「人間の文化的主体性の形成における芸術・芸術教育の役割と意義—障害児者の芸術文化活動の意義に寄せて—」『障害者問題研究』第46巻3号(通巻175号)、2018年11月。

第Ⅱ章

第1節　「平和と美術教育—『平和のための教育』としての芸術教育の理論的性格—」『子どもと美術』No.84,85、2019年8月、2020年1月。

第2節　「芸術文化の視点から見たドイツ社会文化運動—英国コミュニティ・アート運動とも対比して—」『市民がつくる社会文化——ドイツの理念・運動・政策——』水曜社、2021年。

第3節　「コロナ禍に向き合う芸術文化の取り組みと美術教育の展望」『美術の教室』105号、2021年3月。

第Ⅲ章

第1節　「学校改革運動としての芸術教育—学力向上論と芸術教育との関係に寄せて—」『演劇と教育』2003年7月号。

第2節　「芸術教育の視点から総合学習を考える」『教育』第649号、2000年2月。

第3節　「文化的主体性の形成と教科外教育—学校文化活動の位置と役割をめぐって—」『宮崎女子短期大学紀要』第20号、1994年3月。

第4節　「芸術固有の価値への接近を求める『芸術の教育』論—山住正己の芸術教育論の歴史的位置—」『教育』No.695、2003年12月。

第Ⅳ章

第1節　「子ども自身による真の表現を求める契機を生み出す—池田栄氏の美術教育実践史上の意義—」『池田栄「子どもアトリエ」絵画展開催記念　子どもが絵をかくとき』(松山庭園美術館『池田栄「子どもアトリエ」絵画展』開催記念誌) 2013年8月。

第2節　「造形表現能力の発達論・発達図をめぐって」『子どもと美術』No.68、2011年7月。

第3節　「造形表現能力の発達の節を見る目の豊富化と共通に重視すべき視点について」『子どもと美術』No.78、2016年7月。

第Ⅴ章

第1節　「芸術概念の再審から芸術教育理論の転換へ（1）—「表現」と「模倣」の論理の批判的検討—」『三重大学教育学部紀要（教育科学）』第35巻、2004年3月。

第２節　「『共通感覚論』再考の視座――中村雄二郎『共通感覚論』を批判的に読む」『美術科教育学会通信』No.40、2001年３月。

第３節　「美術・芸術教育学の固有の位置と課題の探求」『アートエデュケーション』第29号、1999年３月。

本書は、先の経緯に示されているように、研究、教育実践、芸術文化活動にかかわる多くの人々との交流や学びなくして生まれてこなかった。

特に、大学院学生の時代に故藤本卓氏を中心に、故鈴木聡氏、関口昌秀氏、平野和弘氏と現代に求められる教育研究の視点について継続的に研究会を行ったことが、その後の自身の研究の方向性を決めることになった。また大学院の教育史・教育哲学研究室は、堀尾輝久先生をはじめ研究室の先生方や大学院生の諸氏の力によって、教育学のみならず心理学、哲学、社会学、政治学など人文社会諸科学の知見と成果を交流しあう刺激に満ちた研究環境だった。決して学習熱心とは言えない筆者の研究の出発点で、そうした恵まれた研究環境に出会うことができなかったら、その後曲がりなりにも意義あると思われる研究を続けていくことはかなわなかったと思われる。

さらに、すばらしい芸術教育の実践家の皆さんと出会い、その実践から多くを学ぶ機会がなかったら、やはり本書のような研究は進めることはできなかった。芸術教育の分野を越えて共同して現代に求められる芸術教育の課題を探求することを目的にした教育科学研究会「美的能力と教育」部会は、1960年代からの「芸術と教育」部会をリニューアルする形で、1984年に開始された。以来35年以上に亘って美術、演劇、音楽、舞踊などさまざまな芸術教育について実践的に研究し、特に子どもの表現を深く受け止めていくことを学ばせていただいた。特に落合利行・早苗両氏、市橋久生氏、今給黎博子氏、小菅盛平氏は、開始の頃から長年の間、世話人としてともに研究を進めてくれた。また近年、美術教育を進める会の諸氏は、美術及び芸術教育に関する理論的な難問を提起し、筆者の研究を牽引し、さまざまな発見を引き出してくれた。ここに記した２団体に加えて、日本演劇教育連盟と新しい絵の会も含めて、芸術教育に関する民間教育研究団体には1970年代の終わりから会員として在籍し、継続的に芸術教育実践の実際とその成果から学ばせていただいてきた。

また児童期から美術や演劇などに興味はありながらも、芸術の制作を専門的に学習する経験がなく、教育学専門の立場から芸術教育の研究を始めた筆者にとって、1996年に三重大学教育学部美術教育講座に赴任し、専門的に美術の制作、研究、教育に携わる教員や学生の方々と直接日常的に接する環境で生活できたことは、研究上でも人生経験上でも存外の幸せだった。この経験がなければ、芸術教育の研究もたいへん底の浅いものになってしまっただろう。加えて、偶然に1998年の創立時から会員になった社会文化学会は、日本において市民による社会づくりを進めることを志にした小さな学会だが、そこでは教育学だけでなく哲学、社会学、経営学、文化政策学などさまざまな学問分野の知見を身近に学ぶと同時に、日本、ドイツ、韓国などの市民による社会文化活動や運動に直接触れる経験を得ることができ、視野を広くかつリアルにしてくれた。さらに三重大学教育学部の現・元教員と元大学院生の有志によってつくられ、教員養成ＰＢＬ教育をテーマにしているが、対話論に関心があるという奇妙なバフチン研究会では、常に教育方法論のヴィヴィッドな研究状況と課題を学ばせていただく場になっている。

このように本書は、長年の多くの方々との出会いとそこでの学びに支えられて可能になった。そのことを記して、心からお礼を申し上げたい。

なお、本書の刊行を直接勧めてくださった日本演劇教育連盟元事務局長の市橋久生氏と、本書のような面倒な編集を引き受けて出版に漕ぎ着けてくださった晩成書房の水野久氏がいらっしゃらなかったら、本書は実際には生まれなかった。お二人に深く感謝したい。

■著者■

山田康彦　やまだ・やすひこ

1954年神奈川県生まれ。三重大学教育学部特任教授。東京教育大学教育学部卒。東京大学大学院教育学研究科博士課程満期退学。宮崎女子短期大学（現宮崎学園短期大学）助教授、三重大学教育学部教授などを経て現職。専門は、芸術教育論。
著書に、『表現を生かした総合学習の展開』（明治図書、2000年、共編著）、『子どもが変わるもうひとつの学び』（晩成書房、2003年、共著）、『PBL事例シナリオ教育で教師を育てる―教育的事象の深い理解をめざした対話的教育方法』（三恵社、2018年、共編著）、『学生と市民のための社会文化研究ハンドブック』（晃洋書房、2020年、共編著）、『市民がつくる社会文化―ドイツの理念・運動・政策』（水曜社、2021年、共著）、翻訳書に、『学生が変わるプロブレム・ベースド・ラーニング実践法』（2016年、ナカニシヤ出版、監訳）などがある。

山田康彦芸術教育論集
芸術教育がひらく可能性
―「芸術による教育」思想のパースペクティブ―

2022年9月15日　第1刷印刷
2022年9月20日　第1刷発行

著　者　山田康彦
発行者　水野 久
発行所　株式会社　晩成書房
●〒101-0064 東京都千代田区神田猿楽町2-1-16
●電　話 03-3293-8348
●ＦＡＸ 03-3293-8349
印刷・製本　株式会社 ミツワ

乱丁・落丁はお取り替えします
ISBN978-4-89380-506-5 C0037
Printed in Japan